篆隶

上册

前言

书法是我国民族色彩特强、有实用价值的传统艺术之一。在精神文明日益提高的今天，爱好书法，学习书法的人越来越多。为了解决缺乏师资指导、选购范本的困难，我们编纂出版了这一套《书法自学丛帖》。

整套《丛帖》由『正书』『行草』『篆隶』三大部分组成，但彼此独立，自成体系，读者可按需选备。

这是第三部『篆隶』。共三册。

为使自学者有所依循，帖前刊有徐无闻《篆隶书法简论》、崇善《篆书的用笔和结体》和张森《隶书的用笔和结体》三篇指导文章；每一时期或书体前，复有对此时期或书体所选范本和作者的简介；篆书均附释文。

书体和风规的沿革，皆有一定的因果，故在编纂中，历代重要书迹都遴选一二。由于篇幅的限制，不可能照顾周全，部分只能节选，但已可略窥原委。

目次（上册）

篆隶书法简论

徐无闻

上海书画出版社精选历代法书英华，分『正书』『行草』『篆隶』三大部，编为《书法自学丛帖》，实为嘉惠艺林的盛事。『正书』部的卷首，许宝驯先生所撰的《临习须知》和《书法欣赏》，对临习整套丛帖，都有指导意义。我在这里，只把有关篆隶的特殊性问题——汉字与书法、篆隶书法发展、篆隶笔法——作简略的论述。

一

汉字是世界上最古老的文字之一，经过长期的演进，至今仍有强大的生命力。从殷代的甲骨文到现行的楷书，犹如祖孙父子几代人的照相。书法艺术是随着汉字的演进而发展的，因此，要学习书法艺术，就必须对汉字形体的演变有一个基本的了解。

安阳殷墟出土的甲骨文，其中最早的属武丁时期，距今三千三百多年。从这时的文字看，指事字、象形字、会意字、形声字、假借字都已具备，完全达到了系统的成熟阶段。一九七九年，陕西凤雏村出土的周初甲骨文，与殷墟同属一体系，且近于西周金文。殷和西周的甲骨文、金文的五六百年发展中，可以窥察到统一和简化的走向，但总地看来，不妨统称为殷周古文。

『籀文』之名起于汉人，因于《史籀篇》。从《说文》所收录的二百二十多个籀文看来，这种形体大半繁于小篆而接近西周金文。《史籀篇》这部学童识字课本，成于西周晚期或东周初期是可信的。《石鼓文》和《秦公钟》《秦公簋》等春秋秦器，事实上也就是籀文。这是从殷周古文到小篆之间的过渡形体。

战国时代是我国社会发展中很重要的大变动时代，经济、政治的改革、发展，加速了文字的演变。这时期的汉字，大致可分为两种类型。一种是不很遵循西周文字传统而随意增省、奇诡难识的六国文字。许慎收进《说文》里的所谓『古文』，实即六国文字。一种是继承西周传统，在籀文的基础上，经过系统整理的秦国文字，即小篆。现在一般讲文字和书法的书上都说小篆是秦始皇统一天下后才应用的文字，并且还认为是李斯所创制。这种说法是不符合历史实际的（详见拙撰《小篆为战国文字说》，载《西南师范学院学报》一九八四年第二期）。战国秦的《商鞅方升》《秦杜虎符》《诅楚文》《高奴权》《新郭虎符》等的文字，都与后世所谓小篆基本相同；还有大约二十件同时代的兵器铭文，也大体是小篆。这就是小篆为战国文字的铁证。

一九七五年湖北睡虎地秦简出土，一九八〇年四川青川战国木牍出土，我们已可确知隶书兴起于战国晚期。这两种简牍和马王堆汉墓帛书、银雀山竹简上的隶书，还带有浓厚篆意，形体的隶化还不完全，与后世习见的隶书有区别，可称之为古隶书。向来把东汉碑刻上的隶书看作成熟期的隶书，由于河北定县孙竹简的出土，这成熟期已可提早到西汉中期。现行的楷书出现于东汉后期，也有实物可证了。

在汉字演进的过程中，篆书变为隶书，是一个巨大的进步。这是从古代汉字到现代汉字的分水岭。隶书虽然大大破坏了汉字构形的有理性，但更加符号化、规范化，简捷方便，更有效地发挥了交际工具的功能。现在，与正书很接近的隶书，在某些地方还有作为交际工具的实用价值；小篆以前的各种形体，主要是学术的研究价值和艺术的欣赏价值了。

由于篆隶在日常生活中很少接触到，要学会读和写，自有一定的困难。用篆隶形体作为书法艺术来学习和创作，当然要求书写者能够正确地读和写。书法家写的篆隶形体，应该有可靠的根据。随便错写古文字的笔画，或者把『们』『她』『搞』这类后起字用偏旁拼凑法仿造成古文字形体，是不妥当的。文字不是任何人可以主观随意编造的。小学生乱写了现代汉字，理所当然地被认为是错误，书法家乱写了古代汉字，难道就可算是正确的吗？学写篆隶，不仅要临习范本，还要经常查阅有关的工具书，如中国科学院考古所编《甲骨文编》、容庚编《金文编》、故宫博物院编《古玺文编》、顾蔼吉编《隶辨》、翟云升编《隶篇》等。《说文解字》是必备的参考书。

二

从甲骨文到现代汉字各种形体的构成，是复杂的矛盾统一，它的发展符合辩证法的规律。这是世界上多种文字中，汉字能够被当作材料而成为书法艺术的最根本的原因。

殷墟甲骨文字的书法，已具有相当高的艺术水平。写刻甲骨文字的那些贞人，可说是奴隶社会中的高级知识分子，在甲骨文字上表现了他们卓越的艺术才能。从一些字数较多的甲骨看，不仅点画、结构、章法都具备了书法艺术的要素，而且还有一定的艺术风格。郭沫若《殷契粹编序》：『卜辞契于龟骨，其契之精而字之美，每令吾辈数千载后人神往。文字作风且因人因世而异，大抵武丁之世，字多雄浑；帝乙之世，文成秀丽。细者于方寸之片，刻文数十；壮者其一字之大，径可运寸。而行之疏密，字之结构，回环照应，井井有条。固亦间有草率急就者，多见于廪辛、康丁之世，然虽潦倒而多姿，且亦自成其一格。』『足知存世契文，实一代法书，而书之契之者乃殷世之锺王颜柳也。』这是很精当的评论。

殷和西周的金文书法，较甲骨文更丰富多彩。在共同的时代风格中，又有多样的个性。从风格看，殷和西周金文，由雄浑壮实，趋向典雅工饬。昭王以前可算前段；穆王以后算后段。前段点画形态较多样，起笔收笔往往露锋，多有圆点和肥笔，字形长短、宽窄、大小，相当随意，章法上行距不整齐而互相争让者多。也有些行距字距大体整齐，如《盂鼎》者。后段点画较单纯，增强了线条化，起止藏锋已如后世小篆；字形大小大多渐趋一律，且为长方形；章法上以行距字距相对整齐为主。有的还有明显的长方界格。西周的《颂壶》《墙盘》《曶鼎》《散氏盘》《毛公鼎》等，都是代表作品。

春秋战国时期的书法，可说是百花齐放，美不胜收。和文字同步，书法也可分为两大类型。秦以外诸国的书法风格，春秋前期尚有宗周遗意，越到后来，变化越大。许多器物上的文字，虽无意于书法之工，却很能显示不同的艺术特色，侯马盟书的纵逸、三晋币文的简劲、齐鲁匋文的浑朴、楚帛楚简的瑰奇，皆可存精寓赏，益人神智。

唐初发现于陕西凤翔的《石鼓文》，备受千余年来书家的推崇，的确当之无愧。《石鼓》笔势圆融浑厚，结体方正端庄，风格朴茂自然，含蓄蕴藉，故对后世书家多有启发。春秋秦器《秦公簋》《秦公钟》等，与《石鼓》时代相近，然秀美有余而雄厚不足，笔法已俨然同于小篆。

传为李斯所书的《泰山刻石》《琅邪台刻石》，乃是小篆书法的典型。它的确符合形式美的法则：从笔法看，单纯齐一；从字形看，它的长方形符合黄金分割的比例；从结构看，很讲究对称均衡；整个章法秩序井然，很有节奏韵律。从甲骨文以来的古代汉字书法，到此已可叹为观止了。

两汉篆书的实用性已基本消失，然去古未远，亦复灿然可观。总地看来，不似秦刻石那样整饬，而是趋向解放。西汉篆书传世殊少，《赵王上寿刻石》和瓦当文字可为代表。王莽时期各种器物上的篆书，无不精美绝伦，尤以瘦劲方折的《新嘉量铭》为最。东汉篆书佳品颇多。《袁安》《袁敞》二碑，似为一人所书，宽博温雅，风力遒上。加以刻工精湛，行笔的使转起收，历历可寻，如见墨迹。《祀三公山碑》篆隶交融，行次规整而用笔恣肆。《少室》《开母》二阙，醇厚茂密，多饶古趣。各种碑额变化多端，往往以隶笔作篆，结体或宛转绸缪，很有新意，足启后人。

魏晋以后篆法渐坏。《三体石经》中的篆书，虽存规矩而颇伤靡弱。《吴天发神谶》，誉之者诧为『雄奇骏伟』，毁之者诋为『牛鬼蛇神』。虽然别具一格，但亦暗启流弊。南北朝至隋唐间阳文篆碑额和墓志盖，描填肥肿，丑怪不堪，真可称为谬篆。直到李阳冰出来，才见篆法的中兴。

李阳冰在唐代，是可与欧、虞、褚、颜、柳、李邕、张旭、怀素并列的杰出书家。他一扫几百年相沿的讹谬，直接继承秦篆，使篆法归于清真雅正。现存的李阳冰篆书中，《般若台题名》《崔祐甫墓志盖》《高力士碑额》等数种均是原刻。他用笔稳健自然，结构雍容茂美。与秦汉篆书比较，他的圆弧形笔画显著增多，把字内上密下疏的布白改变为上下停匀。他的篆书大字雄壮有神。唐以后作篆书者，大都学李阳冰，影响很深远。五代至北宋初徐铉、梦英即阳冰一派。徐铉摹《峄山碑》，笔法虽是而神情则非，失掉了秦篆的古趣，但其形体确有所本，并非臆造。由于法度谨严，可与阳冰篆书同为初学的范本。

宋、元、明没有出现杰出的篆书家，苏唐卿、文勋、党怀英、赵孟颊、李东阳等的篆书，便算是比较可观的了。清代篆书超轶唐宋，直追秦汉。康熙至乾嘉，作篆者仍多为阳冰一派，有王澍、孙星衍、洪亮吉、钱坫等人。其中以钱坫成就较高，晚年左手作篆，化聚为散，避正就奇，甚有雅逸之气。邓石如长期勤学苦练，成为清代第一大书家。他的篆书笔力雄健，朴厚宏博，深得阳刚之美，不愧为斯、冰以后一人。继起者有吴熙载、赵之谦、杨沂孙等人，受邓影响而各有发挥。近代吴昌硕学《石鼓》而终出新意，遂为一代名家。

隶书书法，我们今天能看到的古代隶书书法资料，远比前人丰富，这是很值得欣幸的事。战国末年至西汉前期的古隶书，刚从篆书蜕变出来，篆意浓厚固然是共同的特点，但已趋向多样化。《青川木牍》《睡虎地简》《马王堆老子甲本》等，多是圆笔，而《马王堆一号墓竹简》则多为方笔。《马王堆战国纵横家书》形体是长方，《马王堆老子乙本》形体扁方者颇多。字内的布白，有的较宽绰，有的则很紧密，乍看几乎是黑墨一团，但由于字距较宽，便收到特殊的效果。这笔新得的书法遗产，正有待于我们学习研究，从中汲取丰厚的滋养。

西汉的隶书石刻很少，现在能看到大量的竹木简，就不像前人那么感到遗憾了。居延、敦煌等地所出木简，大都是下级军吏的手迹，信手写来，多饶天然之趣。拙劣者固不足取，其佳者则远非谨守绳墨的士人之书所能及的。这些简牍字中，往往有特长特重之笔，看起来醒目提神，可想象书写时的情绪。简牍隶书中，实已出现了草书和正书的笔法。

体现隶书高度成就的是东汉碑刻。现存的佳品颇多，凤翥龙腾，各极其致。瘦劲纵逸如《石门颂》《杨淮表纪》，雄厚方严如《衡方碑》《鲁峻碑》，宽博古朴如《西狭颂》《郙阁颂》，奇崛劲健如《张迁碑》，典雅疏秀如《礼器碑》，谨严平实如《熹平石经》，风姿特秀如《曹全碑》等。东汉隶书在笔法和结构上都有创新，为正书的产生和发展，准备了充足的条件。

魏晋的隶书，笔法和结构渐不如汉隶的丰富多彩，趋向公式化，特别是瓦二两头重中间轻的笔画，使整个书势显得单薄。这以后的长时期中，都没有很好的隶书作品。

清代隶书的成就优于正书、行草，仅次于篆书。傅山颇有奇古之趣。王时敏、朱彝尊未脱尽元明人习气。郑簠似有得于《孔彪碑》，打破严整的结构，行笔自然。钱泳、翟云升等，过分平庸，不免俗气。伊秉绶早年隶书是平实一路，中年以后，似从《裴岑纪功碑》一类汉碑悟得行笔和布白之法，卓然自成一家。他善于以拙为巧，计白当黑，笔力强劲，点画硬挺少态，结体方整重大，章法超越寻常，形成一种清峻古雅的风格。邓石如能融会多种汉碑之长，写得古朴厚重，极有气魄。陈鸿寿的隶书多有奇趣，尚欠浑成。晚清的何绍基、赵之谦、杨岘等的隶书，也是风格独具，各有所长。清代的篆隶成就，说明篆隶艺术的天地是广阔的，秦汉人把篆隶都写绝的说法并不恰当，只要我们善于继承遗产，必定能够推陈出新。

三

怎样临写篆隶的问题，可分两层说：首先一层，篆隶临写的原理和方法，总地说来和正书是一致的。许宝驯先生的《临习须知》，讲得很正确、很实际。请读者在临习这篆隶篇时，先看许先生的文章。我在这里只讲篆隶在笔法方面的一些问题。

一般的说法认为，篆书的笔法比正书简单，只要一味地中锋行笔，起笔收笔能够藏锋，有提无顿，不见圭角，每笔一样粗细便可。这说法是不很正确的，事实上，从我们现在能够看到的上古书法真迹，笔法是不断发展的、相当丰富的，并不如一般说法那么单纯。

笔法的构成，第一是人使用书写工具的手势和运行时的轻重疾徐，二是书写工具的性能。现在我们能看到的上古的文字和图画的实物，以距今六千年的西安半坡陶器为最早。半坡陶器上有几十个在成胚时刻画的独体符号，符号的线条已显示出因刻画时用力的轻重疾徐而产生的不同笔形。这些陶器多饰有浑朴的图象。我曾三次仔细观察过原物，那些黑褐线条构成的图象，只有柔软而富于弹性的毛笔才画得出来。这种工具的优越性，在于它能准确而明晰地表现人所认识的客观物象，同时显示出人体力量的运动。从半坡陶器上的『字』或画上，已经可以看出书法艺术在后来必然出现的朕兆。大汶口陶器上的几个字和江西清江吴城文字，都是和半坡一脉相承的。

甲骨文几乎全是刀刻的，在一定程度上也表现出笔法，起止转折，大多明晰可辨。迄今为止，在甲骨和石器上朱书或墨书的文字，约有二十余件。这是殷人真正的手迹，在探索书法艺术的发展上，有着极宝贵的价值。这些书写者只是在写字，并不认为自己在进行艺术创作。所以，这些手迹是天然的、朴素的表现。每一笔起笔和收笔多不藏锋，直起直落，行笔中间用力较重而显得壮实，转折处方圆不拘，顺手自然。这便是中国书法最早的笔法形态。

殷末和周初手书的墨迹，还没有发现，但铜器铭文上的写法与前述基本一致。如殷末的《宰留簋》《邲其卣》，周初的《利簋》，康王时的《盂鼎》等。这些字的笔法，已显得多样化。起笔和收笔有露锋，也有藏锋，有圆笔，也有方笔；向右或向左下行的笔画，往往在行笔中逐渐重按而成肥笔；短画多作两头尖的米形点，加在直画中间则作正圆点。这种多样的笔法，已是一种自觉的美化。这种笔法能够表现，一是由于柔软的泥范刻来远比甲骨易而自由，二是字形较一般甲骨上的大得多。这种笔法之所以形成，固然是毛笔的作用，同时也有刀刻的作用。在泥范上刻字时，为了加粗和修饰点画，不得不复刀；因为复刀，也就出现了方笔和肥笔，这样就改变了前代那种起止露锋、中间粗的梭子形笔画，悟出了藏锋。我们的古人很聪明，把刀刻和笔写的两种工具所显露的效果结合起来，相互补充、丰富。

笔画粗细大体均匀的笔法，出现于西周中期。只是结构不像小篆那么严整。试看本编选印的《墙盘》，笔画已很匀整圆融。这种笔法是书写经验长期积累的结果，与字形结构相适应，行笔有一定的法则而又因乎自然。

但是，这种笔法并不是西周中期以后唯一的形态。事实上，秦汉以前的汉字，也和今天通行的汉字一样，有『正书』，也有『行书』『草书』。像《墙盘》那样的笔法，只施之于当时的『正书』。春秋末的《侯马盟书》《温县盟书》，便是当时实用的『行书』『草书』。由于书写疾速，自然就不可能每笔都起止藏锋，粗细均匀，只好信手写去，于是就出现了多种不同形状的点画，后世『正书』和『草书』中的波磔和使转，在这里都具体而微地表现了出来。战国时期的《楚帛书》《信阳楚简》《长沙仰天湖楚简》的笔法，虽与春秋的这两种盟书有差异，但基本是一个类型。

自周平王东迁以后，西周的文字与书法，皆为秦国所继承。赫赫有名的《石鼓文》和时代大致相近的《秦公钟》《秦公簋》《秦公镈》等，发展了西周中期以后的笔法，已接近于后世常见的小篆。向来说到小篆书家，都以二李——李斯、李阳冰为代表，正因为他们的笔法，确是西周以来正统篆法的典型。从现存传为李斯所书《琅邪台刻石》《泰山刻石》，李阳冰所书《三坟记》《怡亭铭》《般若台题名》等，以及徐铉所摹《峄山碑》来看，共同的笔法是：

一、大多数的情形下，都是中锋行笔，起笔、收笔藏锋；二一个字和全幅字所有的笔画，粗细基本一致；

三、横画须平，竖画须直，一个字内，所有的横画与直画各自大体上等距平行；

四、圆弧形笔画左右的倾斜度要求对称；

五、所有笔画的转折处，不能停顿重按，要不见筋节，不露圭角；

六、所有笔画的交接处，不露起笔收笔痕迹。

因此，要掌握这种笔法，不仅难于隶、楷、行、草，而且在篆书中也是最严格的，必须长期锻炼才能运用自如。汉碑篆额或邓石如式的篆书笔法，学起来当然比较容易些，但学这种笔法，更能获得精湛的技巧和坚实的工力。邓石如早年便刻苦学习《峄山碑》和李阳冰各种篆书，中年以后才致力汉篆，解放笔法。这是一条成功的道路。

由于这种小篆笔法难度大，过去有些人没有耐心，学而未成遂加以诋毁。世俗相传，清代孙星衍、洪亮吉、钱坫他们的篆书，是用剪掉或烧掉笔锋的笔写的，又有人说是用绢条卷成圆柱蘸墨写的。小学大师黄季刚虽不以书名，但于书法多有卓见。湖北省图书馆藏《名人楹帖大观》，书中有黄氏亲笔批语。他在张惠言篆书联旁批云：『用笔起止回旋皆成一点，而结字未悉工。』又在洪亮吉篆书联旁批：『起止有点，较之皋文尤易见。世不得其法，以为剪笔头书，非也！』我素来留心观察孙、洪、钱诸家篆书，对黄先生之说深以为然。那么，『世不得其法』的『法』，怎样才能得到呢？主要应有以下几点：

一、选好范本。初学者不可侈谈高古，更不应追求怪奇，宜从李阳冰的《三坟记》和徐铉摹本《峄山碑》入手，照原大反复临写，两三遍临写之后，间以一遍摹写，直到八九分相似后，才改学他种篆书。

二、坚持悬肘。写一寸左右的篆书，不妨悬腕。一寸半以上，必须悬肘。篆书的行笔须悬肘，比正书还要紧。道理是挥运的幅度大，才能使转灵活，横平竖直，圆方自适。为了克服惰性，临习时不妨坐在桌子的右端，书写的纸放在桌子右边的边缘，这样，腕肘自然悬空，没有靠处。

三、持之以恒。初学时，悬肘临习二寸左右的篆书，手要颤抖，笔画不能平直均匀，不是弯曲倾斜，便是钉头锯齿，这完全是正常现象。这要克服畏难情绪，一般只消每天练一小时，连续半年，便可闯过这一关。初学行笔不能求快，笔要在纸上走得稳、留得住，切忌一拖而过。到了笔力强健时，行笔的速度也就自然加快了。在临习之后，如尚有余暇，还可在废纸上写横画、直画和圆圈的线条，练习体会用笔方法，颇有助益。

此外，还附带说一下笔和纸。一般的说法，写篆书要用羊毫，有的甚至说要用长锋羊毫，只能发开一半受墨。理由是羊毫柔软，易于使转而不露圭角，发开一半才易于着力。这种说法，似是而非。除了极软的纯鸡毫和极硬的纯紫毫外，不论是羊毫、兼毫、狼毫乃至猪鬃，只要是符合尖、齐、圆、健标准的笔，都可以写出圆融匀美的篆书。善用笔者可以化柔为刚，也可以摧刚为柔。唐宋以前不尚羊毫而有李斯、李阳冰、清代崇尚羊毫而有邓石如、吴昌硕，他们都是优入圣域的大家。可见问题不在于笔，而在于执笔者的技巧和工力。再说只能发开一半受墨，和前面烧笔头的说法一样，都是因为缺少临池经验而编出的笑话。篆书的笔画不可枯渴过多，必须把笔毛全部发开，含墨充足，才能写得血肉停匀、温润可观。烧笔头之所以错误，是不懂得篆书乍看是有提无顿、起止藏锋，但实际上仍然有提有顿、起止分明，只不过是潜气内转、含蓄不露而已。行笔过程中，转折处的速度总是相对放慢，没有笔锋的笔与有笔锋的笔写出的起止处效果很不相同，这就是明显的验证。至于用纸，初学者不宜用生纸和质地粗糙不平的纸练习，两者都使笔画不能明确肯定显得含糊不清，造成假象，易于遮丑。最好用熟纸或较平滑的机制纸练习，可使缺点明白暴露而利于进步。这样久练之后，一旦用优质宣纸正式书写，真如弃驽蹇而策良骏，倍见精神。

　　就掌握笔法而言，临习隶书比篆书容易，也不比楷书难。如果先有写篆书或楷书的基础，学隶书便会收事半功倍之效。战国末年至西汉前期的隶书，篆意还很浓厚；东汉末年至魏晋间的隶书，已是楷书的前奏；隶书的独特笔法表现得最充分的，即是世所习见的《华山碑》《史晨碑》《乙瑛碑》《熹平石经》《孔宙碑》《曹全碑》等。学隶书先从这些类型的汉碑入手，本是正路。但不少的人学的结果，往往写得平板庸俗。一些人看不惯，便另找出路，一味追求古拙险怪。其实，平板庸俗的造成，并非范本的过错，原因在于临习者。在临习中未能细心领会笔法，即是原因之一。学者多迷信『笔笔中锋』之说，临写之际多注意间架，笔笔都用中锋写去，结果，不少笔画与原碑不合。事实上，汉隶的许多作品中，中锋与侧锋并用，一些横画向左的掠『丿』和向左向右的点，多是笔尖偏在一边迅疾写成，如果笔笔中锋而又腕力不足，就变得疲软而少锋棱。此其一。隶书中，起笔收笔作『～』，即所谓『蚕头燕尾』，是一种有装饰性特点的笔法。一些写隶书的人，把这种笔法加以夸张，或者不适当地多用，反而使特点变成了缺点。唐人如唐玄宗、梁升卿等的隶书，格调低于汉隶，把蚕头燕尾写得过分，即是一个原因。此其二。至于那种追求古拙险怪的隶书，除在结构上出奇外，在笔法上大多是作颤笔。据说这样写才高古，才有金石气，以重涩医轻滑。颤笔实是对经风雨剥蚀的字迹的摹仿，并非古人的本来面目。《石门颂》这类摩崖刻石，呈现少数颤笔，乃石面凸凹不平所致，并非书家有意造作。我并不绝然反对颤笔，但无一字无一笔不颤，就不足取了。『书贵自然』，这条书法艺术的重要审美原则，应当努力追求，不应该故意违背。几千年来的书法史上，找不出一个违背了这条原则的大书家。

掌握笔法当然是必要的，但如仅止于此，则不能尽书艺之能事。因此，还得尽心于笔意的讲求。笔法可以在临池揣摩中获得，笔意就还要书法以外各种修养。苏东坡说：『退笔如山未足珍，读书万卷始通神。』好些学者所作的篆隶，笔意的醇雅多优于专门书家，原因即在于此。

篆书的用笔和结体

崇善

一　执笔

篆书的执笔与写其它书体一样，宜采用五字（擫、押、钩、格、抵）执笔法，悬腕、悬肘腾空书写。

五字执笔法根据沈尹默先生所述简要说明如下：

擫　擫是用大指肚子出力紧贴笔管的内方，其法与吹笛子时大指擫笛一样，但是要斜而仰一点。

押　押字有约束的意思，用食指第一节斜而俯地出力贴住笔管外方，和大指内外相当配合起来把笔管约束住。

钩　用中指的第一第二两节弯曲如钩地钩着笔管外面。

格　以无名指甲肉之际紧贴着笔管，用力把中指钩向内的笔管挡住，而且向外推着。

抵　因无名指力量小，不能单独挡住和推着中指的钩，还得小指来衬托在它的下面去加一把劲，才能够起作用。

二　用笔

篆书的用笔虽然没有隶书、楷书那样复杂，但在每一笔之中同样存在着起笔、行笔、收笔这样三个过程，而且必须认真严格地对待，使之笔笔中锋，才能收到预期效果。

起笔　起笔必须回锋（逆锋），不能尖锋着纸。就是欲下先上（直画），欲右先左（横画），从相反方向着纸，谓之藏锋。这样笔画才会显得有力，才充分利用了毛笔反弹力的作用，为中锋行笔作好了准备，造成了顺势而下的局面。

例一

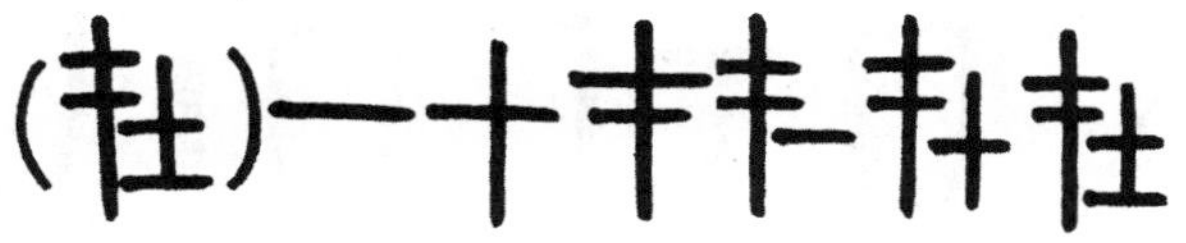

例二

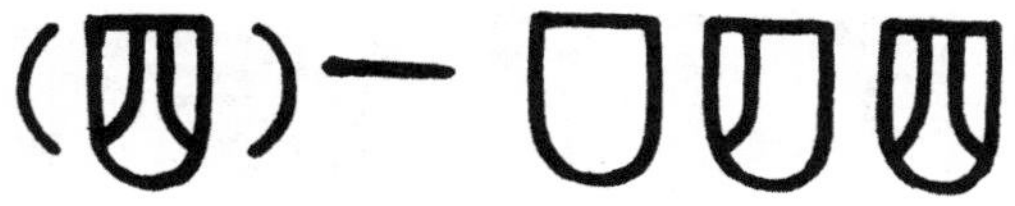

例三

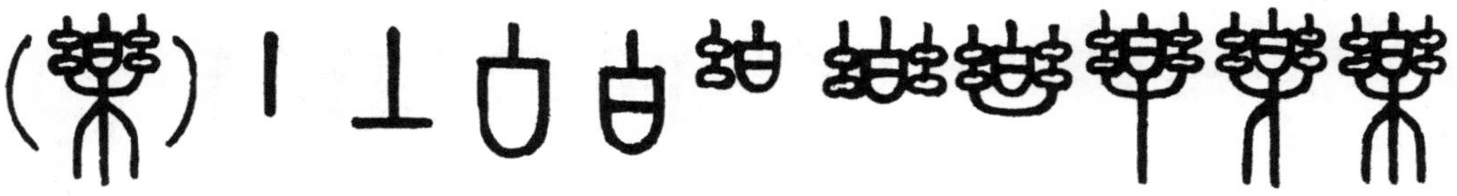

行笔　顺起笔之势中锋而下，不得偏软，而且必须控制笔势，使之既平铺纸上又随腕起伏而行，不能死按硬拖，要使每一笔都有流动而不是僵直的感觉。明至清代乾隆、嘉庆年间，有些写篆书的人，写玉箸篆（线条象玉筷那样的篆书），用颓笔或用墨胶住笔头剪去笔尖来写，甚至以绢素卷成香柱状蘸墨迟缓擦画而成。这样，字画木僵而无生气，还自以为是写篆的秘诀，这是绝对不能效仿的。

收笔　顺势轻按作收，使之齐圆，不得偏软，谓之护尾。古人云：『藏头护尾，力在字中。』就是指起笔和收笔必须回互用笔，这样，笔画才会显得有力。

另外起笔、行笔、收笔必须一气呵成，不得中途停顿涂改。李斯云：『夫用笔之法，先急回，后疾下，鹰望鹏逝，信之自然，不得重改。送脚如游鱼得水，舞笔如景山兴云。或卷或舒，乍轻乍重，善深思之，此理可见矣。』

三　笔顺

篆书的笔顺一般是先上后下，先左后右，先横后竖，先外后内。遇二面相同的笔画先中间后两旁（特殊情况也可不拘，以顺手为主）。

四　接笔

篆书遇到回环过长的笔画在由下向上行笔或由右向左行笔觉得拗手难于着力的时候可以接笔。即将回环过长的一笔分成二笔或三、四笔来写。但接笔必须在笔画换锋处接，使之不露痕迹。

一笔分成二笔，由下向上行改成由上向下行。

一笔分成三笔，由右向左行的改成由左向右行。

一笔分成四笔。

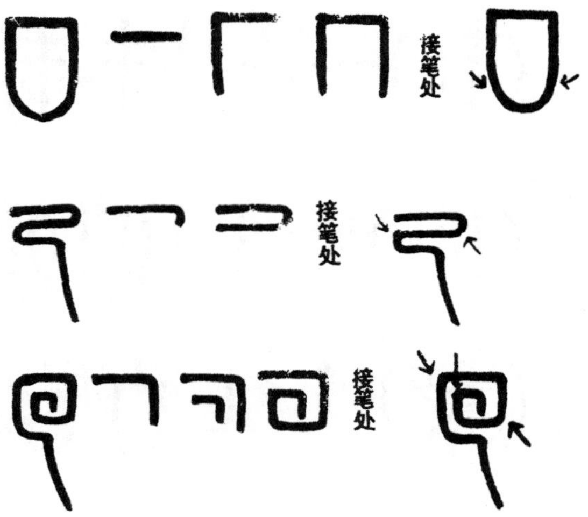

五　结体

篆书的结体大致可分三类：第一类是工整的小篆，要求平稳匀称，但也必须婉转流通使之有变化。古人云：『方不变谓之斗，圆不变谓之环。妙在不方不圆、亦方亦圆之间。』第二类是较为草率的篆书，乍一看去似随意写来，极不匀称，实际上是寄匀称于不匀称之中。这类篆书极不易写，必须有一定的基础，不然难免画虎不成反类犬。第三类是长短不一、用笔结体较为自由的篆书。如汉《祀三公山碑》《延光残碑》属于缪篆、刻印一类。这类篆书灵活性极大，如果应用得法，自可妙趣横生。

六　布局

一件作品整个布局要求：行字必须连贯，风格必须统一，气度必须大方自然。若字行散乱互不连贯，风格各别互不统一，气度造作低劣，这将是一幅什么作品？

一个书家、一件作品的成功都是极不容易的，不知花了多少心血汗水。俗话说『成如容易却艰辛』。近代金石书画名家吴昌硕写的篆书看去似极草率随便，但他早期曾对范永祺、杨沂孙一路规规矩矩的篆书下过苦功。兹后转学《石鼓文》，再加以钟鼎、行草之法，始自成一家。他的篆书有钟鼎的古朴而又不背拗时代，有石鼓的韵味而又流动不拘，既保持篆书的特点，又合乎行草的意境，故而深受人们喜爱。近来学吴昌硕篆书的人很多。我认为学吴昌硕的篆书不宜直接学，最好先学一段时期杨沂孙的篆书，这样就容易入门。另外据友人唐吉生说，吴先生写字时并不象一般人想象的那样快，是比较慢的。因此学他的字也不宜写得过快，过快容易流滑，少朴厚之气。吴昌硕传世作品很多，整篇易见的有《临石鼓文》《西泠印社记》《临散氏盘铭》等。此外最重要的是：写篆书必须研习『六书』及《说文解字》，明白字义，以免写错。

隶书的用笔和结体

张森

一 用笔

（一）平画

如『一』字的平画(图一)，落笔藏锋逆入，行笔要竖锋入纸，笔势要匀，一笔送到底。收笔笔锋自然上提，如『二』字的下一画（图二）。

平画要写得平直，不要像楷书那样的横画左低右高成斜势。在起笔和收笔处不得有斜角或顿头。在书写过程中由于笔势的呼应，有时略有俯仰的变化，如『亡』字的平画（图三）略呈凹形，而『不』字的平画则是横形（图四）。

平画的用笔也有方圆之分，如《曹全碑》的『不』字，平画纯用圆笔，故笔画凝重圆润，笔长而势足。而《张迁碑》的『吾』字（图五），则用方笔，落笔正锋直入，取势短险，行笔取疾势，收笔时迅速提锋空回，故笔短而意长，显得方劲挺健。

（图一）

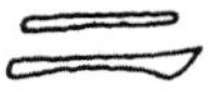
（图二）

（图三）

（图四）

（图五）

（图六）

（二）竖画

竖画同平画的写法，如『中』字的竖画（图六），竖画要求从头到

（图八）

（图十一）

（图十四）

（图七）

（图九）

（图十）

（图十二）

（图十三）

（图十五）

（图十六）

尾用笔力匀，收笔不应有楷书的垂露锋势。《曹全碑》『计』字的竖画（图七），收笔处微尖，这是在书写熟练后收笔取虚势收锋的缘故。这一笔已开楷书悬针点画的写法，但比楷书的悬针要内涵多了。

竖画在书写时亦有相向和相背的变化，如《乙瑛碑》中的『罪』字（图八）『罒』头的两竖是篆书的用笔成相向的姿态，而『甲』字（图九）的两竖则成相背的姿态。

（三）波画

如『一』字（图十）的波画，落笔取逆势，然后略提锋换向，行笔中锋，到收笔时先顿挫后，再逐渐向右上方提锋收笔，其势一波三折，呈蚕头燕尾状。波画是隶书点画的特征之一。

波画的落笔亦有虚实之分，如《曹全碑》的『西』字（图十一）和《乙瑛碑》的『平』字（图十二），波画落笔重（即笔锋着纸部分长）是为了取尽逆势，然后翻锋向左中锋行笔，以达到出锋丰满的效果。而《礼器碑》『时』字（图十三），波画起笔处取势短（即笔锋着纸部分短），所以翻锋迅速，最后顺势波出，虽头小尾大，但整个波画恰很平稳而不失重心。

（四）捺画

捺画同波画的写法，如『史』字的捺画（图十四），落笔处同样要逆锋入纸，头部小是落笔轻的原因。

捺画用笔亦分方圆，《曹全碑》多圆笔，如『之』字的捺笔画较长（图十五），行笔时笔锋略带顺势，在收笔处逐渐转逆势，尔后上提收笔。而《礼器碑》则多方笔，如『不』字的捺脚（图十六）落笔轻，行笔逆而带侧，故顿挫后收笔波尾成方角。

（图十七）

（图十八）

（图十九）

（图廿）

（图廿一）

（图廿二）

（图廿三）

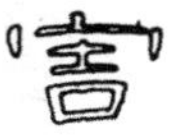
（图廿四）

（图廿五）

（图廿六）

（图廿七）

（五）撇画

如『大』字（图十七）的撇画在收笔时笔锋逆行，驻笔后向上提锋回收，书写熟练后则可顺势提笔收锋，如『名』字的长撇（图十八）。

撇画也是隶书点画的特征之一，在某种意义上说，它比波画更为难写。要注意，万万不可描画成形。

（六）钩法

钩法与撇的写法相同，如『孔』字的钩（图十九）只是在竖画后逐渐转向左弯，收笔时自然上提回收，亦有顺势而出锋的，如《张迁碑阴》中的『守』字的钩法（图二十）。

（七）折

如『月』字的折角（图廿一），是横画到转折处略提锋换向再下按写竖画，承接处不应写成楷书那样的斜角。

折有内折和外折的变化，如《乙瑛碑》中的『明』字（图廿二），右角是提锋后向内侧折，以达到笔锋换向的目的。而『司』字的转折处（图廿三），则采用篆书的转折法，提锋向外侧转，转折处圆匀，不留痕迹。看上去象是一画，这里还是有笔锋的提按，只是内涵而不外露罢了。

折法有时干脆分成二段来写，如《曹全碑》的『害』字（图廿四）、《礼器碑》的『言』字（图廿五）。但笔势还是相连的。

（八）点

隶书的点均为其它点画的浓缩而已，如《曹全碑》中的点多为竖画的短缩，如『凉』字中的点（图廿六）。而《乙瑛碑》的『宗』的下面两点分别是撇和捺的写法（图廿七）。

二 结体

（一）因字立形

隶书的体势多取横势，波磔向左右两边舒展开来，一般人认为隶书的每个字都应该写成扁方形的。这是由于观察上的视觉误差而造成的错觉。其实字的笔画有多有少，要写得顺乎自然，就必须有长短大小的变化，这叫因字立形。如《乙瑛碑》的『书』字和『爵』字，横画较多，所以字也就相应地写得较长；反之，『一』字和『如』字就写得较扁。再以结体很精整匀称的《曹全碑》来看吧，粗一看，以为此碑的字都是很扁平的，这是由于此碑的撇、捺及横画都写得较长，而竖画写得特别短，所以有扁平的感觉。但是再仔细观察一下，发现字的长短变化也很大，如『麋』『量』『竟』『盖』字等都写得很长。如果把每个字都写成象算盘珠一样千篇一律，那就谈不上书法艺术了。

（二）各自成形

隶书结体不但要求每个字的重心平稳，而且要求一个字中的偏旁均能独立存在，而不欹斜，这是由于它是从篆书独立偏旁演变而来的缘故。如『孔』字的左右偏旁，『职』字的左中右三部分都能独自成形，再如『君』字和『思』字上下偏旁也都能独自成形。这样组合成一个字就更平稳了。因此隶书字体往往给人以端庄、纯朴的感觉。

（三）偏旁错落

隶书的偏旁既独自成形，而又错落有致，富有变化。如『头』字和『唯』字左偏旁高于右偏旁，而『祖』字和『纪』字则右偏旁高于左偏旁，再如『鲁』字和『曹』字下偏旁『日』与上偏旁不是对得很正中，而是向右偏。但整个字却不失重心。至于什么样的字应左偏旁高，什么样的字应右偏旁高，则要多多阅读和临摹汉隶碑帖从中自己去领会。

（四）形断意连

每个字的结体都是由点画的连续书写而成，因此在书写时就产生运笔的笔势，点画与点画之间是相互呼应的。隶书的点画呼应不象行草书那样的有牵丝相连，而初学者往往静止地孤立地只求描摹外形，而忽视了点画之间的笔势往来，这样写出来的字就显得呆板而不贯气。因此，在观察和临摹碑帖时，特别要注意点画之间的笔势往来，要从静止的字中体会出运动的势。如『大』字的三画从形态上看是各不相干的，其实上一笔的收笔和下一笔的起笔之间的笔势是连贯的，只是在纸上不留痕迹而已（图中用虚线表示之）。再如『八』字、『川』字和『小』字等也都是笔笔呼应的。要领会隶书的笔势往来，可参考一些汉代隶书的墨迹——汉简和帛书是会有帮助的。

（五）点画避就

要使每个字写得都有不同的形态，就要讲究点画之间的避就关系。在隶书结体中点画的避就表现方面很多，下面略举例说明之：

平面与波面之间的避就，如『三』字的三横画，把下面一画写成波画，这样二平画一波画，富有变化。隶书的波画在一个字中一般只写一笔，所谓『燕不双飞』。但有些字中如有两个同样的波画，则应有主次，如『钱』字右部的二个捺脚突出下面一笔的捺脚，而将上面的捺脚有所收敛。这也是避就的关系。

波磔之间的避就，如『子』字和『石』字为了突出撇画（或竖钩）这一主笔，往往将横画写成平画，如果将横画写成波画，这样就没有主次之分了。所以汉碑中所见到的『子』字、『石』字都是将横画写成平画。

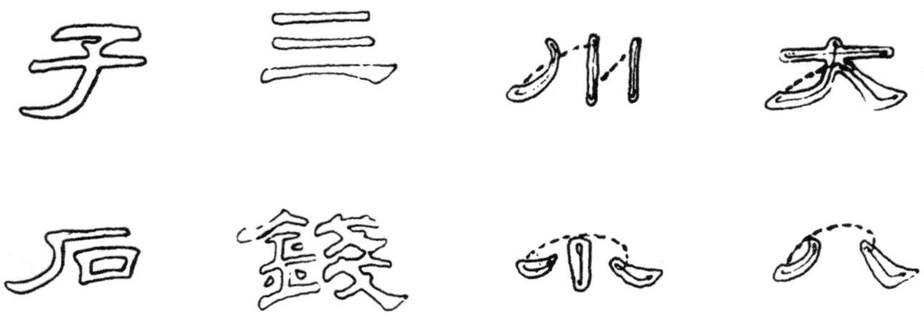

再如『人』字和『元』字的撇与捺，突出捺而将撇写得特别短，也是为了求变化。

最后，附带谈谈隶书的布白。布白的基本格式有二种：

甲、纵横均有规则的排列。

这种排列以整齐为美，这里又分有界格与无界格两种。一般字小多白的用有界限排列，如《孔彪碑》。其它汉碑都是无界格排列，如《礼器碑阳》。

这里要说明一点，初学者认为隶书字形多带扁势，所以把纸折成扁方格书写，这样就显得满纸是点画，而没有空白处，给人以透不过气的感觉，所以应以正方形或略带长方形为好，这样上下字距松动，左右行距紧凑，显得整齐而大方。

乙、行距有规则、字距无规则的排列。

汉摩崖刻石、汉碑碑阴及汉简帛书多为此种排列，此种排列行距有规则，而字距参差不齐，象一般写行书的格式错落有致，上下衔接，富有奇趣，这种排列要在书写熟练的基础上一气呵成，通篇章法显得活泼而生动，更容易体现出书写者的风格和个性，这决非是故意做作所能奏效的。

殷甲骨文

殷甲骨文

甲骨文是刻在龟甲和兽骨上的占卜文字，清末河南安阳小屯村殷虚出土，光绪二十五年（一八九九）为王懿荣等人发现，考订为殷代（前一七六五—一一二二）之物。是我国迄今所发现的最早系统文字。合陕西、山西地区出土时代稍晚的甲骨文，总数约十余万片，三千五百余个不同的单字，有先书后刻，刻后涂硃者。字大者如拇指，小者如蝇头，因时代先后，书法亦略有不同，大都劲利峭拔，是钟鼎文的先声。

日戊子子弢囚一月　己卯要　王固曰往乃丝出祟六　子寅入　癸未卜殸貞旬亡囚　宜芍十　癸巳卜殸貞旬亡囚王固

曰乃丝亦出祟若偁甲午王往逐冎小　臣由車馬硪馭王車子央亦队　癸酉卜殸貞旬亡囚王二曰匄

王固曰艅出希出夢五日　丁丑王嬪中丁卒陰在　庭自十月

自旨圖六月 㞢來艱𡆥御 來艱五日丁未允 𡆥卜㱿 王固曰㞢祟其㞢 五月癸未 癸卯卜㱿貞旬亡𡆥 王固曰
㞢祟其㞢來艱气至七日己 已允㞢來艱自西長友角 告曰𢀛方㞢牧我示𥺛田七十人 五 癸巳卜㱿貞旬亡𡆥
王固曰㞢祟 其㞢來艱气至五日丁酉允㞢來艱 自西沚𢦔告曰土方征于我東啚 𢦏二邑𢀛方亦牧我西啚田

王固曰㞢祟 王固曰㞢祟八日庚戌㞢各云自東面母昃亦㞢出虹自北飲于河 若 俘不囚

王固曰乃五日丁卯子㞢 毆 癸亥卜㱿貞旬亡囚王固曰口口其亦㞢來嬉

月㞢壬寅王亦冬夕嵒 東啚戋二邑王步自𢦏于𢑚司 乎 我田十人 㞢來北𢦔敏笅吉曰土方牧 㞢來九日辛卯允

㞢來鼓自 王固曰㞢祟其㞢來鼓气至

两周秦汉金文

两周秦汉金文

刻于钟鼎或其它金属器皿上的文字，统称之为金文。战国以前皆大篆，秦统一六国后，则间有小篆。金文书法以两周、秦、汉为主，汉以后则以石刻文字为大宗。汉以前金文品类繁多，初学者往往无所适从，兹精选其必备而易学之各时期代表作十种：属于西周（公元前十世纪至前四七六年）时期的有史墙盘、散氏盘、毛公鼎、虢季子白盘，春秋战国（前四七五—至前二二一）时期的有酓感鼎、秦公簋、秦公敦。秦（前二二一—前二一四）时期的诏版，两汉（前二〇六——一八八）时期的新莽嘉量和杂器。

周墙盘

曰古文王初𢾊龢于政 上帝降懿德大甹匍有上下 迨受萬邦𩵦圉武王遹
征四方達殷畯民永不巩狄虘髟伐尸童憲聖 成王左右𦅫𣪕剛鯀用

戕𩰫敮周邦㠯哲康王方　尹啻彊宖魯邵王廣能　楚荆隹寏南行祇覭穆

王刑帥宇誨䌛寍天＝子＝　圝屠文武長剌天子釁　無匃𩞉祁上下亟獄逗慕

昊照亡昊上帝司夒亽保　受天子綰令厚福豐年　方蠻亡不𤔲見青幽高
且才𢼸霝處雩武王既　𢦏殷𢼸史剌且迺來見　武=王=則令周公舍圖于

周卑處甬重乙且速匹　𠂤辟遠猷剫心子厥壽、明亞且二辛寏毓子孫繁
猶多孷櫅角龔光義其　寏祀𩰫屖文考乙公𢓊　遠得屯無諫𤕌嗇戉穡

隹辟孝畬史牆夙夜不㒸其日蔑曆牆弗敢取對揚天子丕顯休令用乍寶尊彝剌且文考弋寵受牆爾𪓊福褱猶彔黃耇彌生龕事𠂤辟其萬年永寶用

周毛公鼎

王若曰父厝不顯 文武皇天引猒氒德配我有周膺受大命率褱不廷方 亡不閈于文武耿

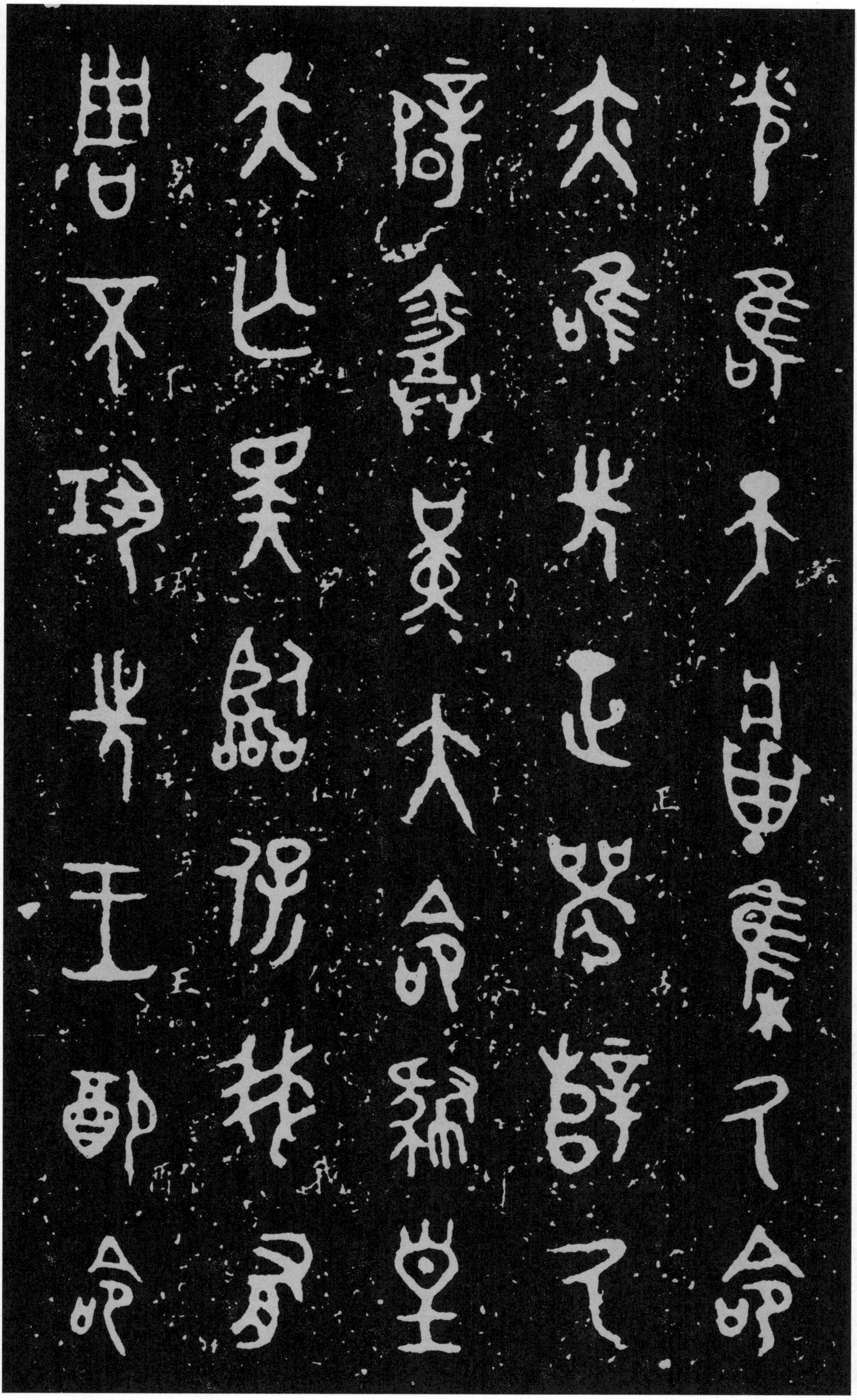

光唯天胐集乎命 亦唯先正𧀼辪乎 辟爵堇大命肆皇 天亡斁臨保我有 周不巩先王配命

㝬天疾畏司余小子　弗彶邦柚害吉𤔲=四方大從不静烏　虖趯余小子圂湛于　艱永巩先王=曰父

厝余唯肇巠先 王命=女辪我邦我 家内外惷于小大政 甹朕立虩許上下若 否雩四方死毋童

余一人十立引唯乃 智余非庸又昏女 毋敢妄寧虔夙夕 惠我一人雝我邦小大 猷毋折緘告余先

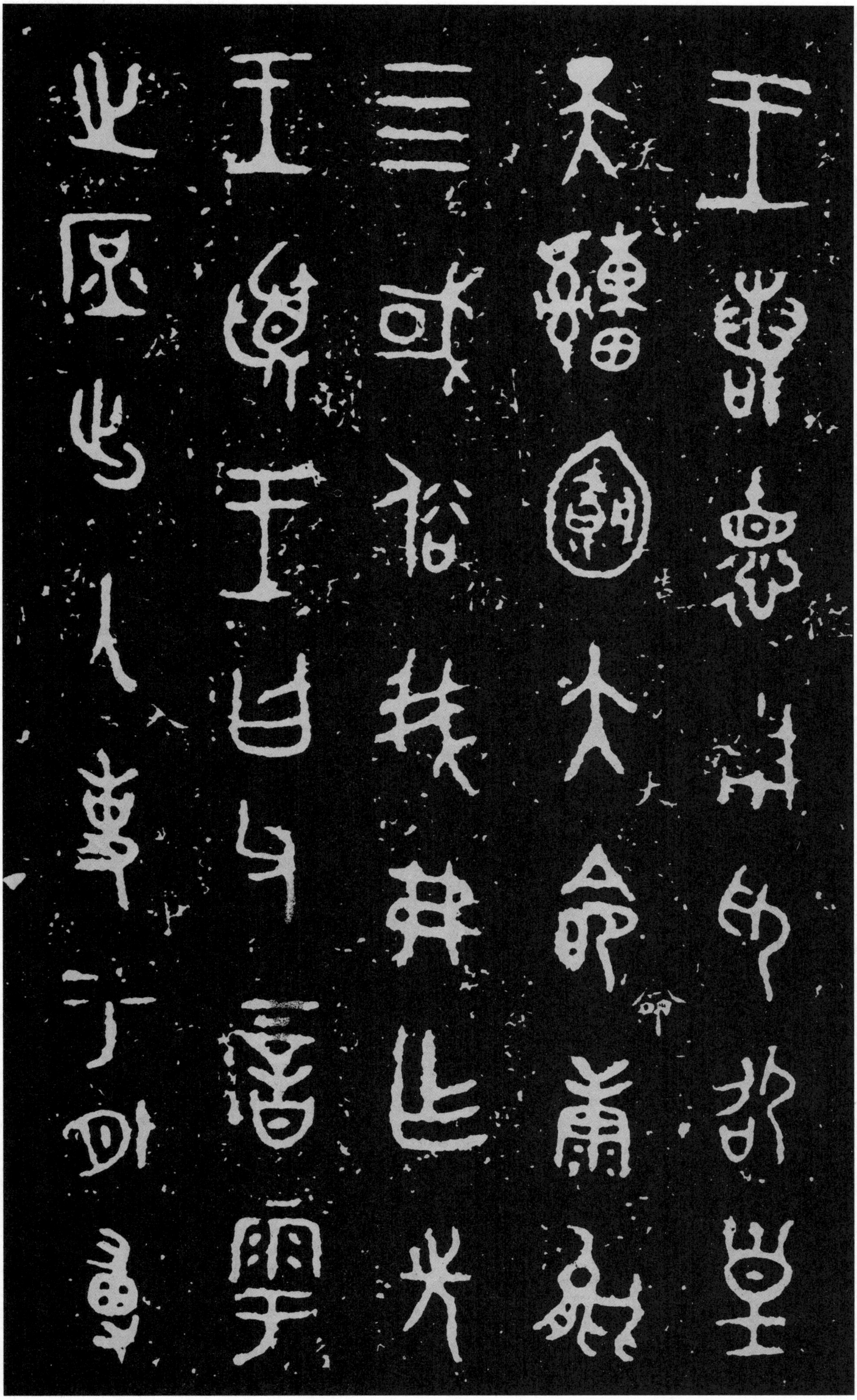

王若德用卬卲皇　天醽圝大命康能　亖或俗我弗乍先　王憂王曰父厝雩　之庶出入事于外尃

命尃政埶小大楚賦 無唯正昏引其唯 王智廼唯是喪我或 厤自今出入尃命于 外厥非先告父=厝=舍

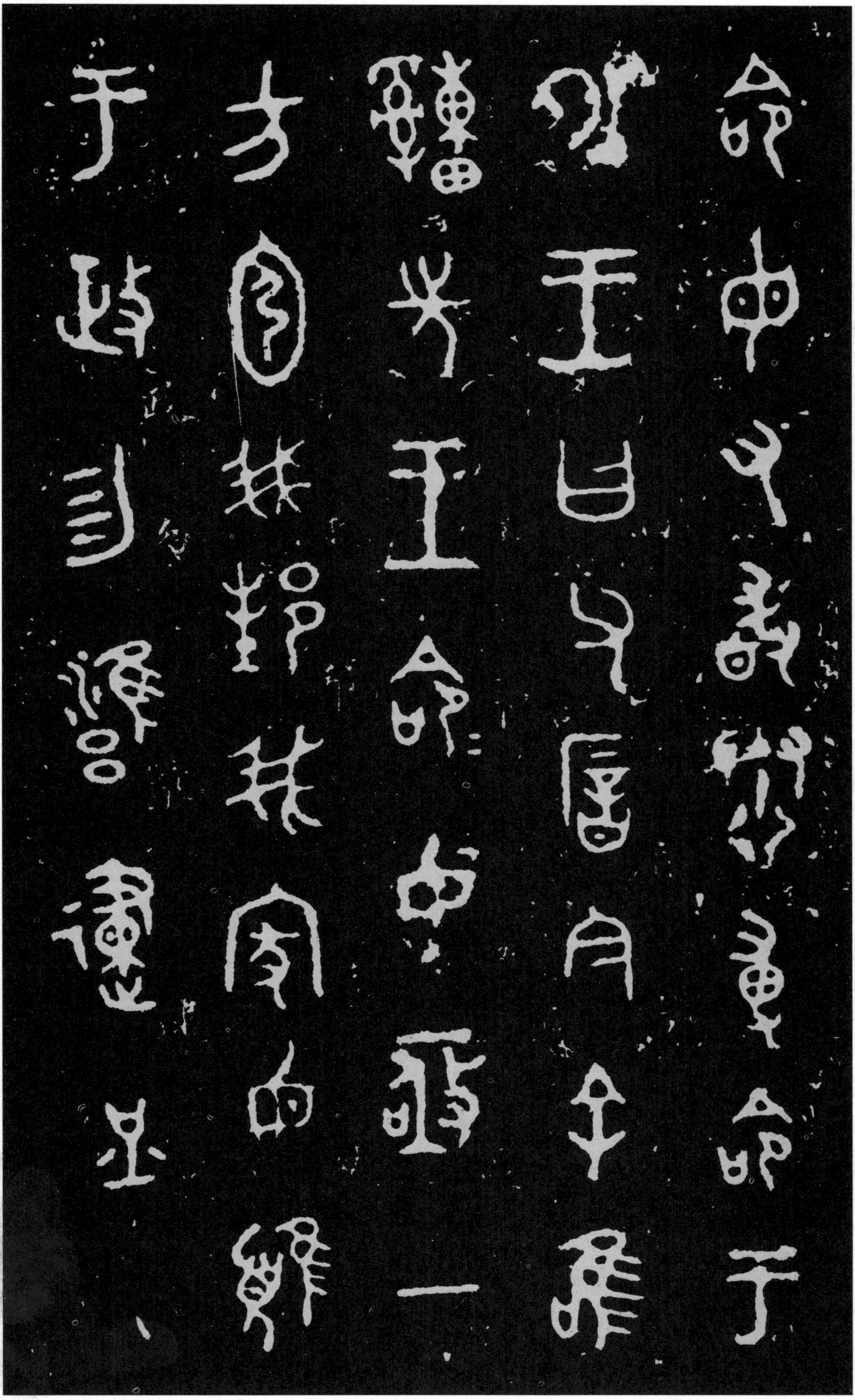

命毋又敢惷尃命于
外王曰父厝今余唯
䜌先王命=女亟一
方匽我邦家毋顀
于政勿雝建庶民

貯毋敢龏櫜廼敄 鰥寡善效乃友正 毋敢湎于酉女毋 敢彖在乃服䜌夙 夕敬念王畏不易

女母弗帥用先王 作明井俗女弗以 乃辟函于艱王曰 父厝巳曰彶兹卿 事寮大史寮于父

即君命女耤𤔲公 族雩參有𤔲小子師 氏虎臣雩朕褻事 以乃族干吾王身取 賁卌鋝易女秬鬯

一卣鬱圭鬲寶朱市悤 黃玉環玉鈺金車 桒緐較朱鬲囝靳 虎冟熏裏右厄畫 轉畫輯金甬遣衡

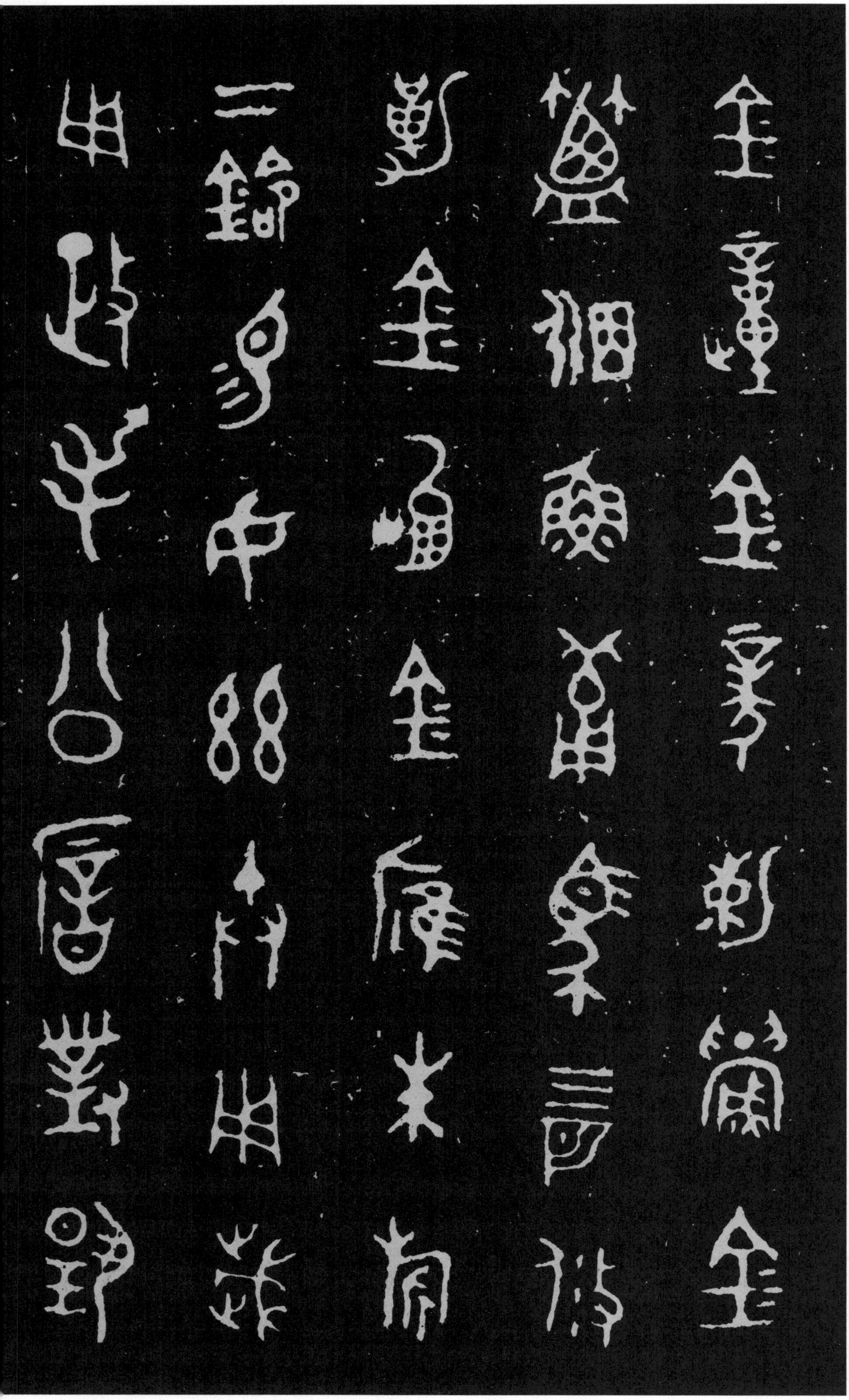

金踵金豙勅𢦔金　簟弼魚箙馬四匹攸　勒金嚻金雁朱旂　二鈴易女兹关用歲　用政毛公厝對揚

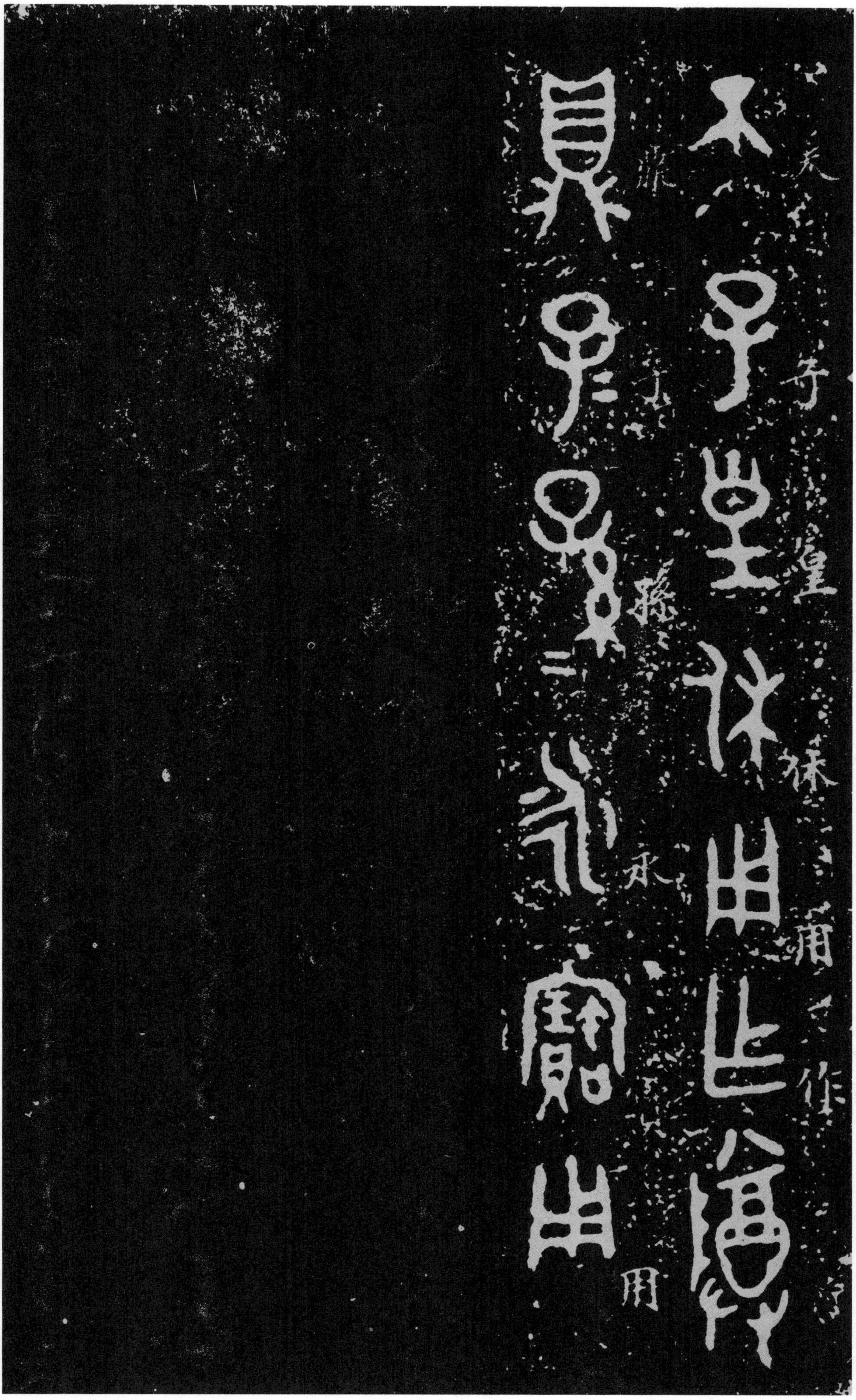

天子皇休用作尊　鼎子=孫=永寶用

周散氏盘

用夨戡散邑廼即散用 田眉自濾涉以南至于 大沽一封以陟二封至 于邊柳復涉濾陟雩 𠭯䙴䧖以西封于敝城

楮木封于若逨封于若 道内陟若登于厂源 封割析𨻰陵=剛析封于 𥃑道封于原道封于周 道以東封于韓東彊右

還封于眉道以南封　于𫘧逨道吕西至于𡊅　莫眉井邑田自根木道　左至于井邑封道吕東　一封還吕西一封陟剛

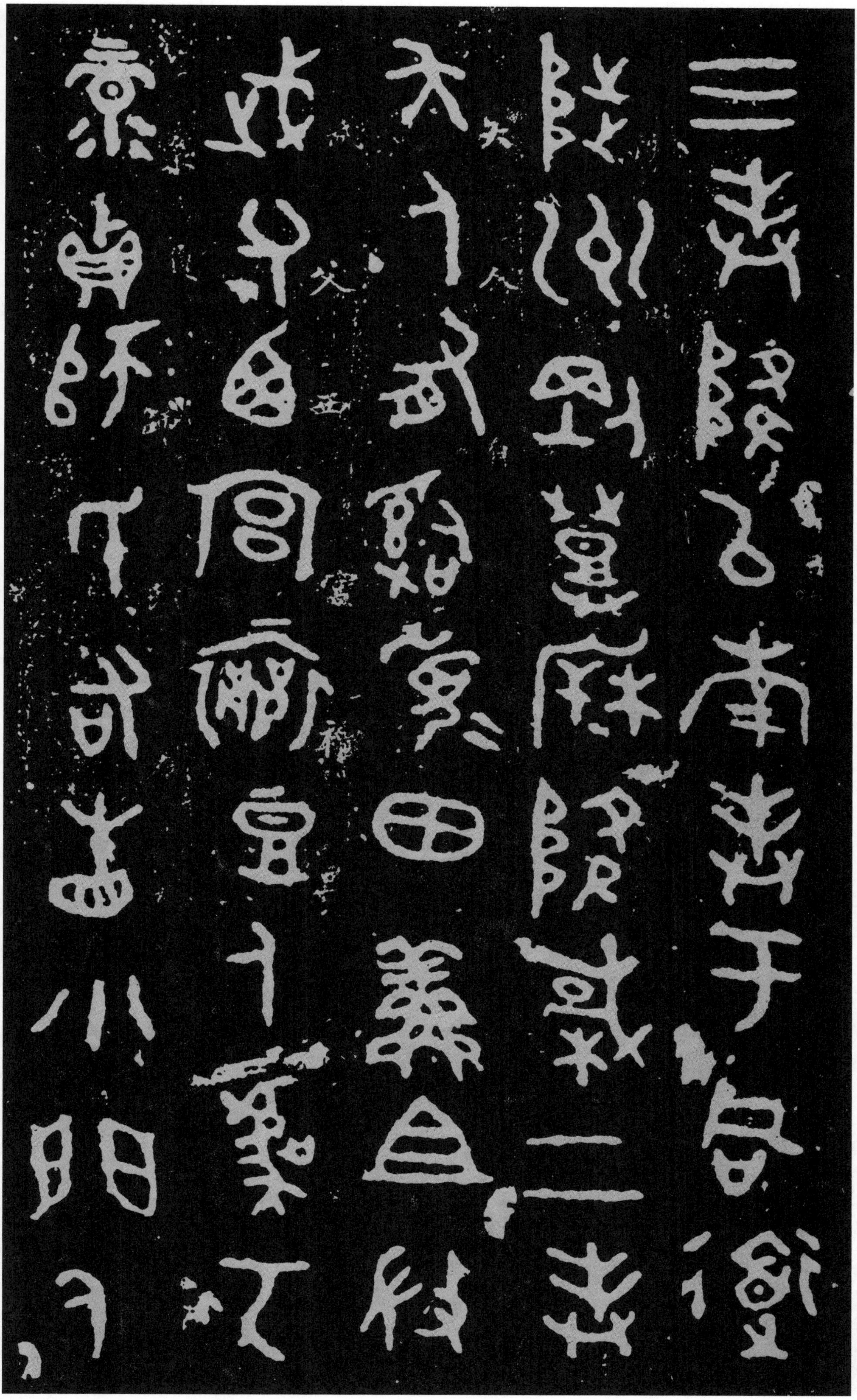

三封降以南封于同道

陟州剛登析降棫二封

矢人有嗣眉田鮮且散

武父西宮襄豆人虞丂

录貞師氏右眚小門人

𢇈原人虞艿淮𤔲工虎　孝𠾅豐父堆人有𤔲刑　丂凡十又五夫正眉矢　舍散田𤔲土屰寠𤔲馬　𠷎𡪞𩵦人𤔲工騡君宰

德父散人小子眉田戎 𢼸父效䙴父襄之有𤔲 櫜州京焂從鬲凡散有 𤔲十夫唯王九月辰在乙 卯矢卑鮮且𩰫旅誓曰

我既付散氏田器有爽　實余有散氏心賊則爰千罰千傳棄之鮮且𢍭旅　則誓迺卑西宮襄武父　誓曰我既付散氏溼田𤲞

田余又爽䜌爰于罰干　西宮襄武父則誓氒爲　圖矢王于豆新宮東廷　氒左執縷史正中農

周虢季子白盘

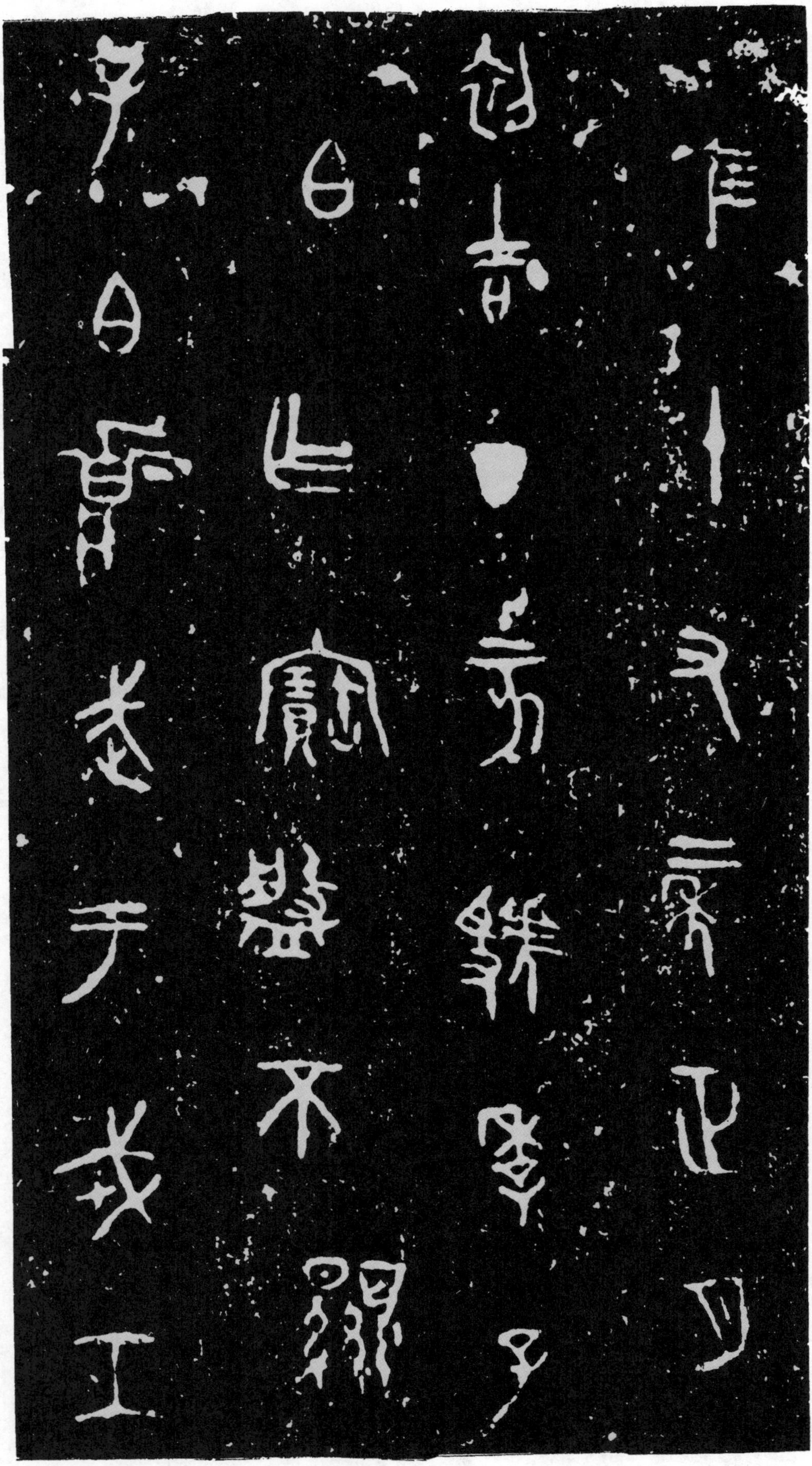

隹十又二年正月 初吉丁亥虢季子 白作寶盤不顯 子白牰武于戎工

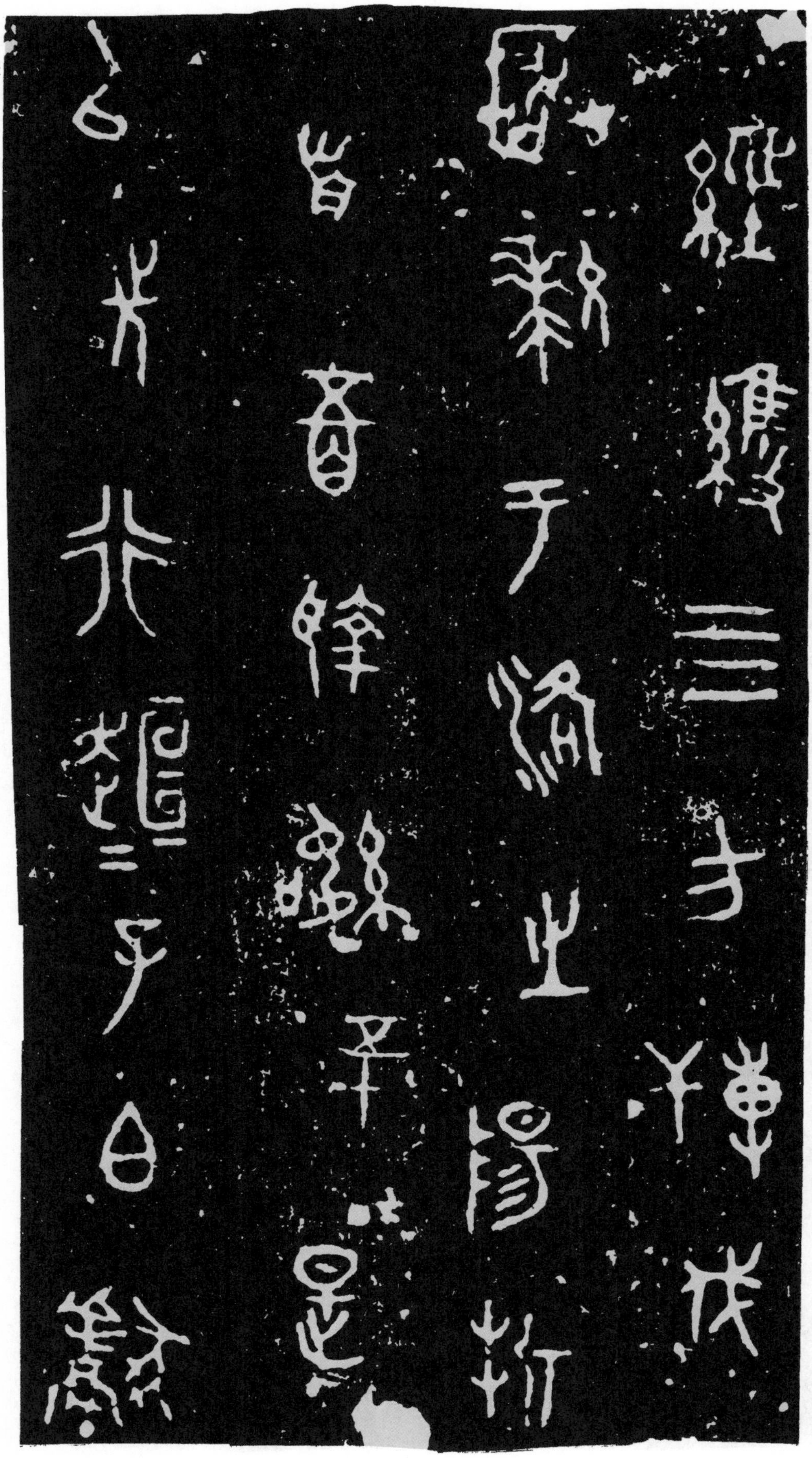

經縷四方博伐　厥䡅于洛之陽折　首五百執嚇五十是　以先行趄=子白獻

戒于王孔=加子 白義王各周廟宣 白廟爰卿王曰 父孔覭又光王賜

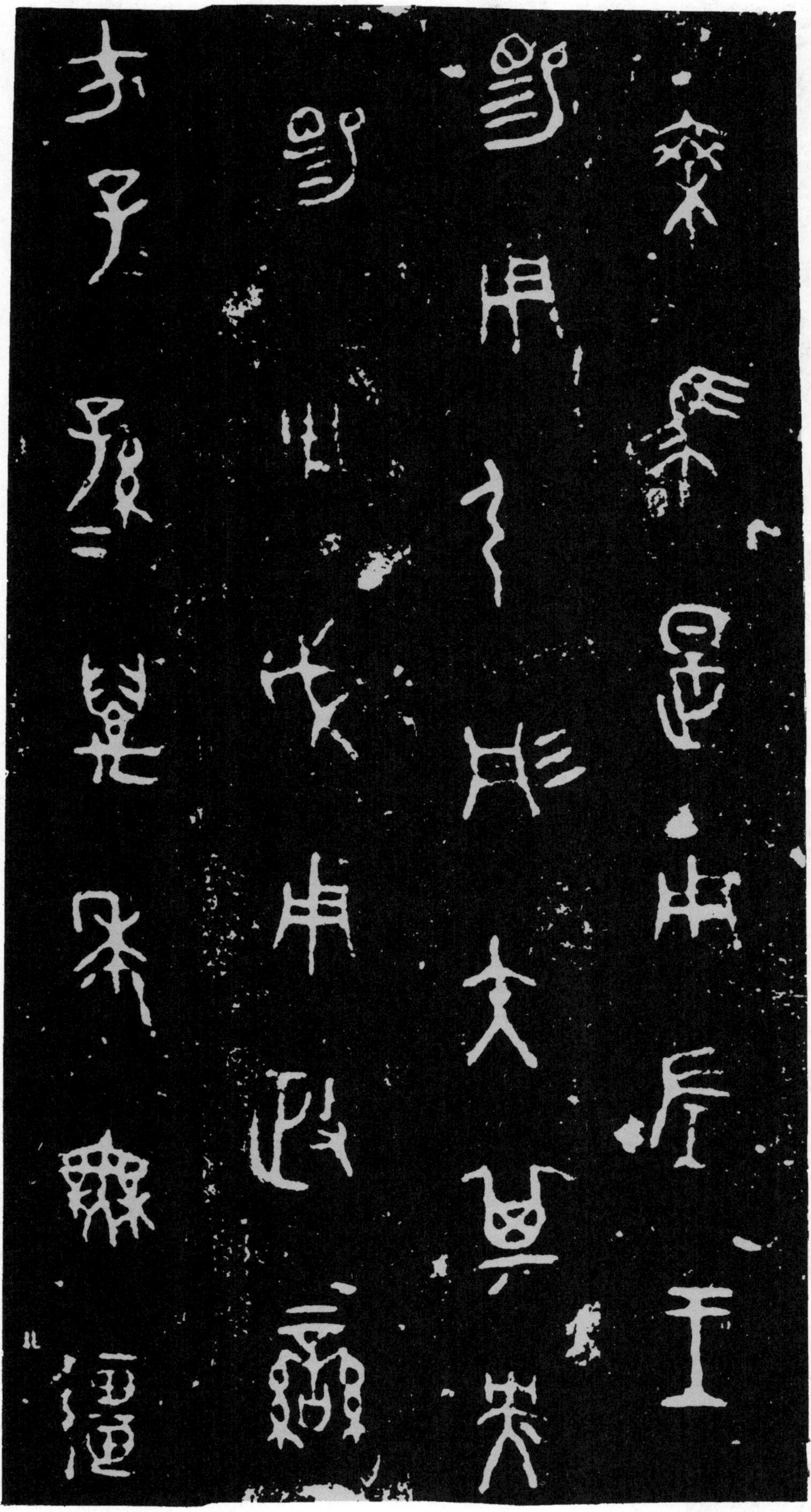

乘馬是用左王　賜用弓彤矢其央　賜用戉用政蠻　方子=孫=萬年無疆

楚王酓忎鼎

楚王酓忎戰隻兵　銅正月吉日窒鑄喬　貞之蓋以共歲嘗　但卒吏秦差苛口為之

秦公簋

咸畜胤士䜌䜌文武鎮靜不廷虔敬朕祀作口宗彝以卲皇祖其嚴口格以受純魯多釐眉壽無疆畯疐在

天高弘有慶竈囿四方宜

秦公曰不顯 朕皇且受天 命鼏宅禹賚 十又二公才

帝之矿嚴龏 龏 寅天命保𡩁 㕟秦虢事蠻

𠭯余雖小子穆=、帥秉明德剌=趄=邁民是敉

秦诏版

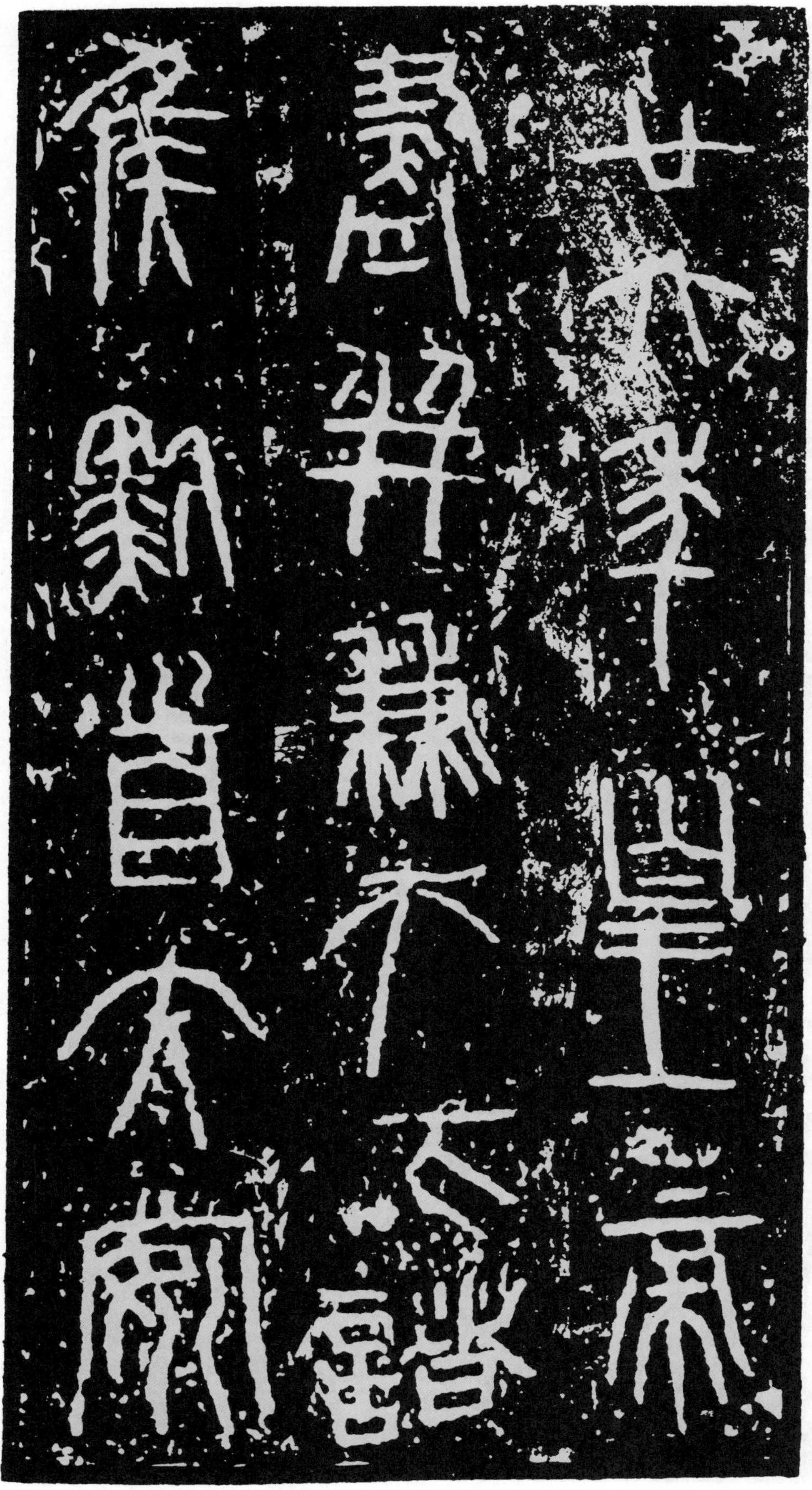

廿六年皇帝
盡并兼天下諸
侯黔首大安

立號為皇　帝乃詔丞　相状綰法

度量 则不壹

歉疑者皆明壹之

乘輿御水銅鍾容一石重卌四斤

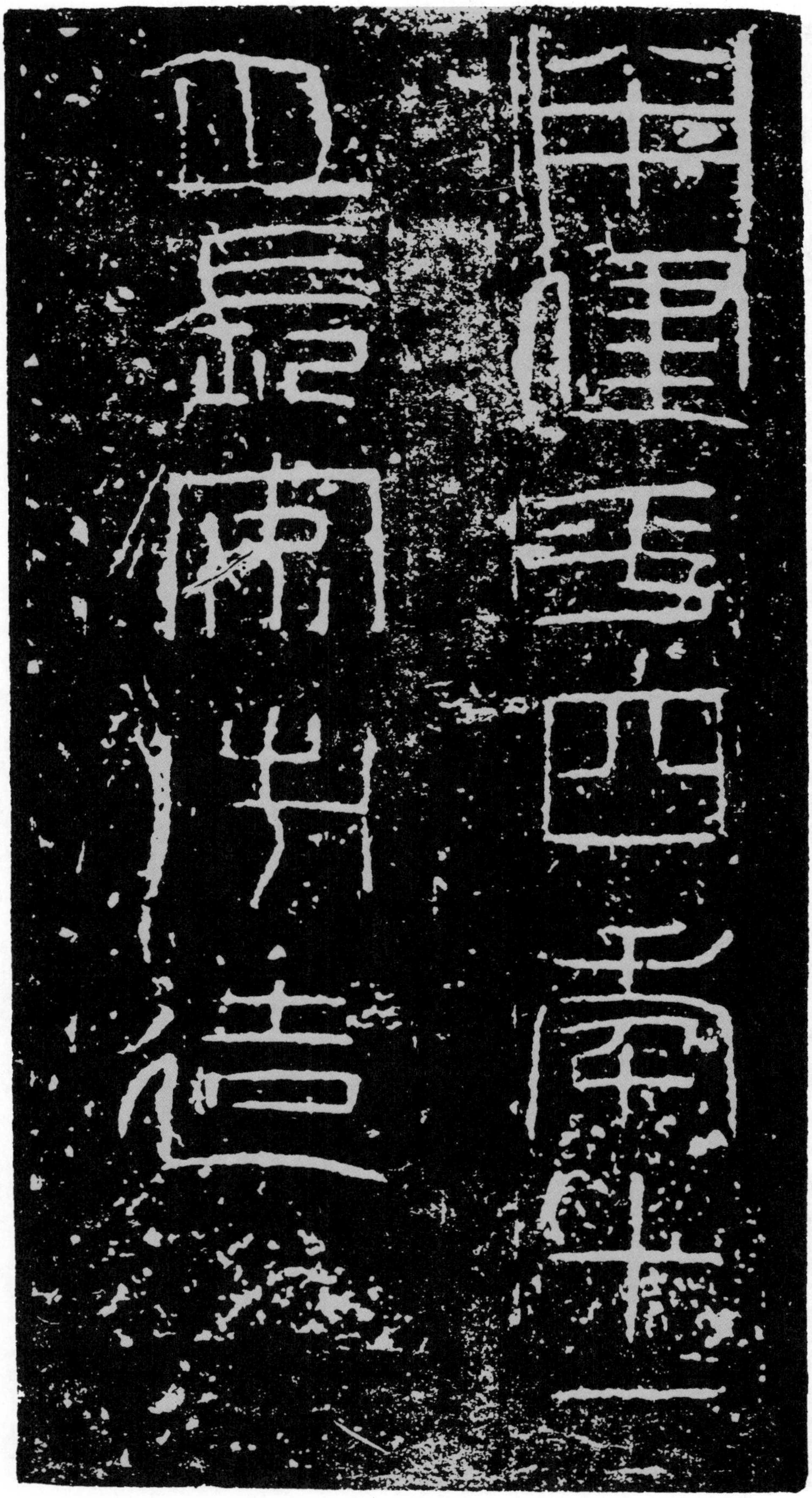

建平四年十一月長安市造

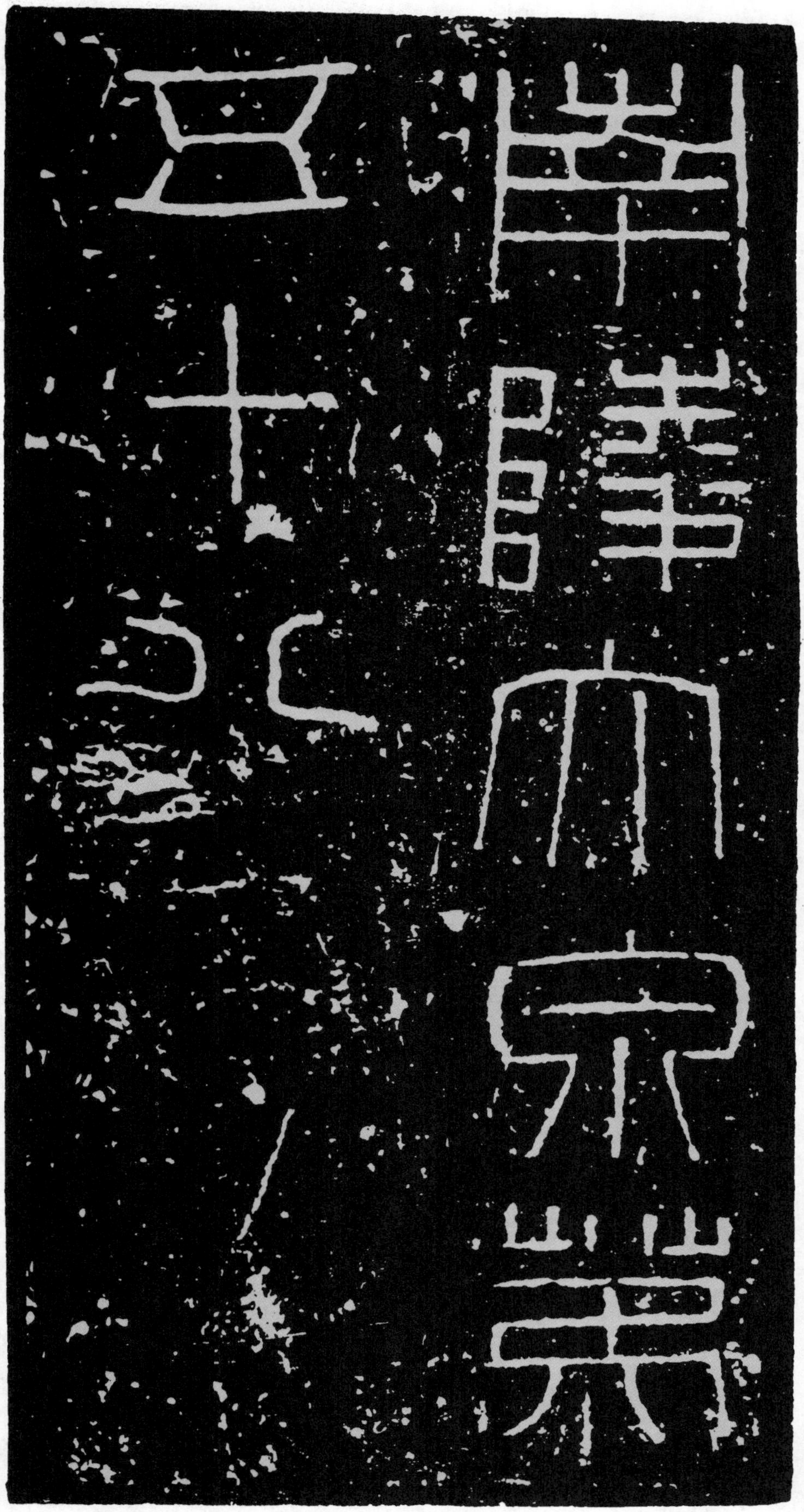

南陵大泉第五十八

新莽嘉量

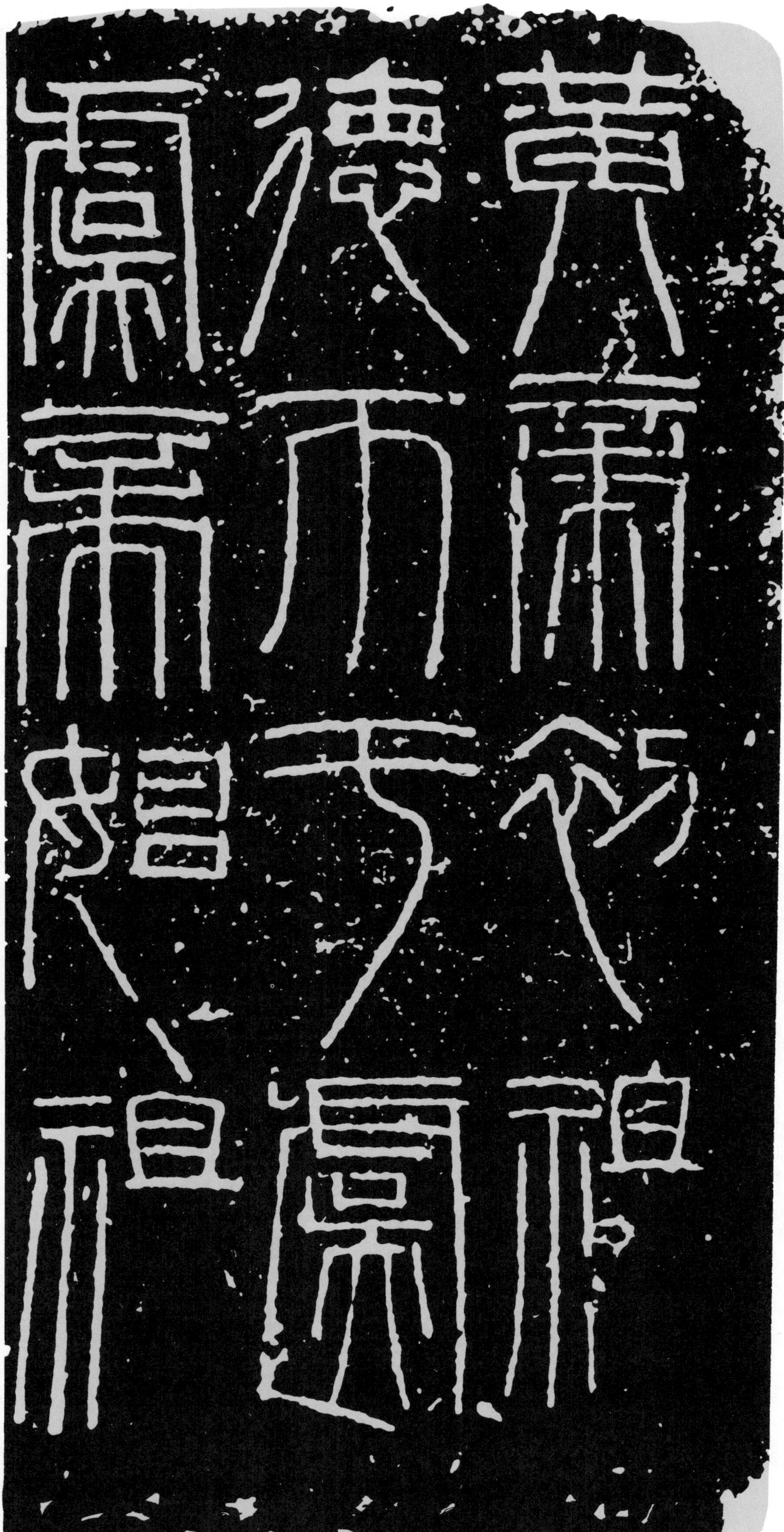

黄帝初祖 德帀於虞 虞帝始祖

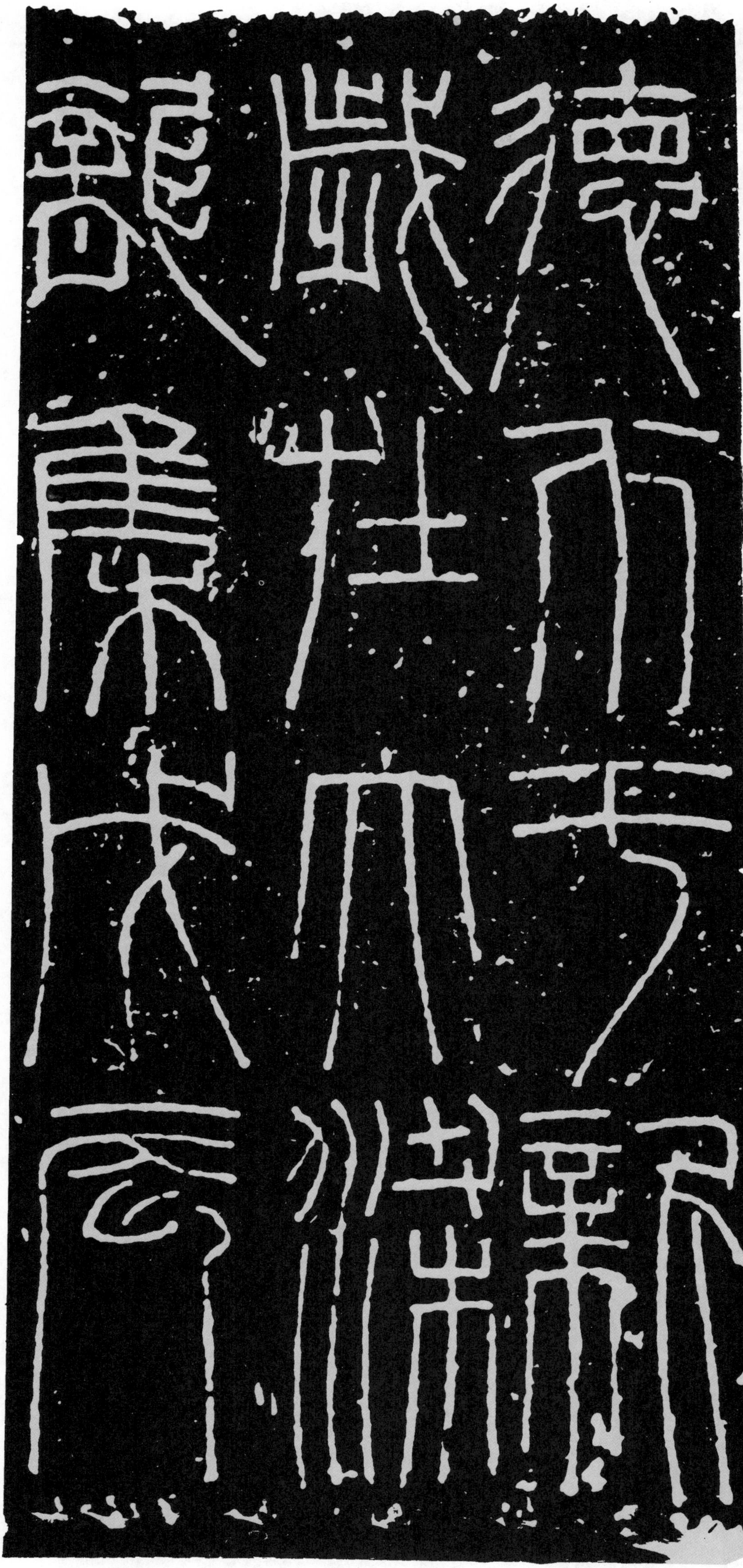

德币於新 歲在大梁 龍集戊辰

戊辰直定 天命有民 據土德受

正號既真
改正建丑
長壽隆崇
同律度量衡

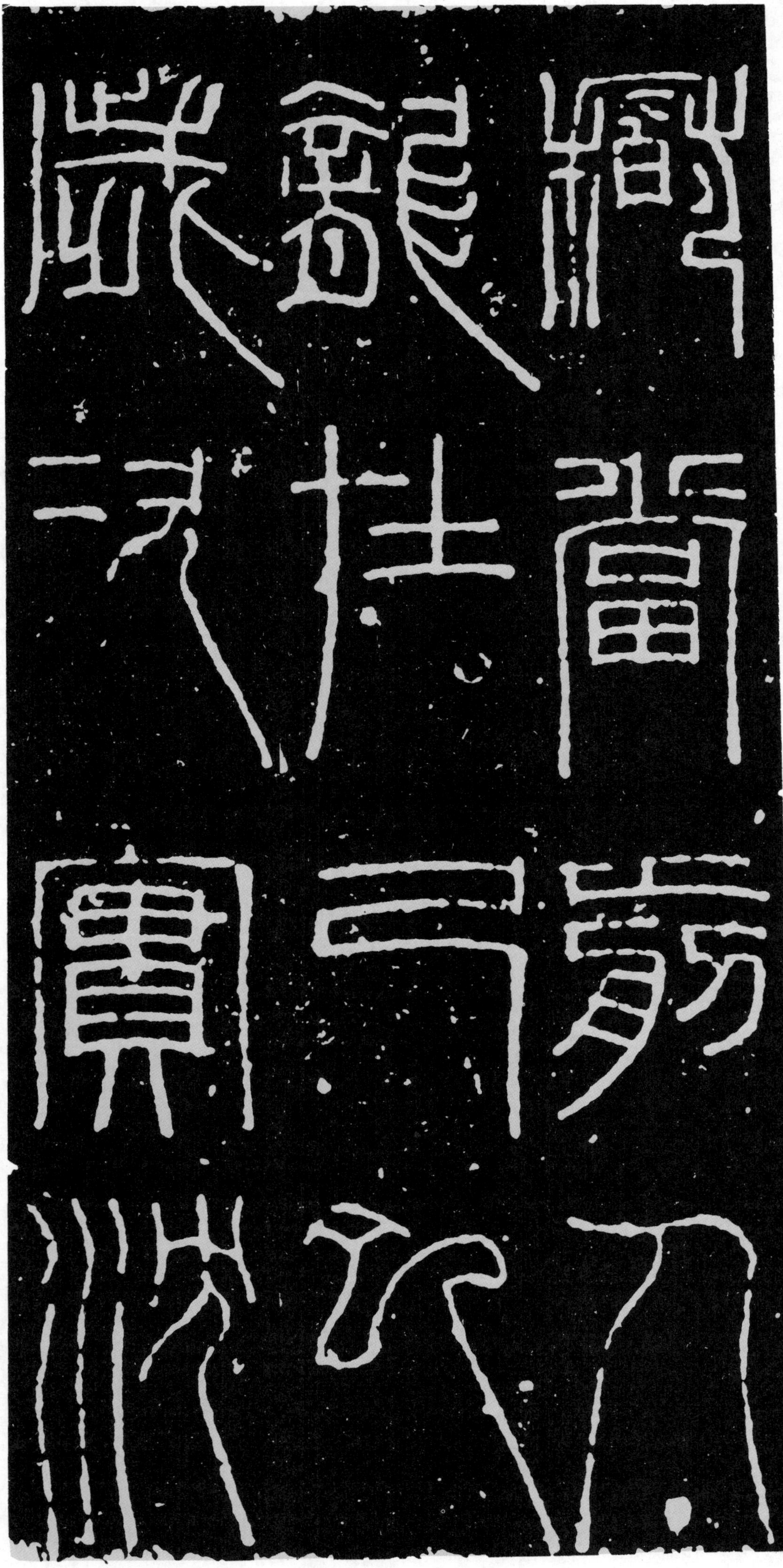

稽當前人 龍在己巳 歲次實沈

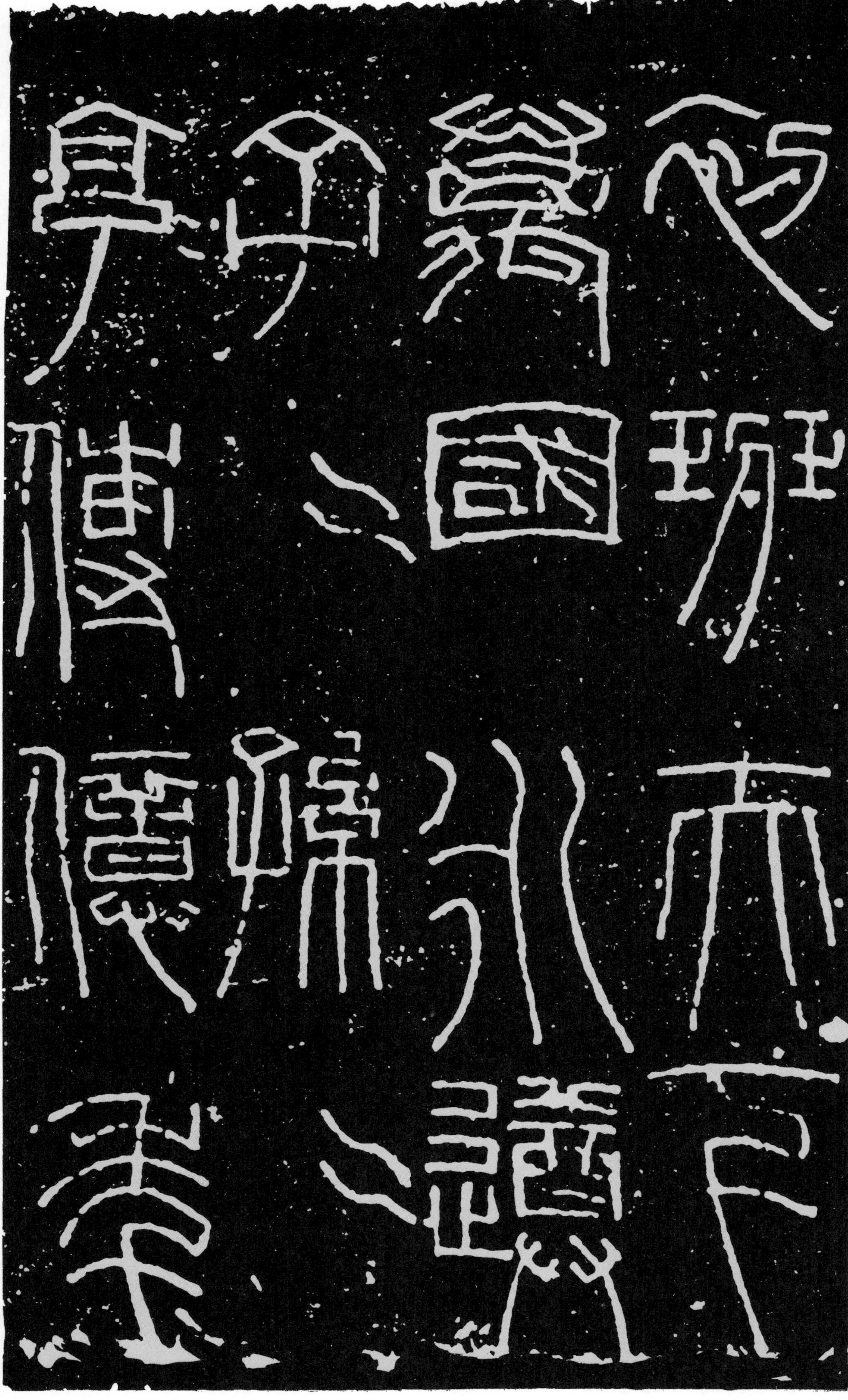

简帛书迹

简帛书迹

简帛书法是数千年前古人亲笔书写的墨迹。上迄战国，下至秦汉，有书于木牍，有书于竹简，有书于绢帛，有书于石玉上。书体有篆、隶、草等，是研究和学习书法极可珍视的资料。本丛帖辑入：近年出土的属于战国早期（公元前五世纪）、书于玉石上的侯马盟书，东周（前四七五—前二五六）温县盟书，一九八〇年出土于四川青川、战国秦武王二年（前三〇九）书于木片上的青川木牍，一九七五年出土于湖北云梦睡虎地秦墓的竹木简，以及秦帛书，汉代简牍，铭旌等。

战国侯马盟书

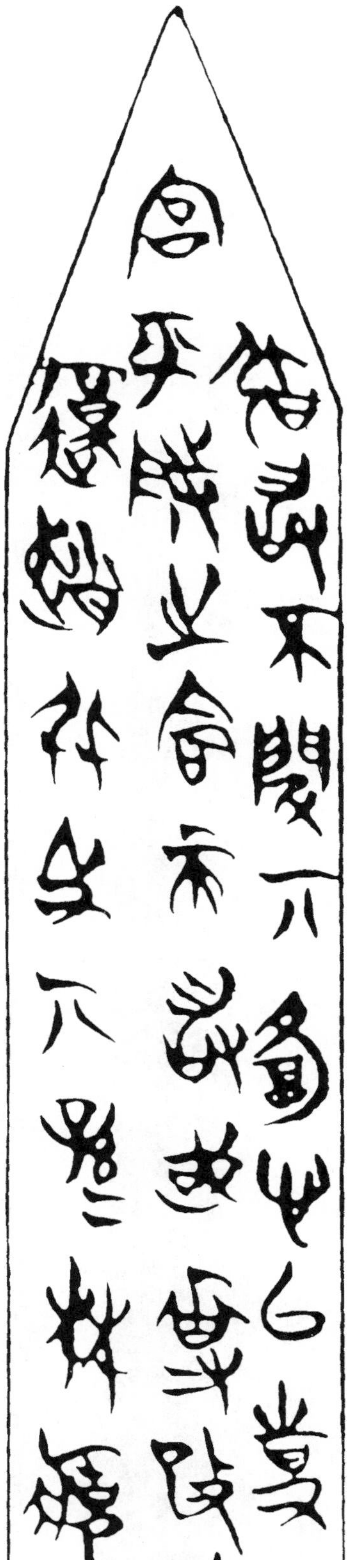

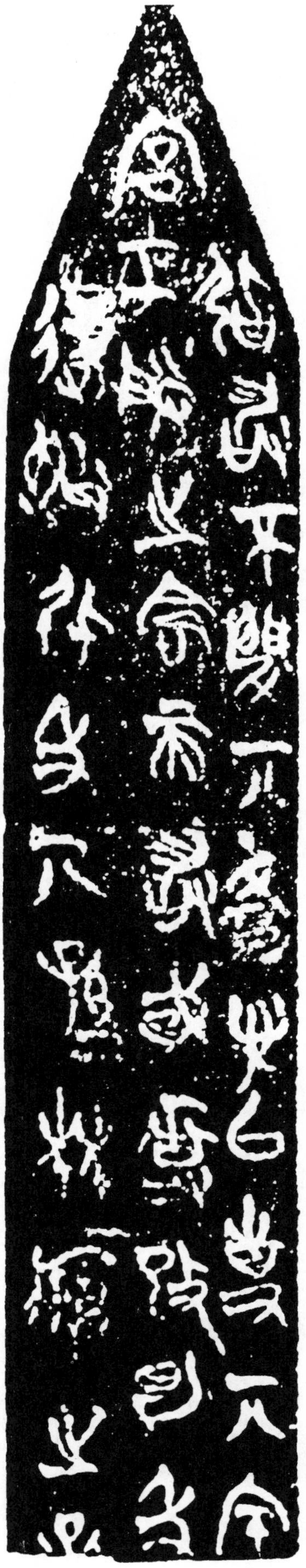

弫敢不閛其腹心以事其宗 宫平[阝寺]之命而敢或鼓改助及 復趙尼及其孫=䊕[疒先]之子

温县东周盟书

自今以遳午敢不憼=焉中心事其宔而敢與 賊徒者不㬎晉公大冢適亟覘女麻 𡉚非是

辛酉自今以㞢䣕敢不忽=焉中心事其宔而敢與賊 為徒者不㬎晉公大冢適𢛳覘女麻𡉚 非是

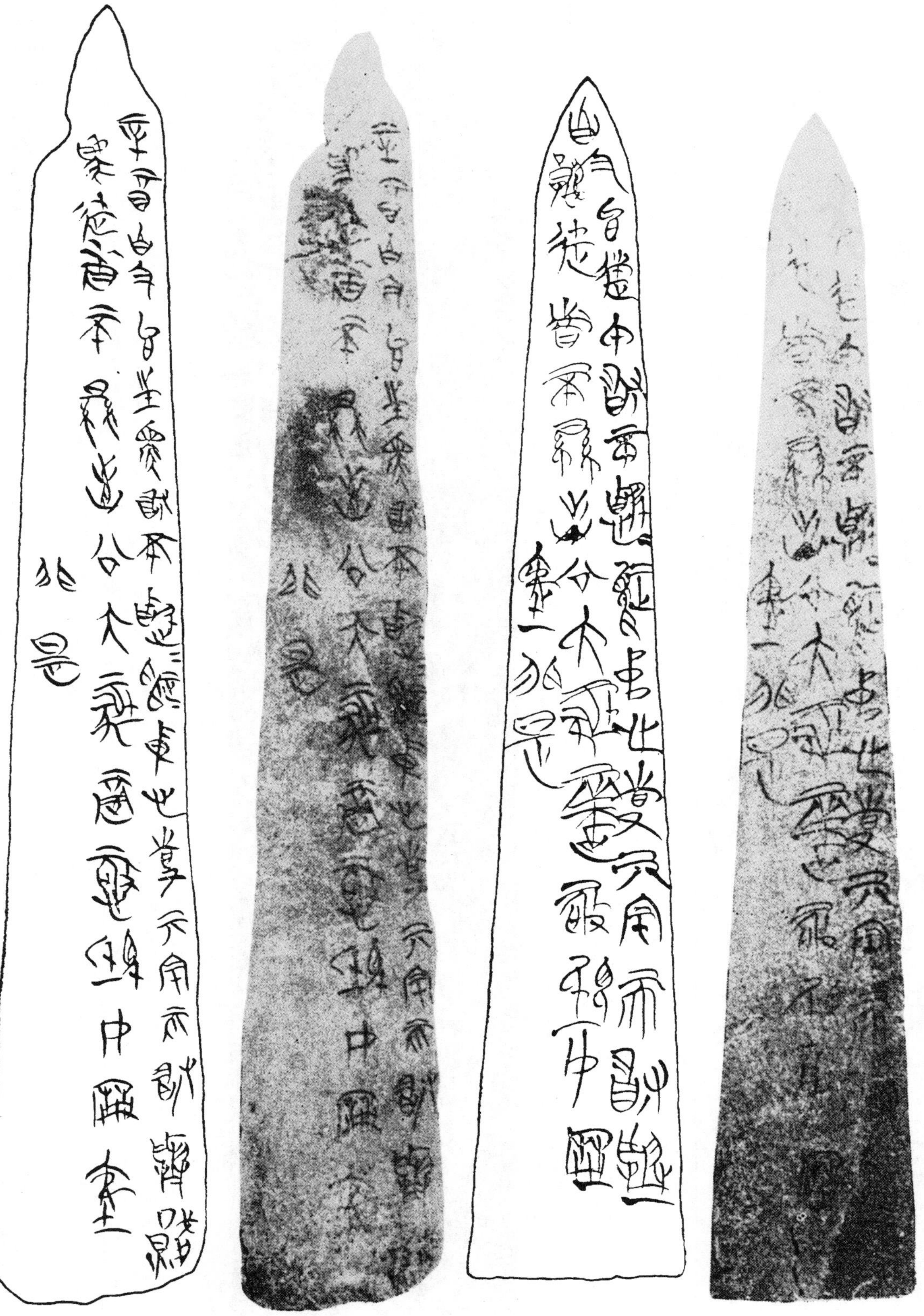

战国青川简

二年十一月己酉朔=日王命丞相戊内史匽民臂更修 千道=廣三步封高四尺大稱其高捋高尺下厚二

大除道及阪險十月為橋脩波隄利津梁鮮草 為田律田廣一步袤八則為畛畝=畛一百道百畝為頃一

尺以秋八月脩封捋正彊畔及發千百之大草九月 離非除草之時而陷敗不可行輒為之

睡虎地秦简

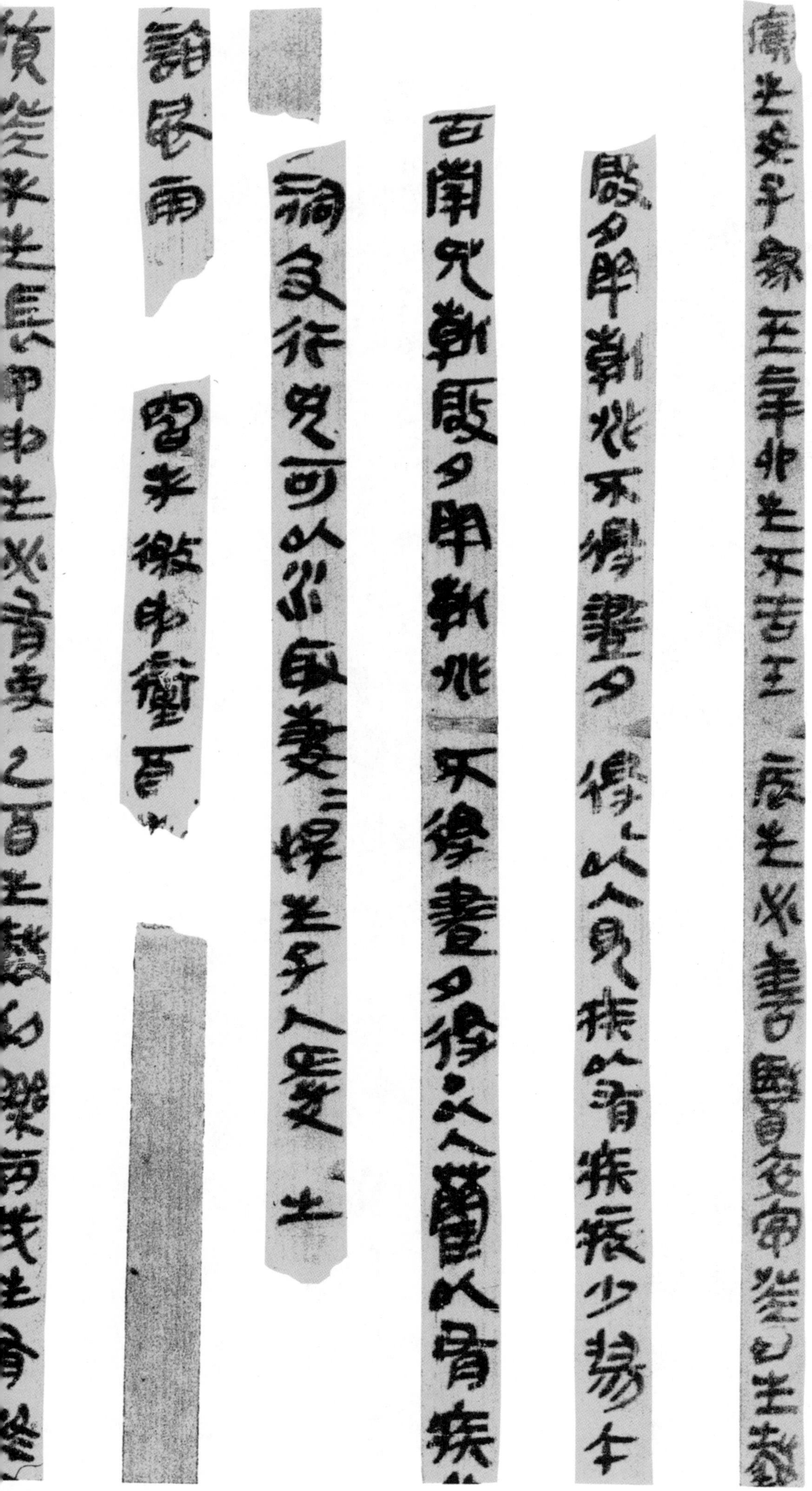

寅生女子為巫辛卯生不吉壬辰生必善醫卒常癸巳生穀　啟夕閉朝兆不得晝夕得以入見疾以有疾辰少翏午

口南光朝啟夕閉朝兆不得晝夕得以入䕡以有疾　祠及行光可以水取妻=悍生子人愛之　詣風雨　窨未徹申

衛酉　貨癸未生長甲申生必有事乙酉生穀利樂丙戌生有終

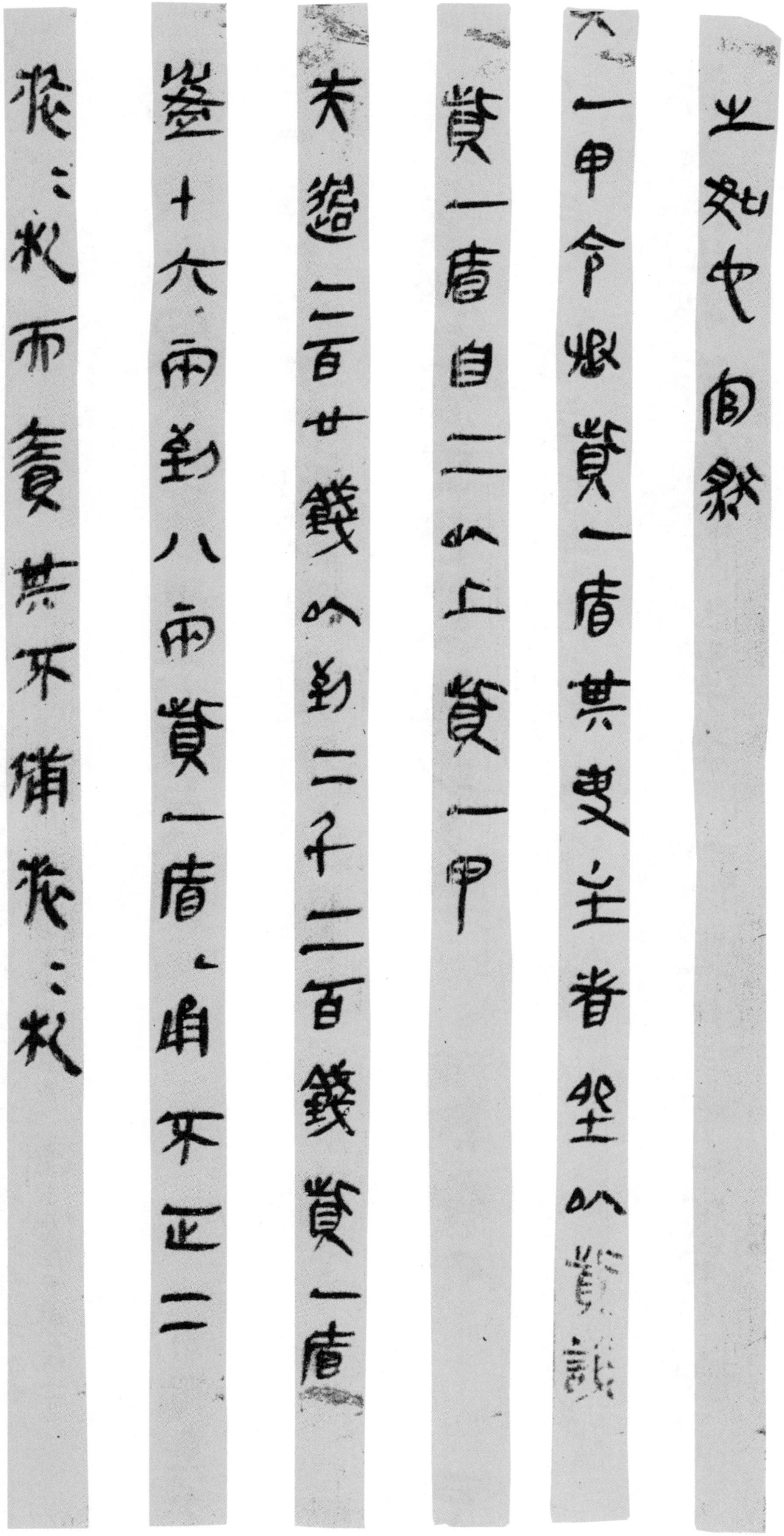

之如宅官然　一甲令丞貲一盾其吏主者坐以貲誶　貲一盾自二以上貲一甲　夫過二百廿錢以到二千二百錢
貲一盾　盈十六兩到八兩貲一盾甬不正二　旅=札而責其不備旅=札

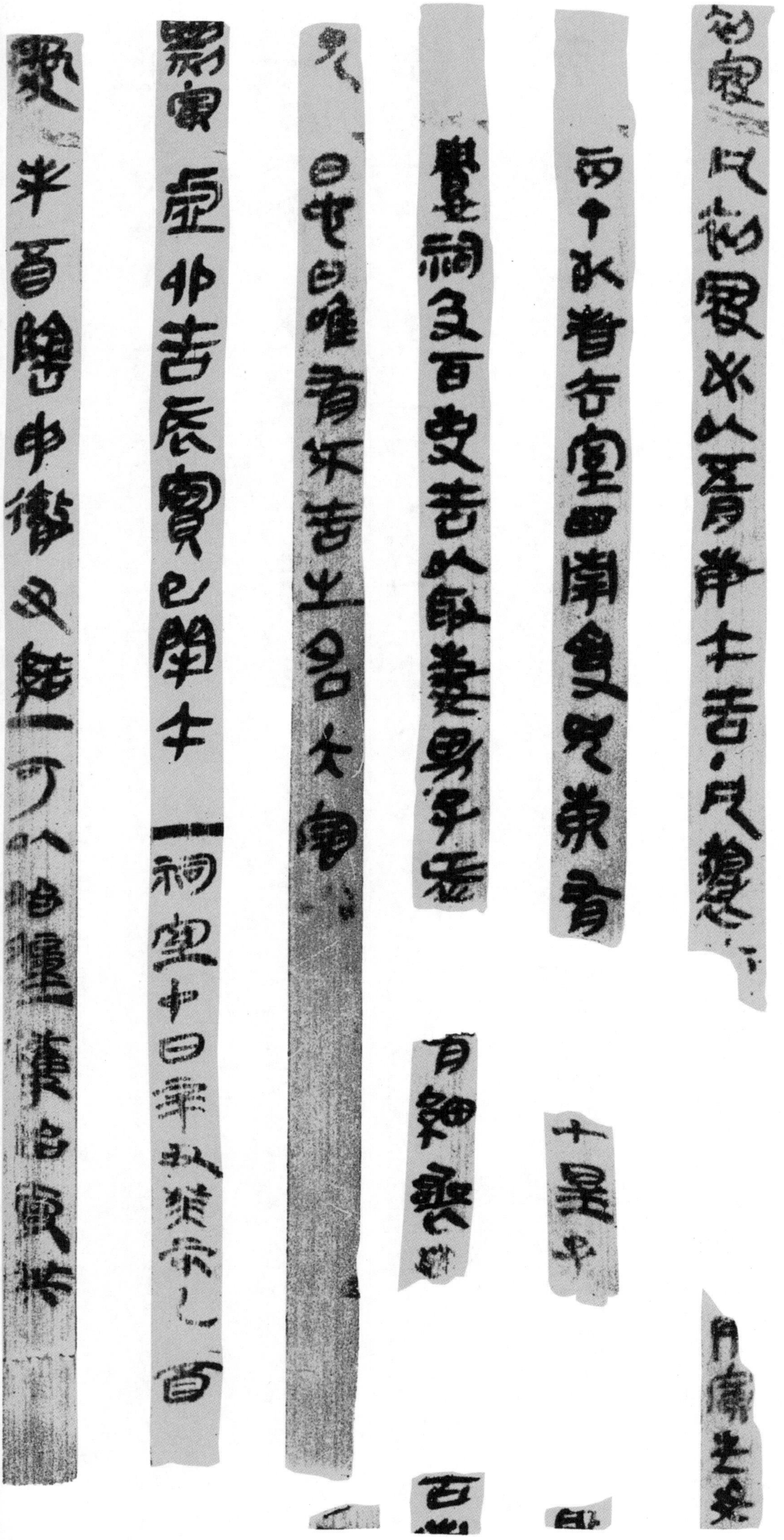

初寇凡初寇必以五月庚午吉凡製衣　丙丁死者去室西南受兇東有　妻祠及百事吉以取妻男子愛　有細喪

見日它日唯有不吉之名大害　剽寅虛卯吉辰實巳閉午一祠室中日辛丑癸亥乙酉　憂未酉陰申徹丑結一可

以始種穫始賞其

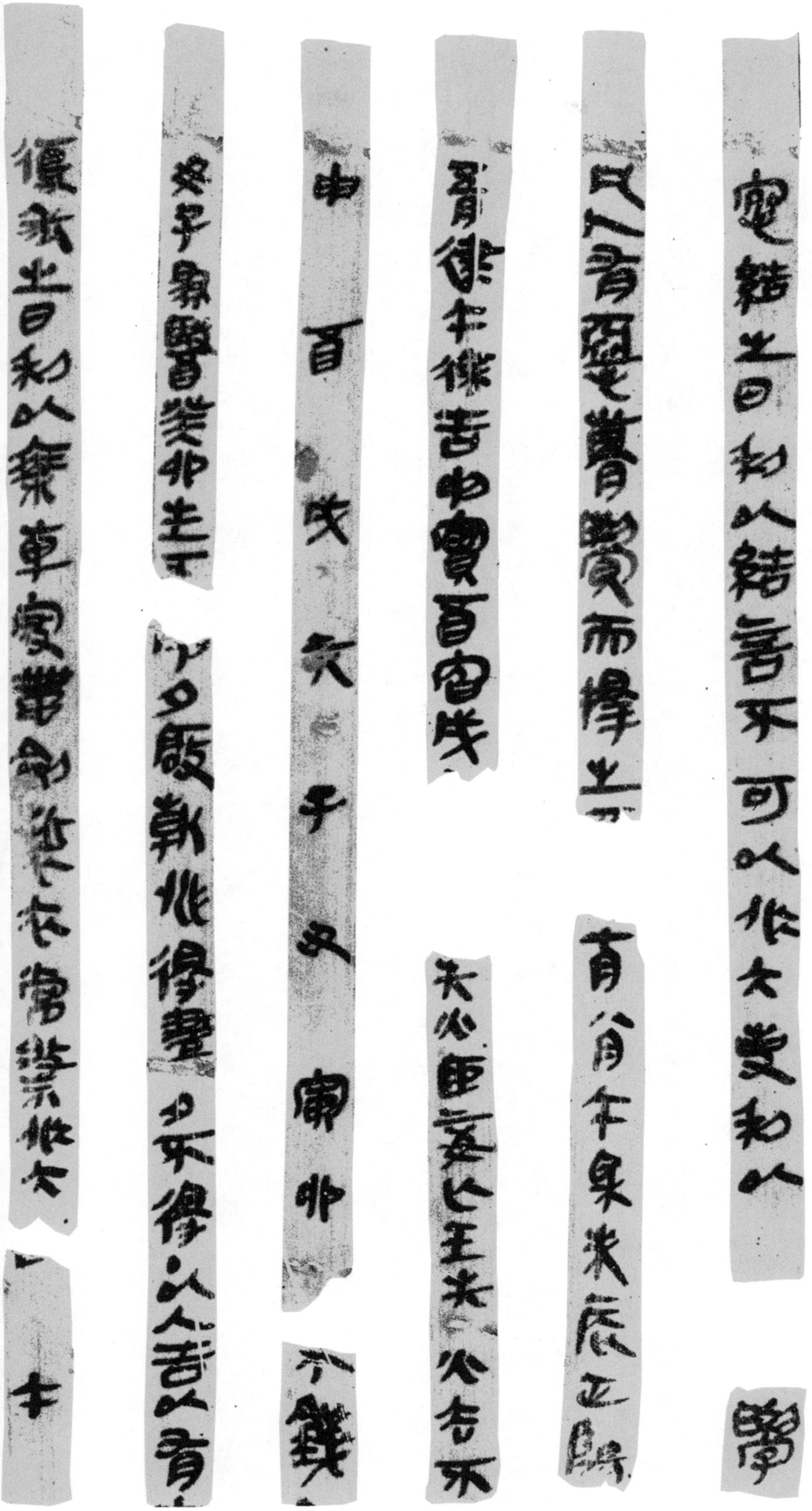

申實酉窗戌　失火臣妾亡壬失火去不　申酉戌亥子丑寅卯　□錢　女子為醫癸卯生□夕啟朝兆得
晝夕不得以入吉以有　復秀之日利以乘車寇帶劍裝衣常祭作大　□午

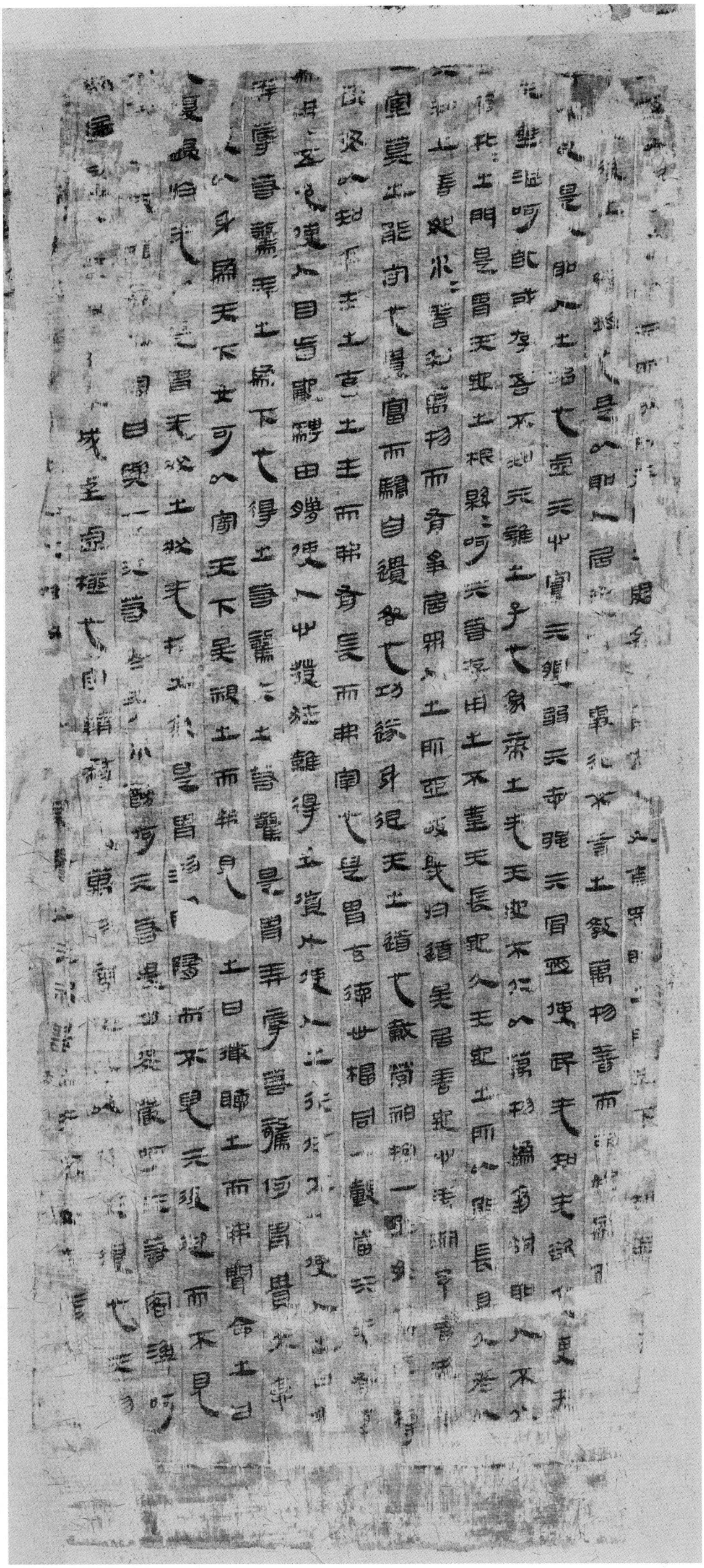

汉帛书

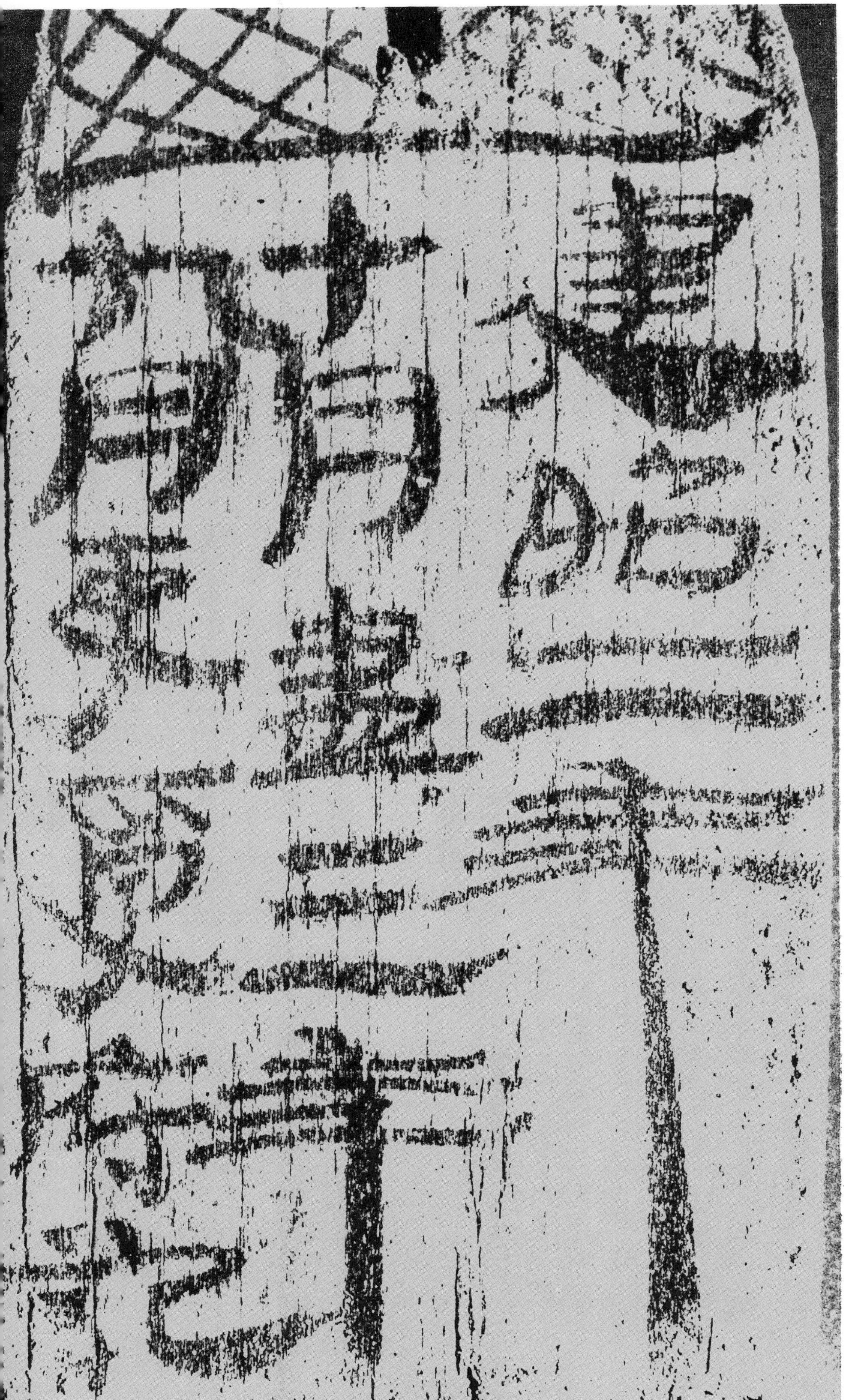

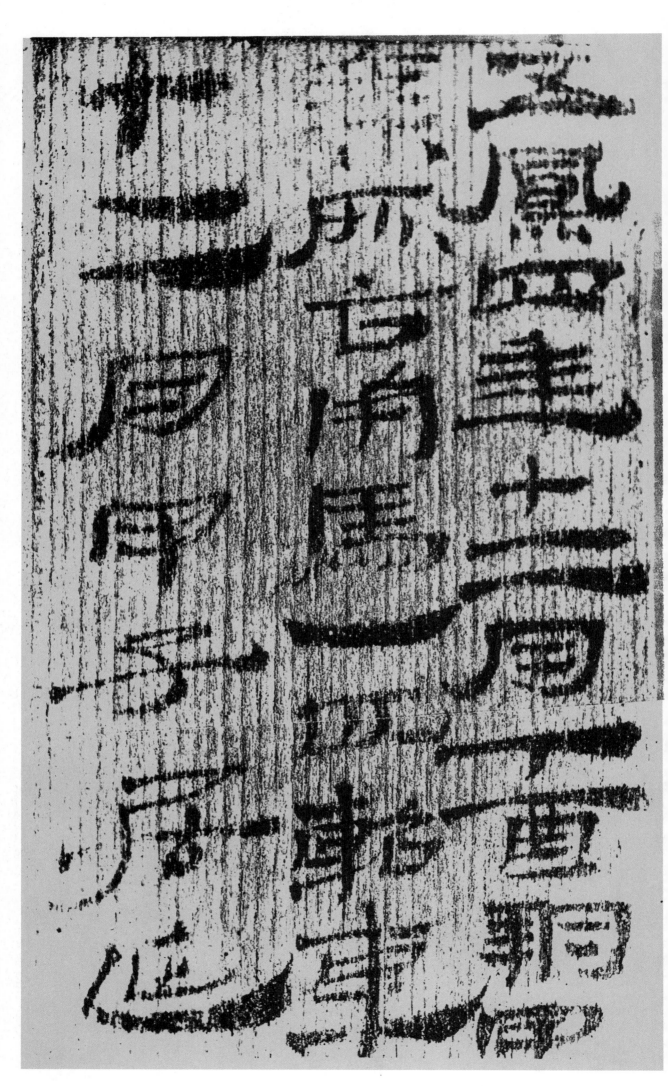

元鳳四年十二月丁酉朔

尉系昌角侯山燧長集

廿二日甲子居延

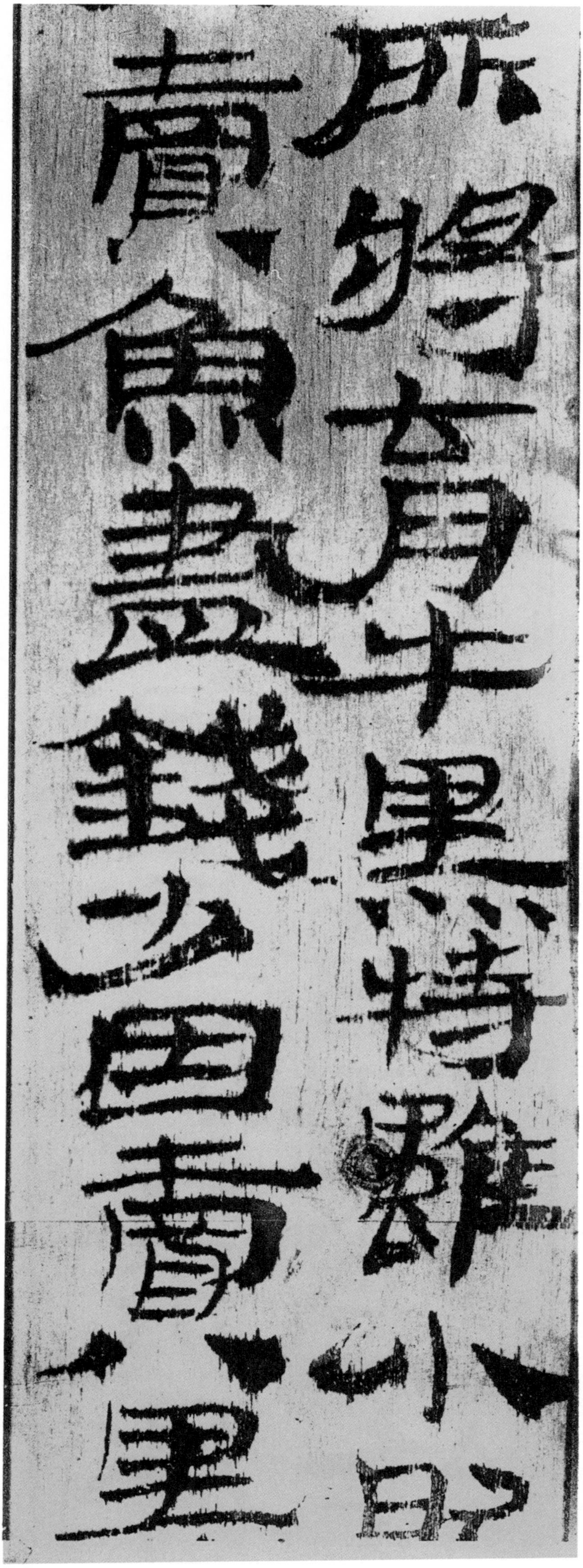

晝夫宮殿言之復物甲軍

用牛頭穀廿石思領諸

氣乳四年十而氣

之年八月癸半卅傷

年章其今錢

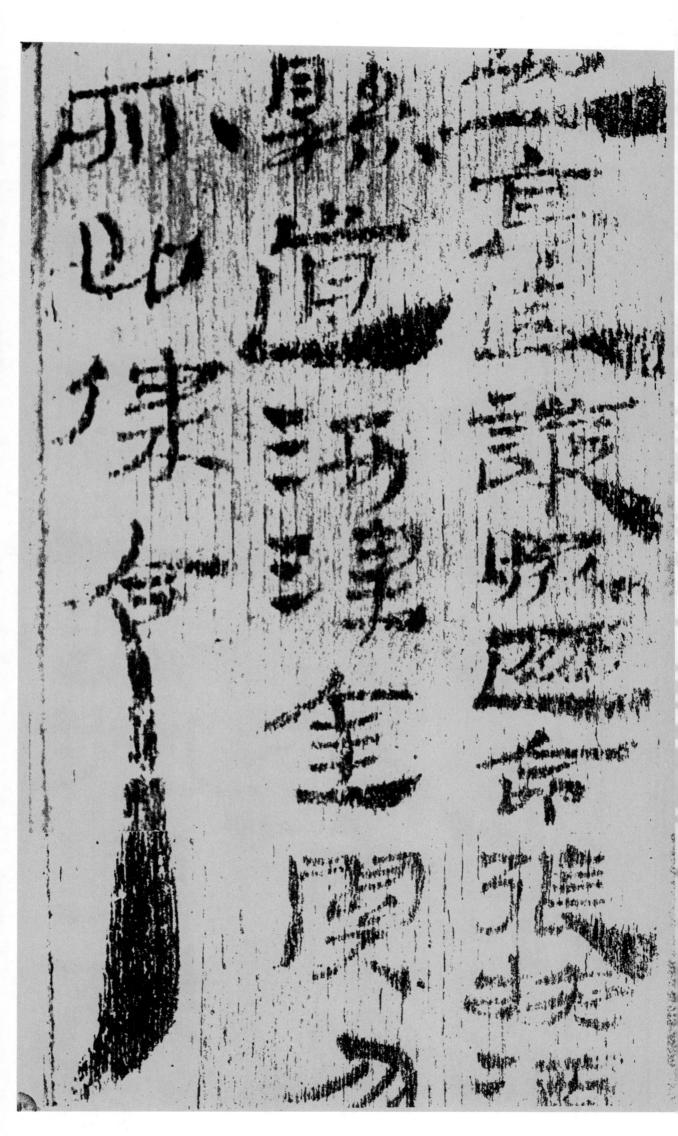

[illegible]言[illegible]議[illegible]區奉張掖[illegible]

[illegible]宮言[illegible]生[illegible]

所如律令

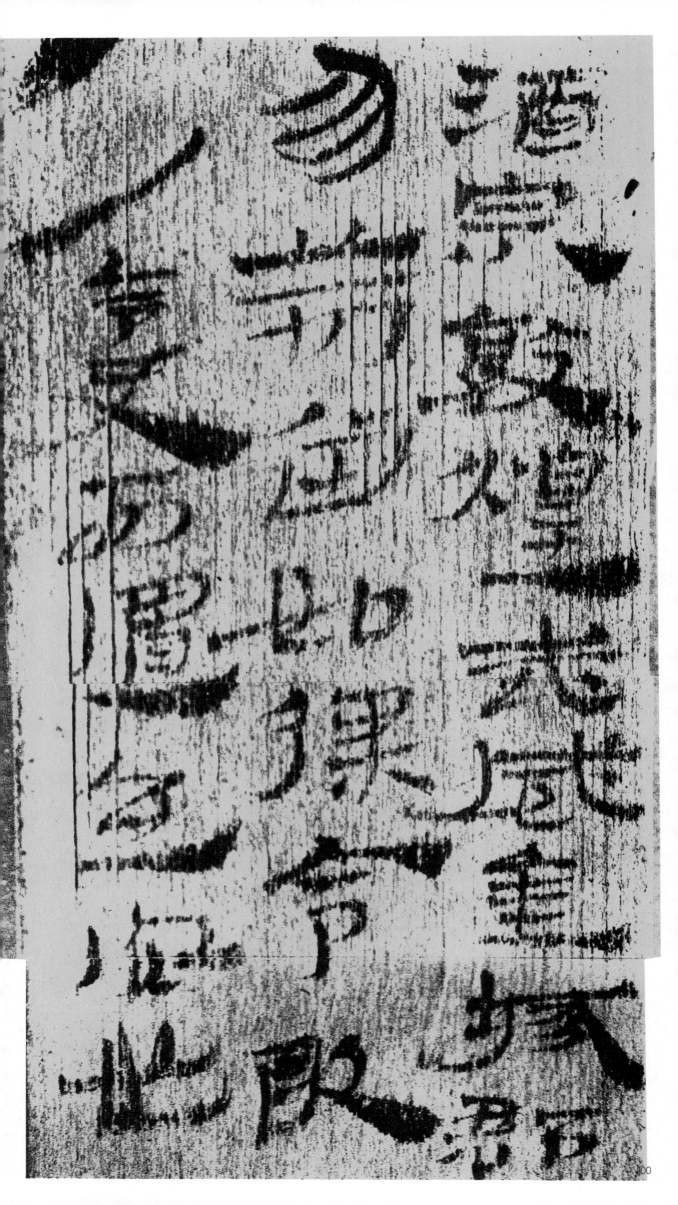

適宗實燮義武車城郡

乃前位以賜令取

之養多屬孝侯此

汉武威铭旌

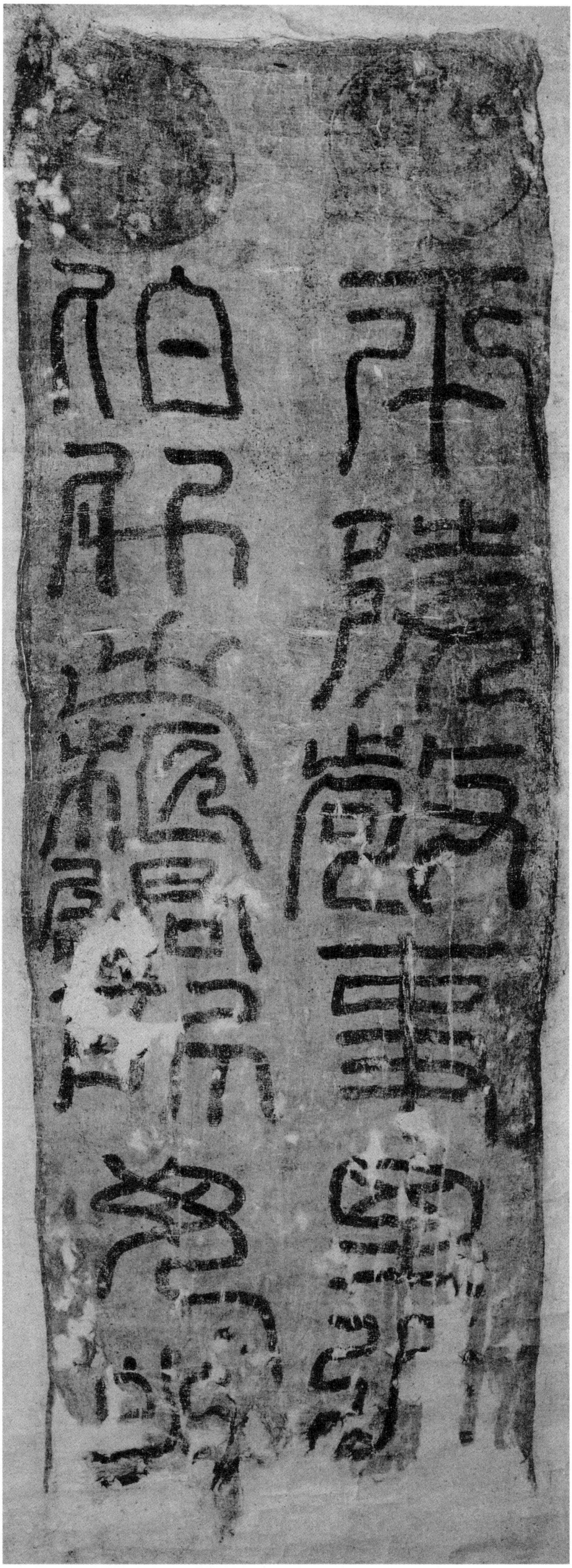

平陵敬事里張　伯升之柩過所毋哭

先秦石鼓文

石鼓文

大篆。为我国最早的石刻文字，刻于十个鼓形石上，故名。每石各刻四言诗一首，内容是咏秦国君游猎事，故又称『猎碣』。其年代，前人多以为是周宣王时，近人则一致认为是始皇以前的秦刻石。原在天兴(今陕西宝鸡)三畤原，现藏北京故宫博物院。其中一石，在宋时已被改凿为臼，另一石已不存一字。这里所收的，是明安国旧藏北宋拓本。

石鼓文，与秦公盘铭、秦公敦铭极为相似，虢季子白盘铭，是其滥觞。其笔画圆润、遒丽，形体规正，近人吴昌硕篆书得力于此，是初学大篆的极好范本。

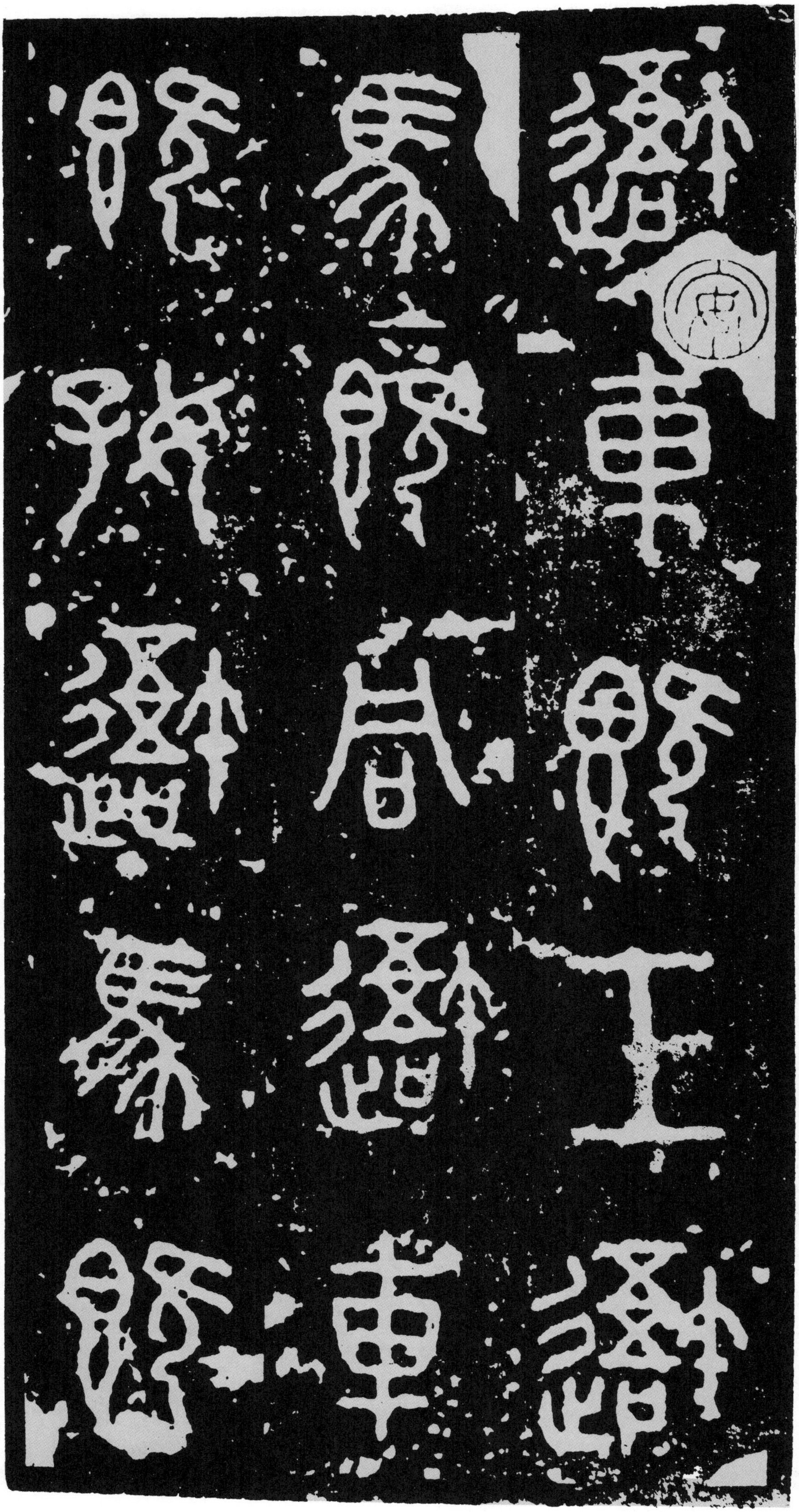

遊車既工遊　馬既同遊車　既好遊馬既

駈君子員〻邋〻　員斿麀鹿速〻　君子之求特

角弓兹以寺 避毆其特其 來趩[illegible]=[illegible]=即

遊即時麀鹿　速=其來大次　遊敺其樸其

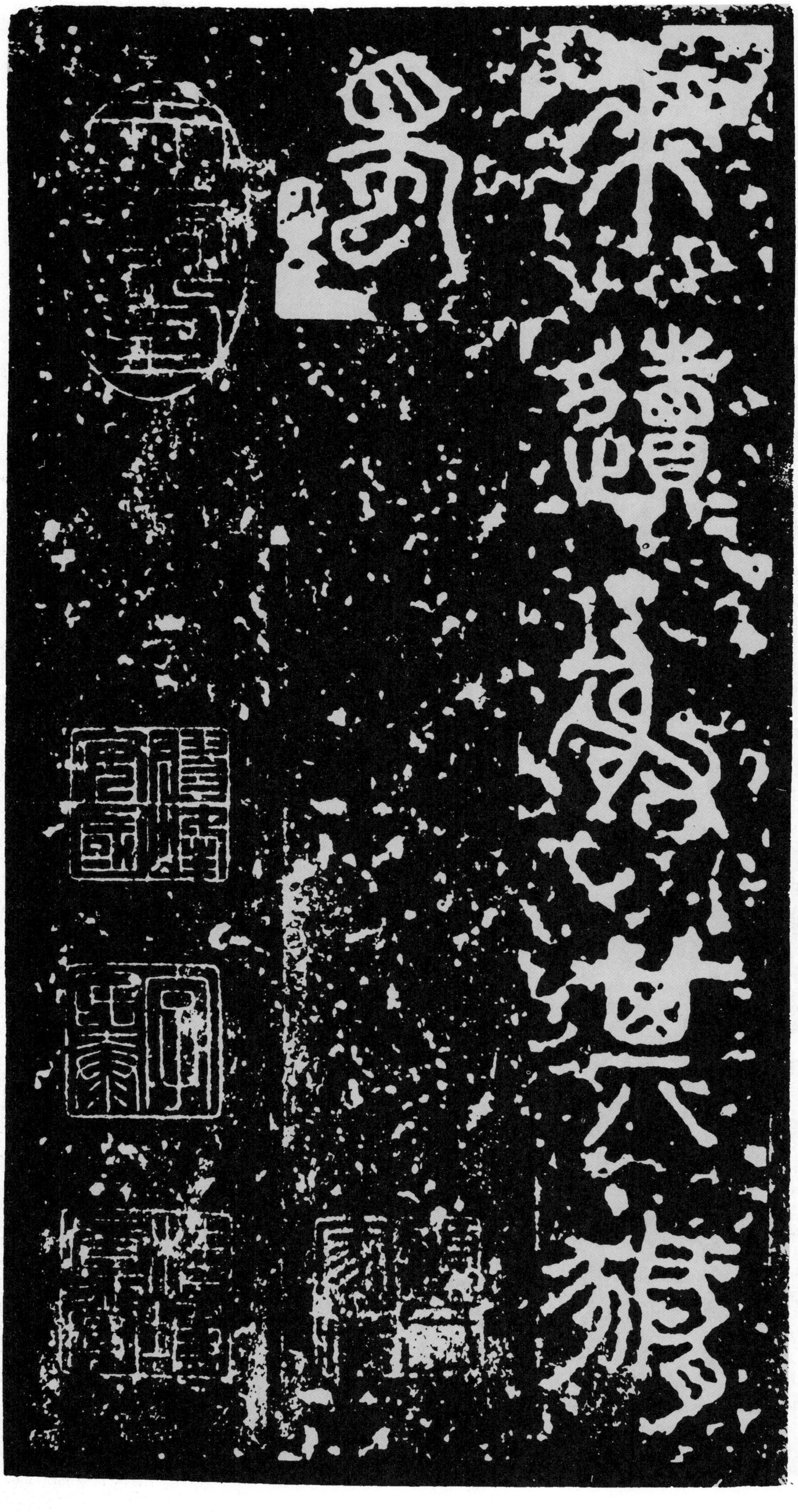

來遺〻射其豬　蜀

汧殹沔〻烝〻皮　淖淵鰋鯉處　之君子漁之

澫又小魚其斿趱＝帛魚𤔲＝其 䉼氏鮮黃帛

其鱮又鰟又

鮊其胡孔庶

臠之毚毚汪汪趣趣

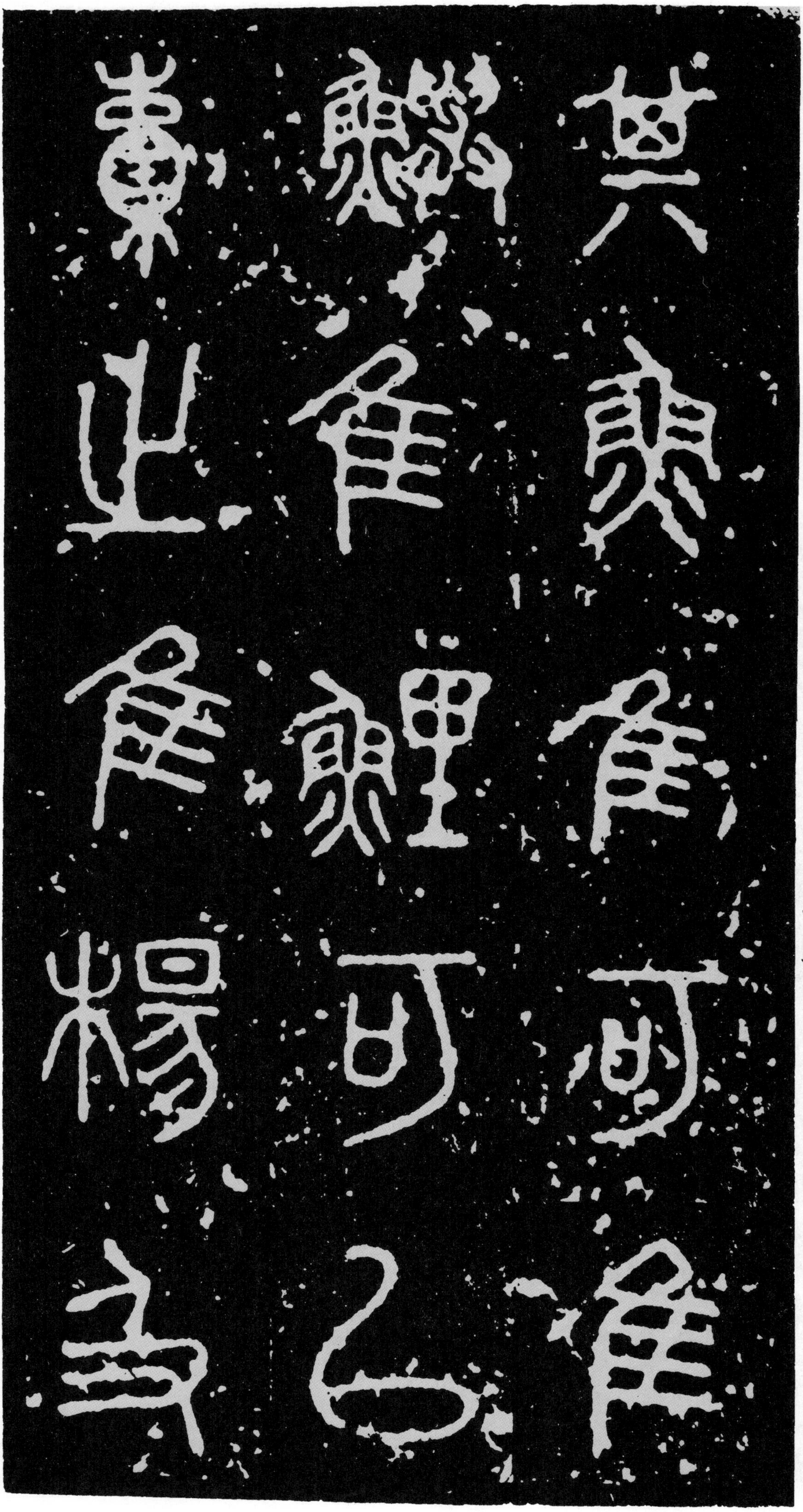

其魚隹可隹 鱮隹鯉可以 橐之隹楊及

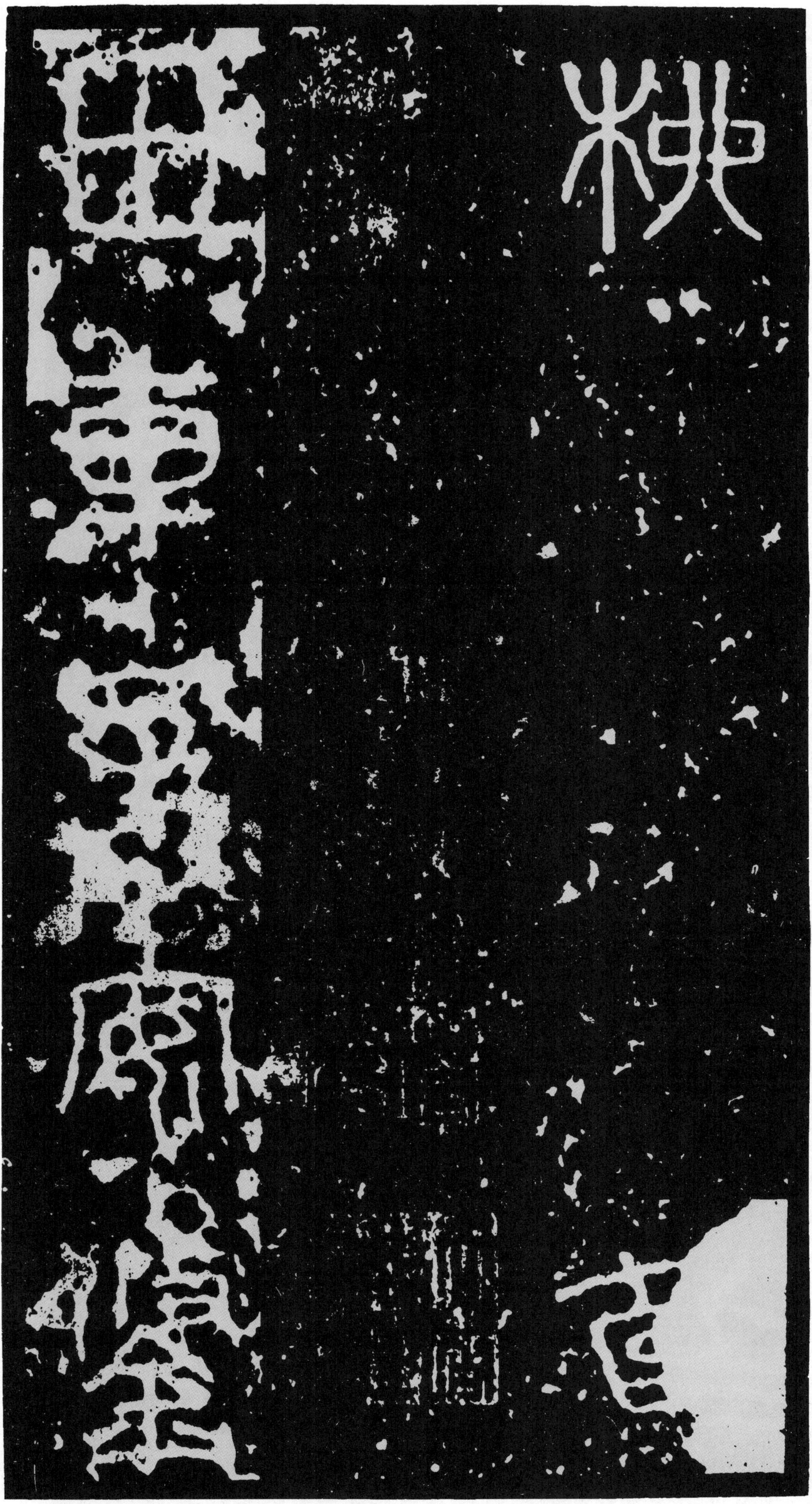

柳　田車孔安鋈

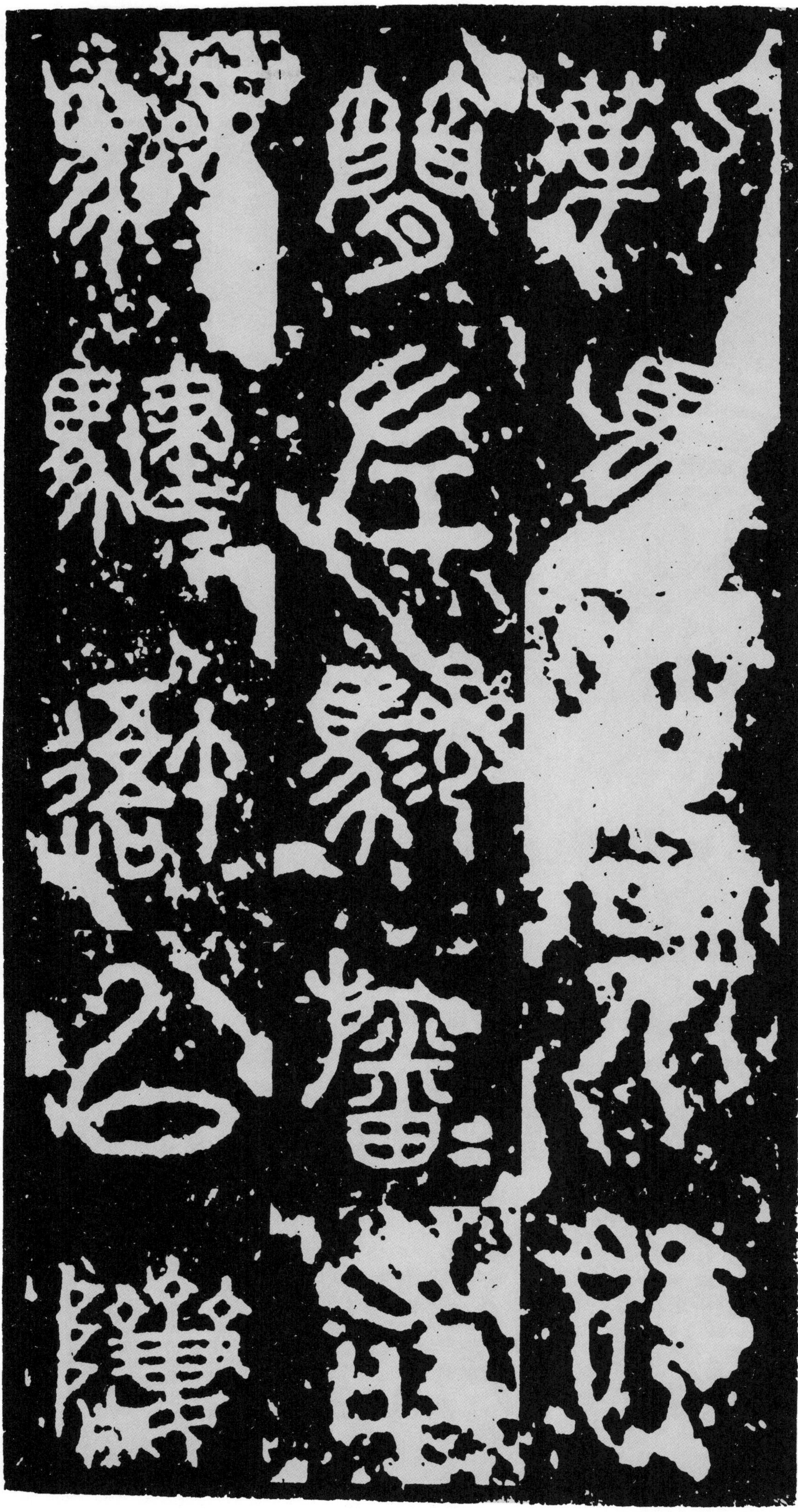

勒馬四介既 簡左驂旛=右 驂騝=遊以陵

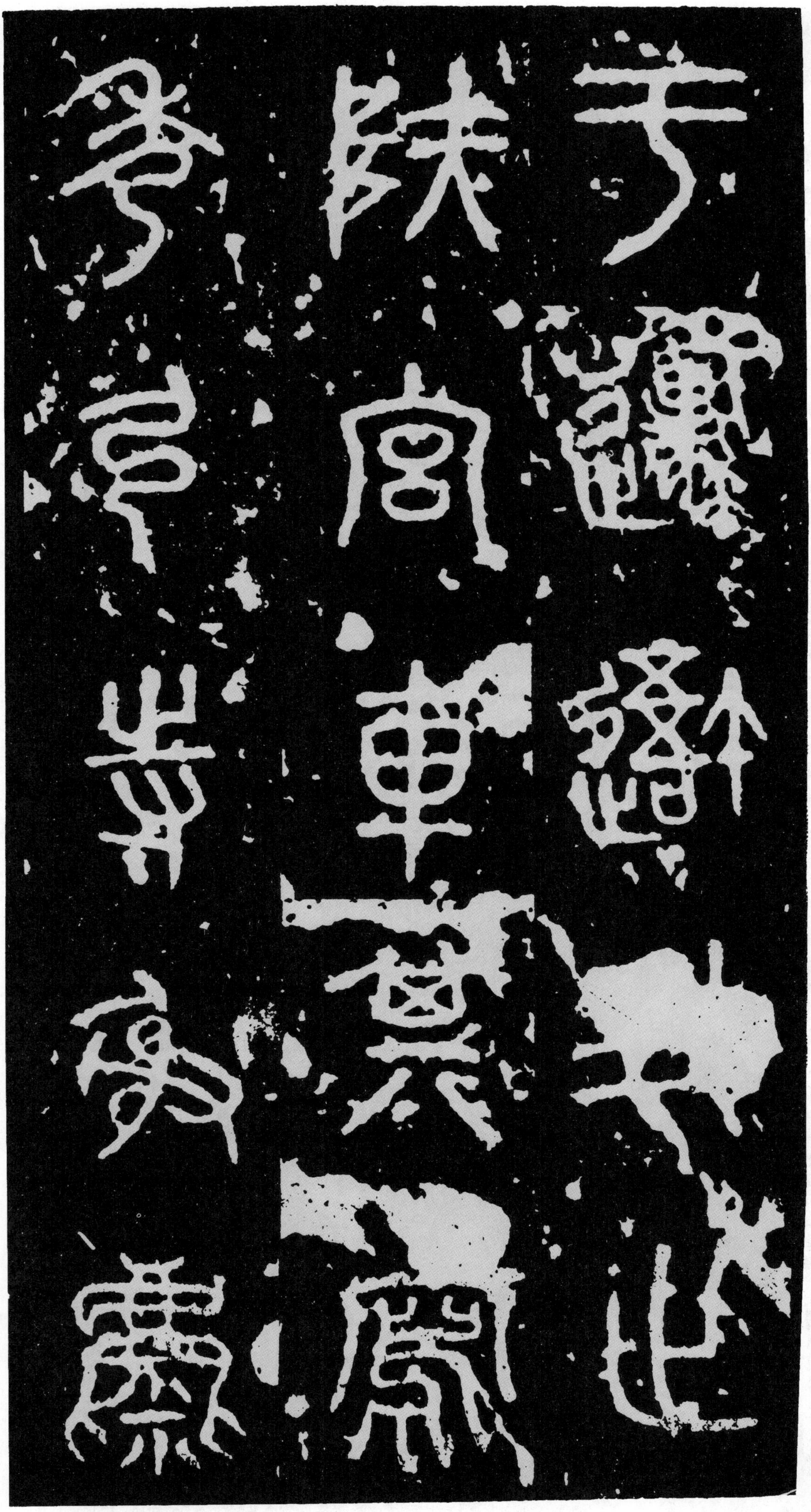

于原避戎止 陕宫車其寫 秀弓寺射麋

豕孔庶麀鹿　雉兔其趚又　旃其□趚夜

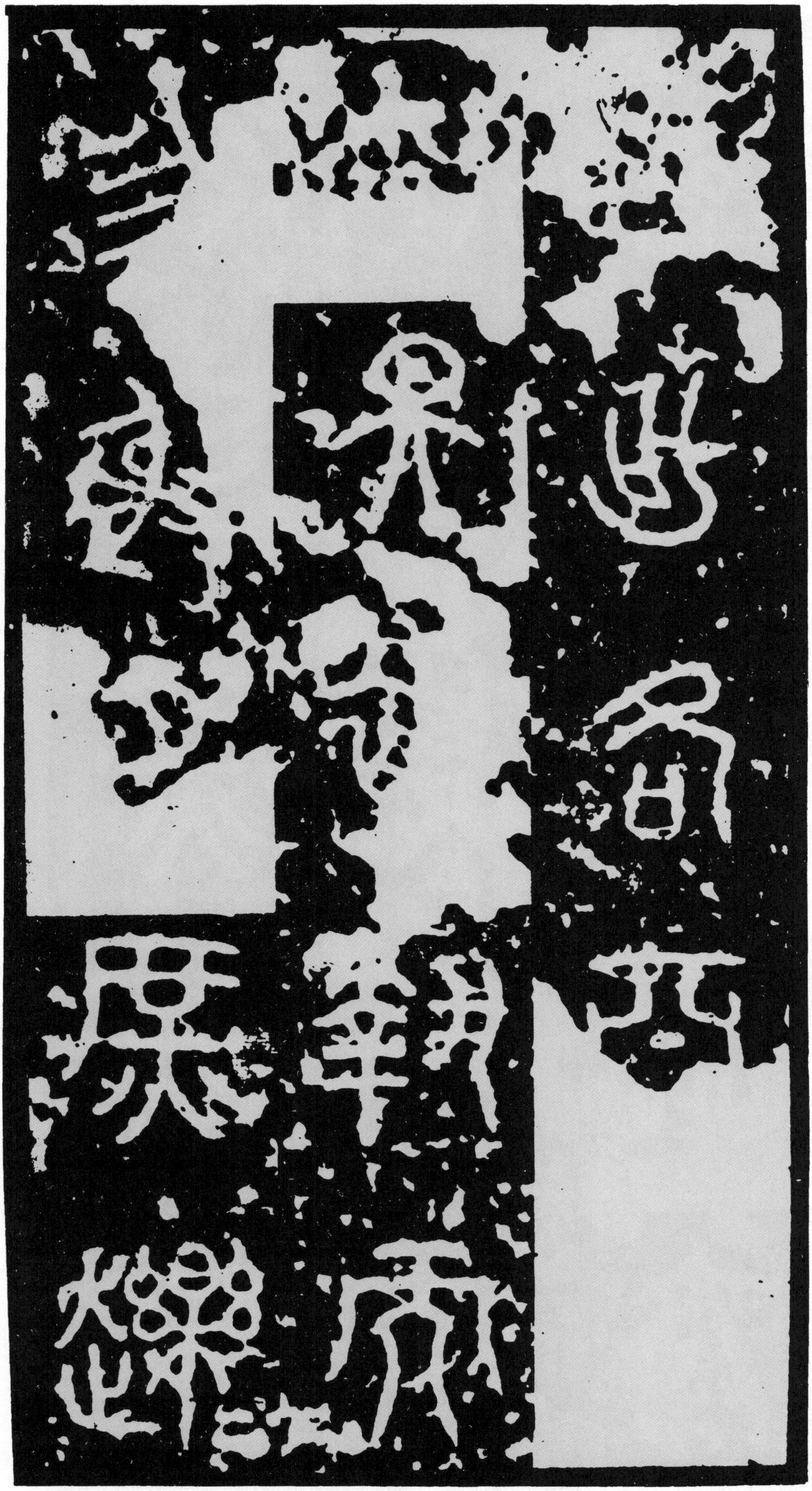

四出各亞□ 吴衤執而 勿射多庶樂二

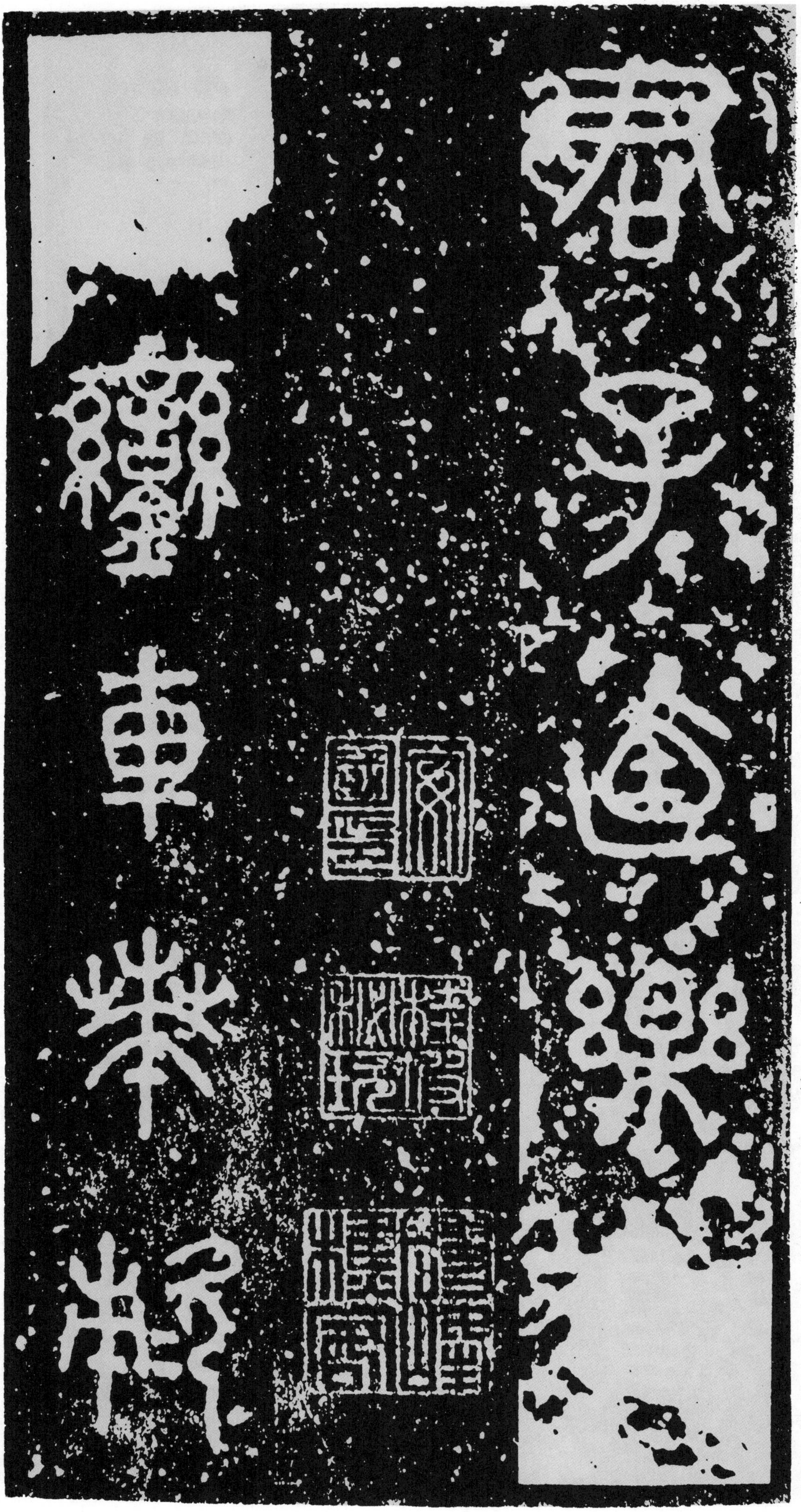

君子逌樂　口鑾車桒欶

旨弓孔碩彤矢四馬其寫　六轡驁徒[illegible]

孔庶廓宣搏　生車[illegible]衍口　徒如章原濕

陰陽趍犇馬 射之逆＝ 射之䠞＝ 逆如 虎獸鹿如多、

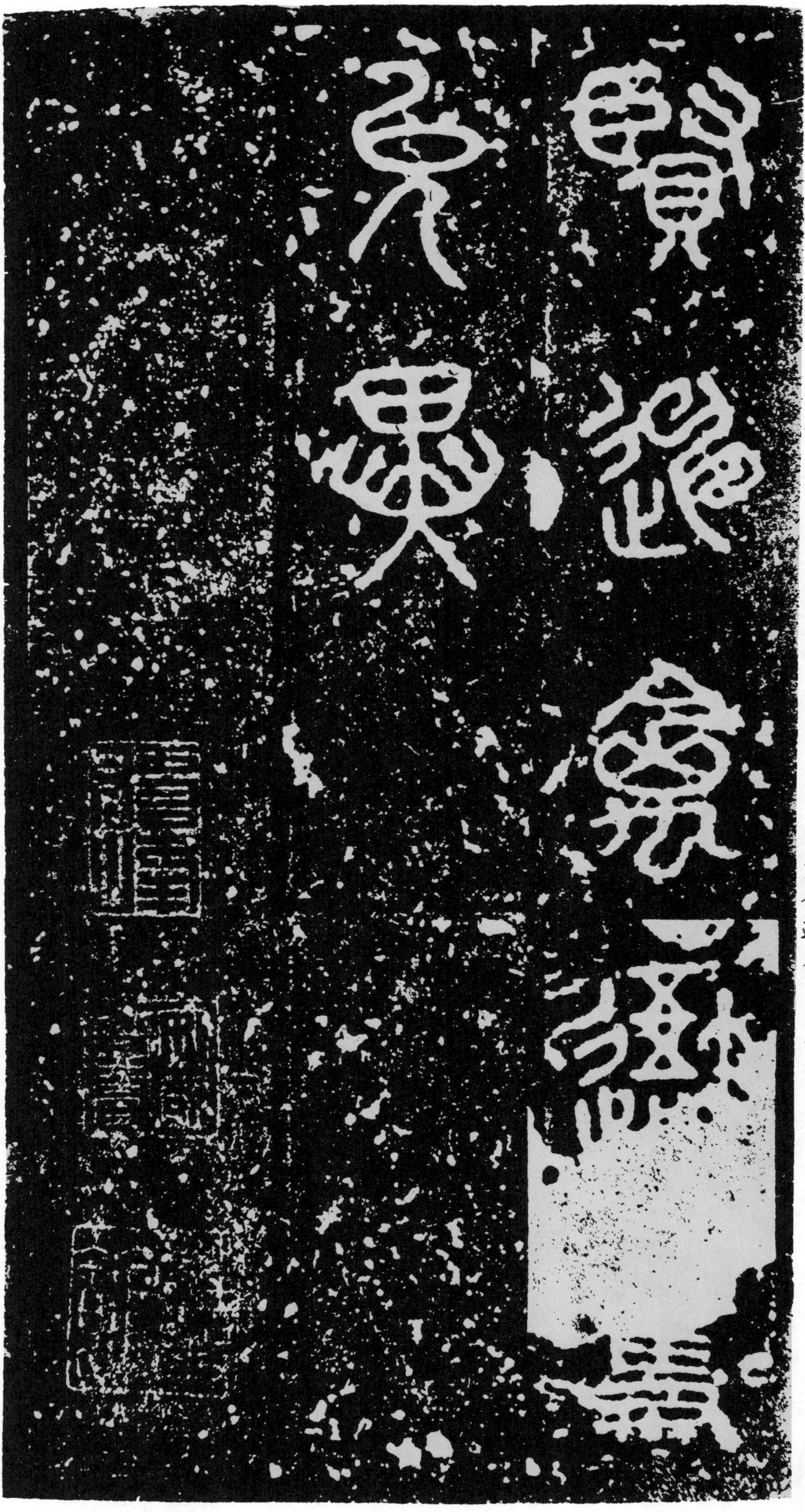

賢連禽避獲 允異

癸霝雨流迄 滂=盈渫濟=君 子即涉=馬流

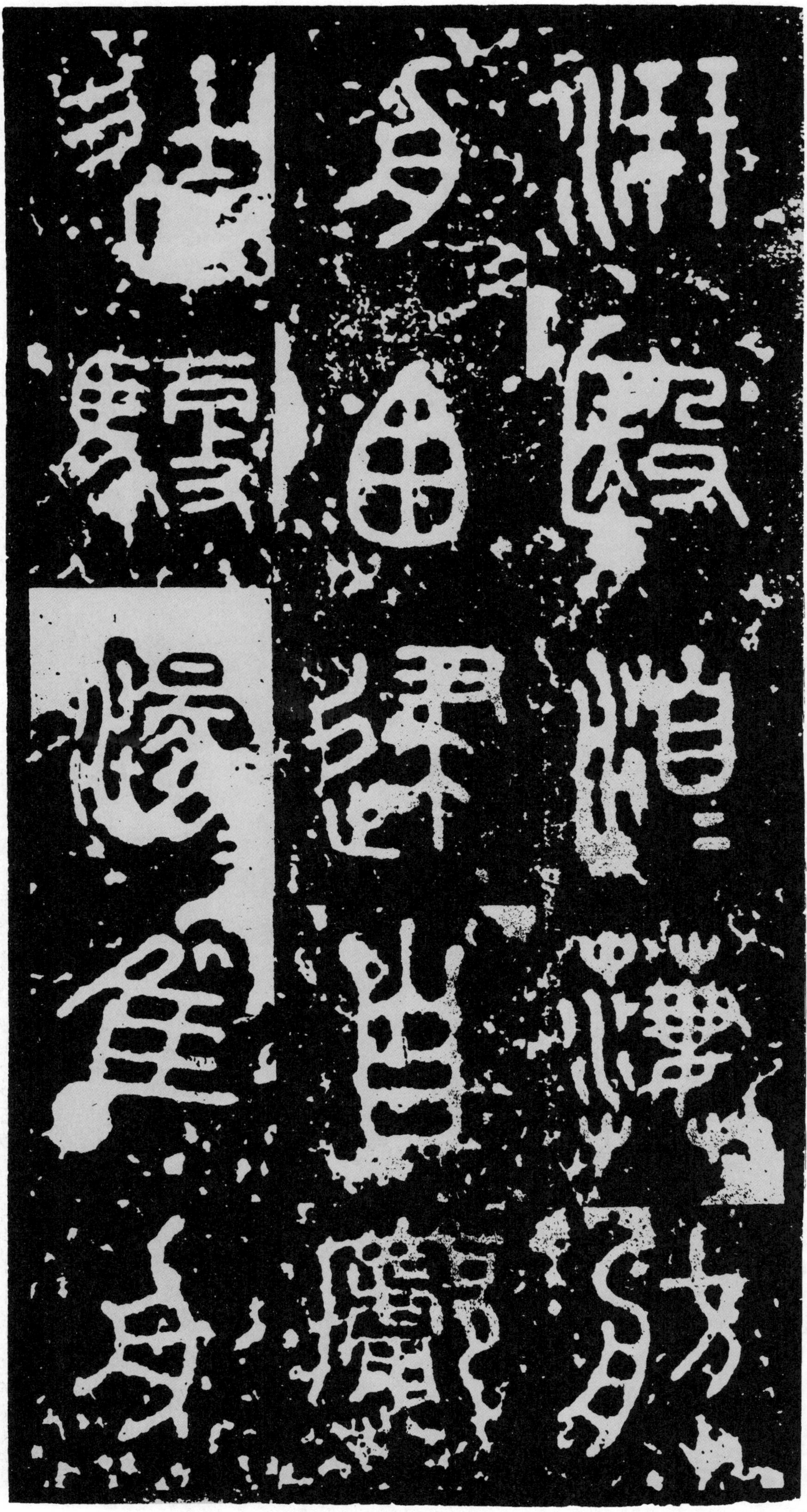

汧殹泪=淒=舫 舟囱逮自鄘 徒騣湯=隹舟

以衍或陰或 陽极深以口 于水一方勿

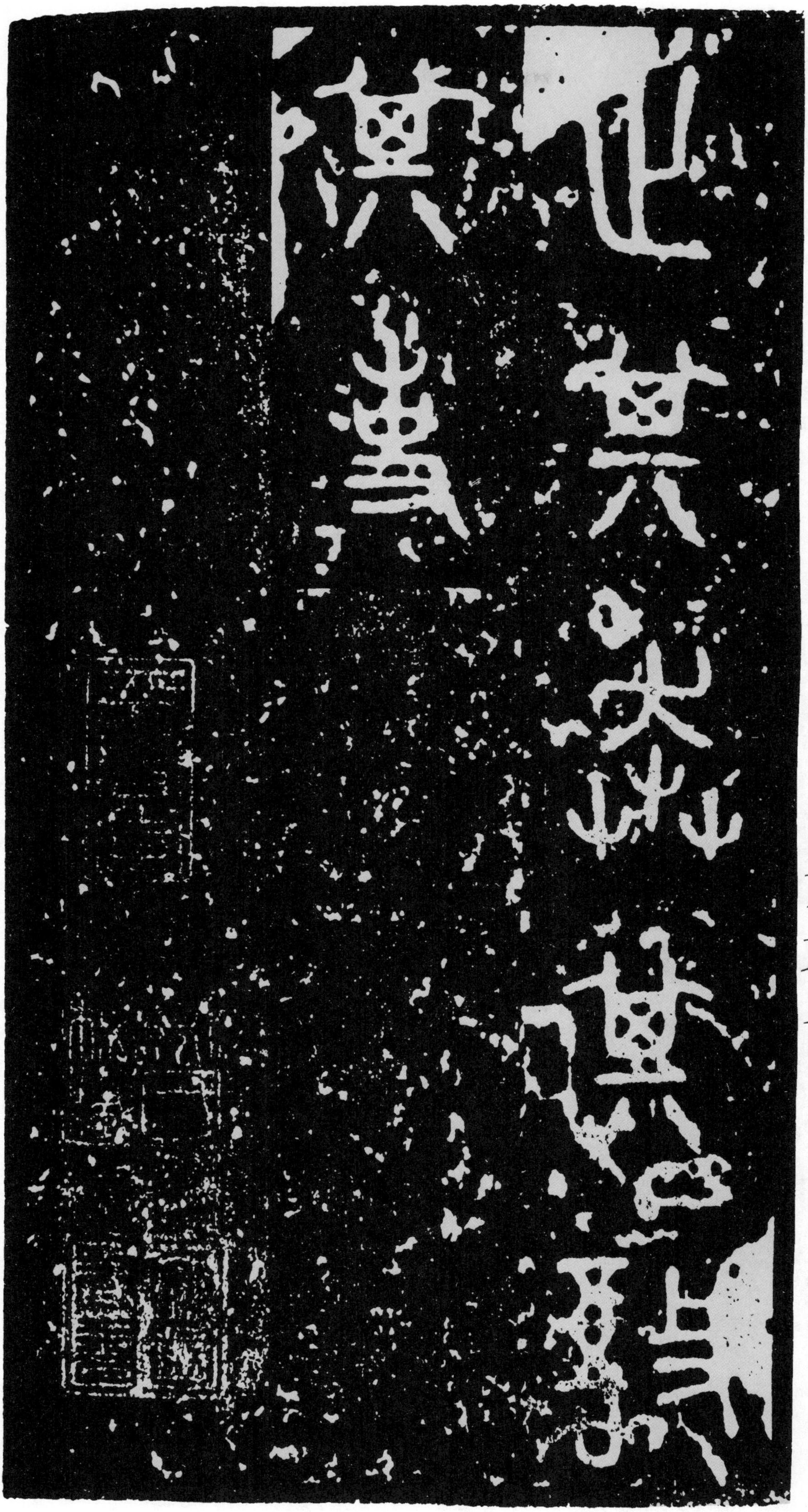

止其奔其敔 其事

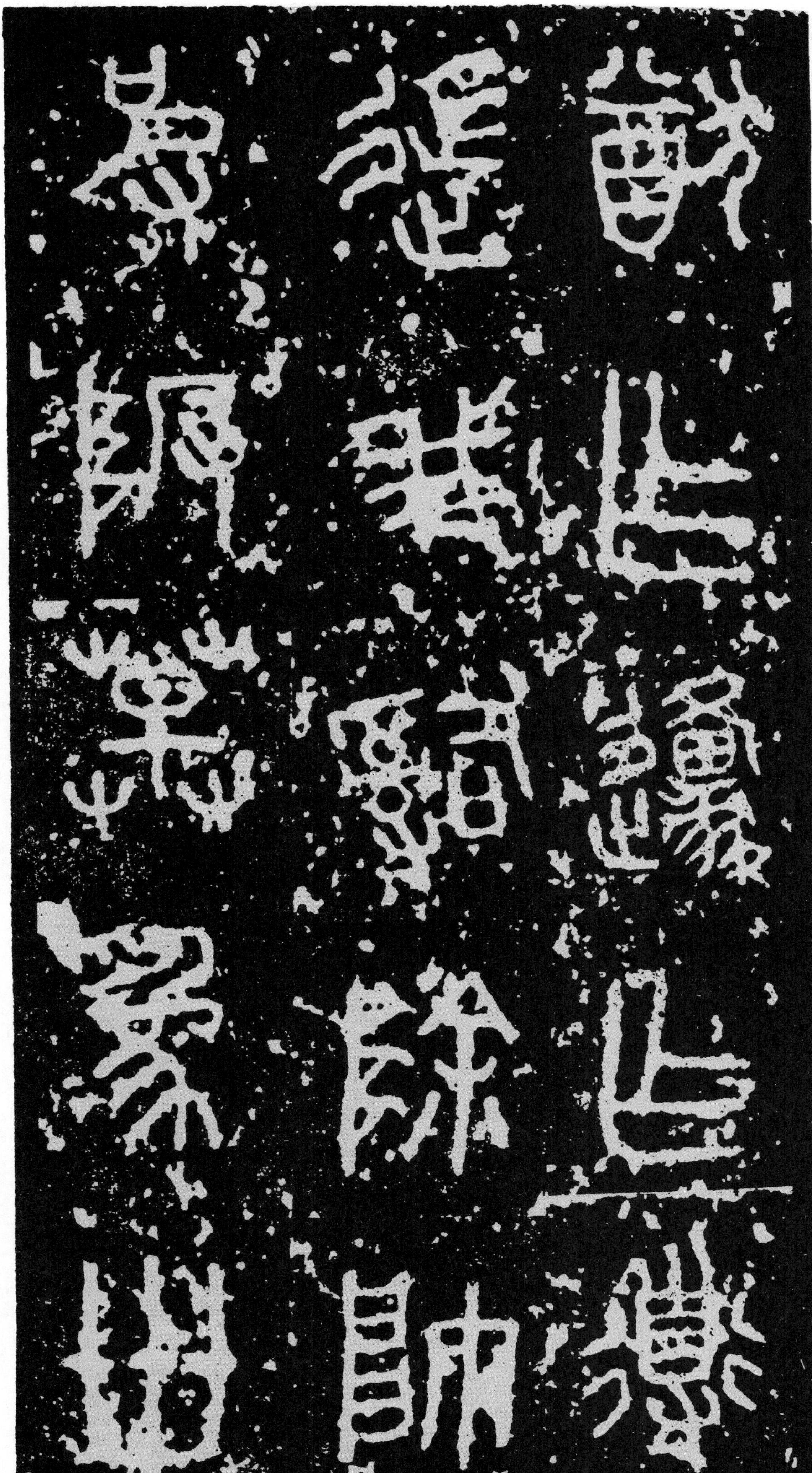

𢽾作原作導　遄我嗣除帥　皮阪草為世

里微䵷=逌罟　栗作棫其𣟴　椺𦘔=鳴亞箬

其華為所斿　鋚盩導二日尌　五日

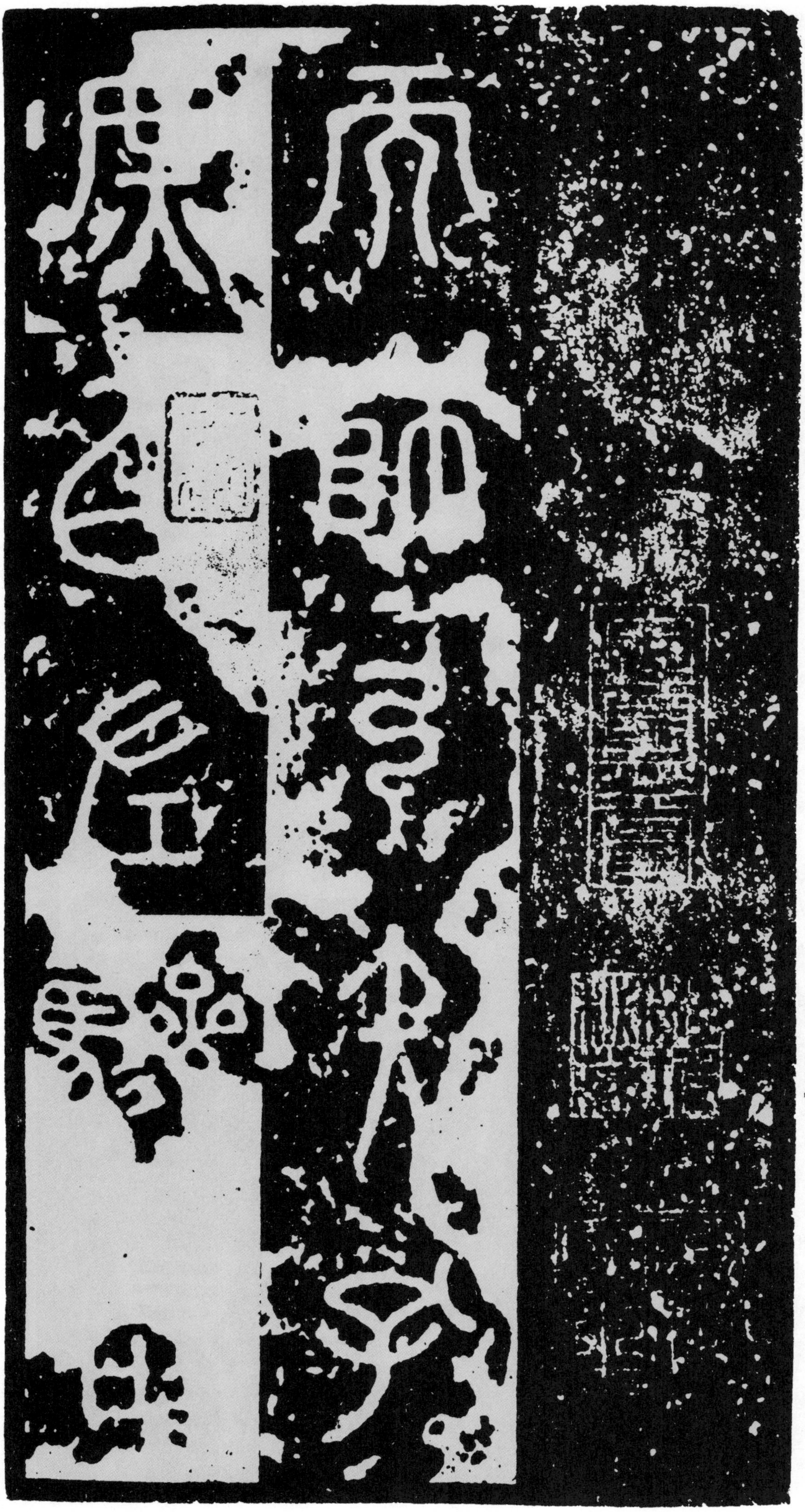

而師弓矢孔　庶以左驂□

滔=是戠不具 萑口復具肝 來其寫小大具

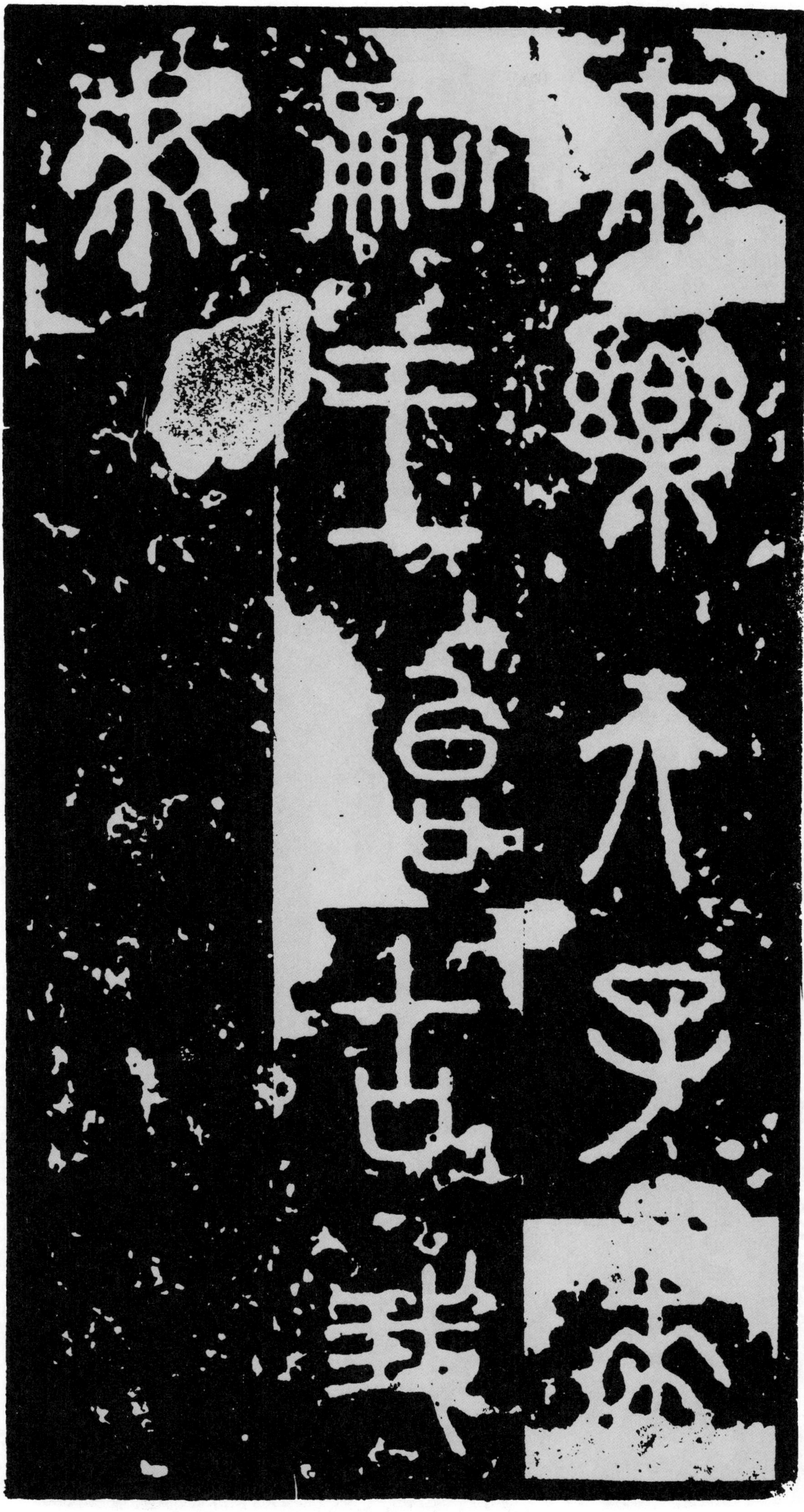

來樂天子來　嗣王始古我　來

天虹皮走驕〻
馬薦蓒〻芔〻散

雉血心其一　口之

遊水既瀞遊

道既平遊既

止嘉樹則里

天子永寍日　隹丙申昱=薪=　避其□道馬

既連敹康=駕　弇盦左驂馬=　右驂=馬毋不

四[illegible]霧=[illegible]口 公謂大余及 如害不余及

吳人憐亟朝　夕敬載西載

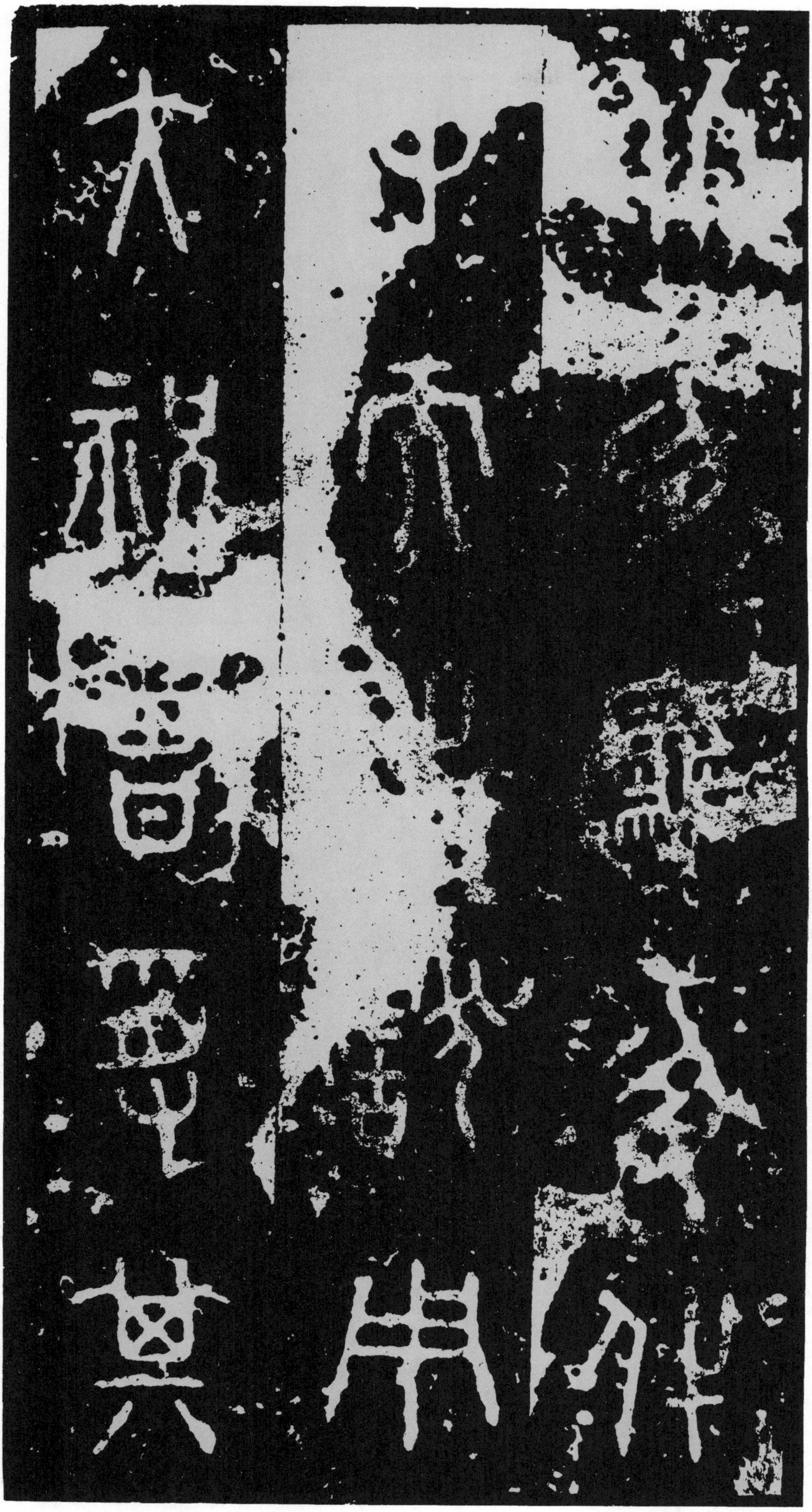

北方竈勿代　□而出獻用　大祝曾受其

亯耳埶凡寓逢中　囿孔鹿遊其　讟=大求又口

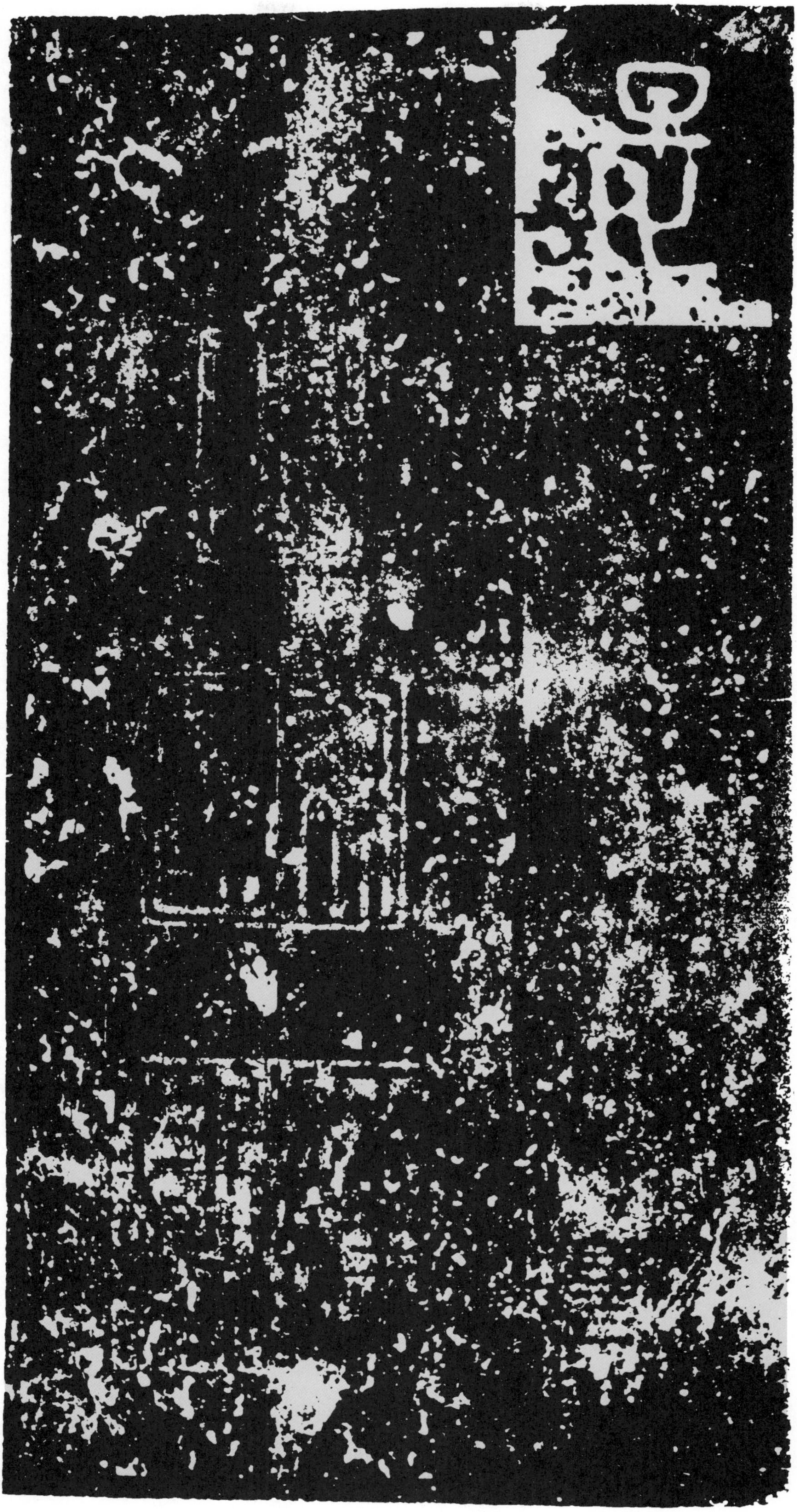

是

秦泰山刻石

泰山刻石

小篆。秦始皇二十八年（前二一九）登泰山，丞相李斯等为歌颂始皇统一中国的功绩而刻石。石四面有字，前三面为始皇时所刻，后一面为二世时所刻，相传均为李斯所书。现存残石三片，共十字，在山东泰安岱庙内。这里收的是明安国旧藏北宋拓一百六十五字本，亦是目前存字最多的一本。

泰山刻石的字形工整严谨，笔画圆转劲健，犹如玉箸（即筷子），后人称为『玉箸篆』。临写时起笔和收笔都用藏锋，行笔纯用中锋。要写出流动的笔意来，否则就会板滞。

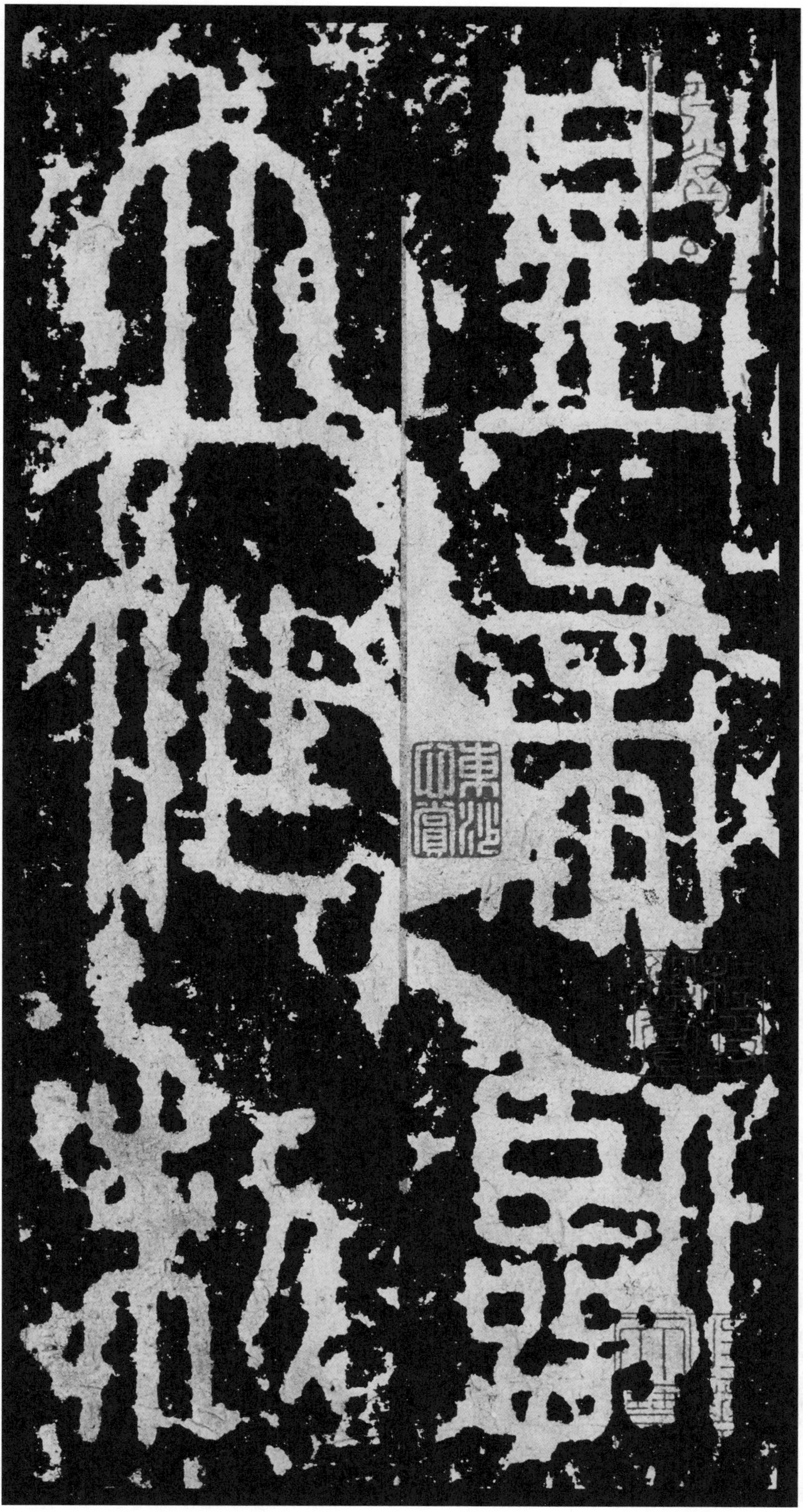

皇帝臨 立作制

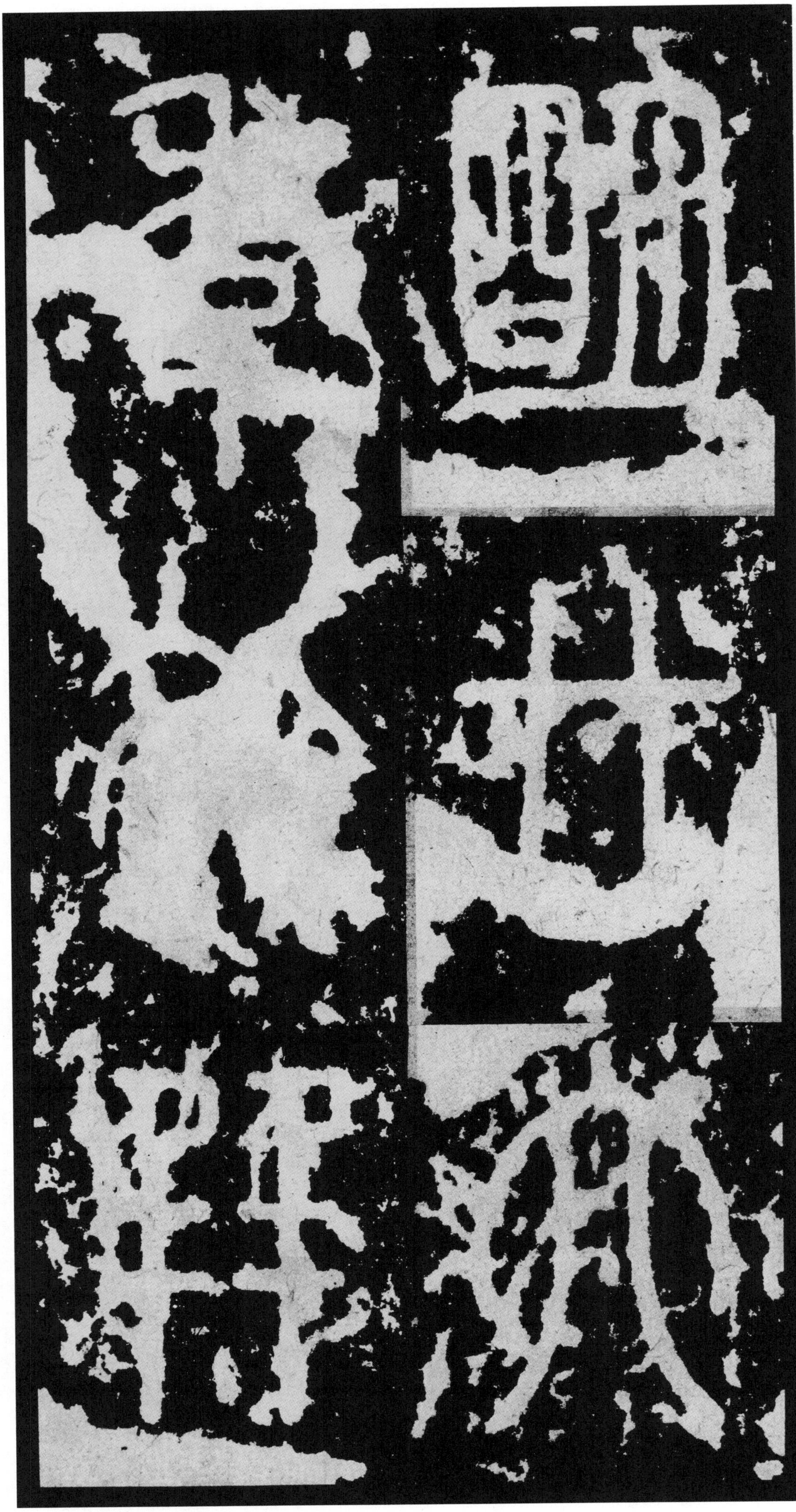

明廿六年初并

不窺剌　遠黎登

兹山周 從臣思

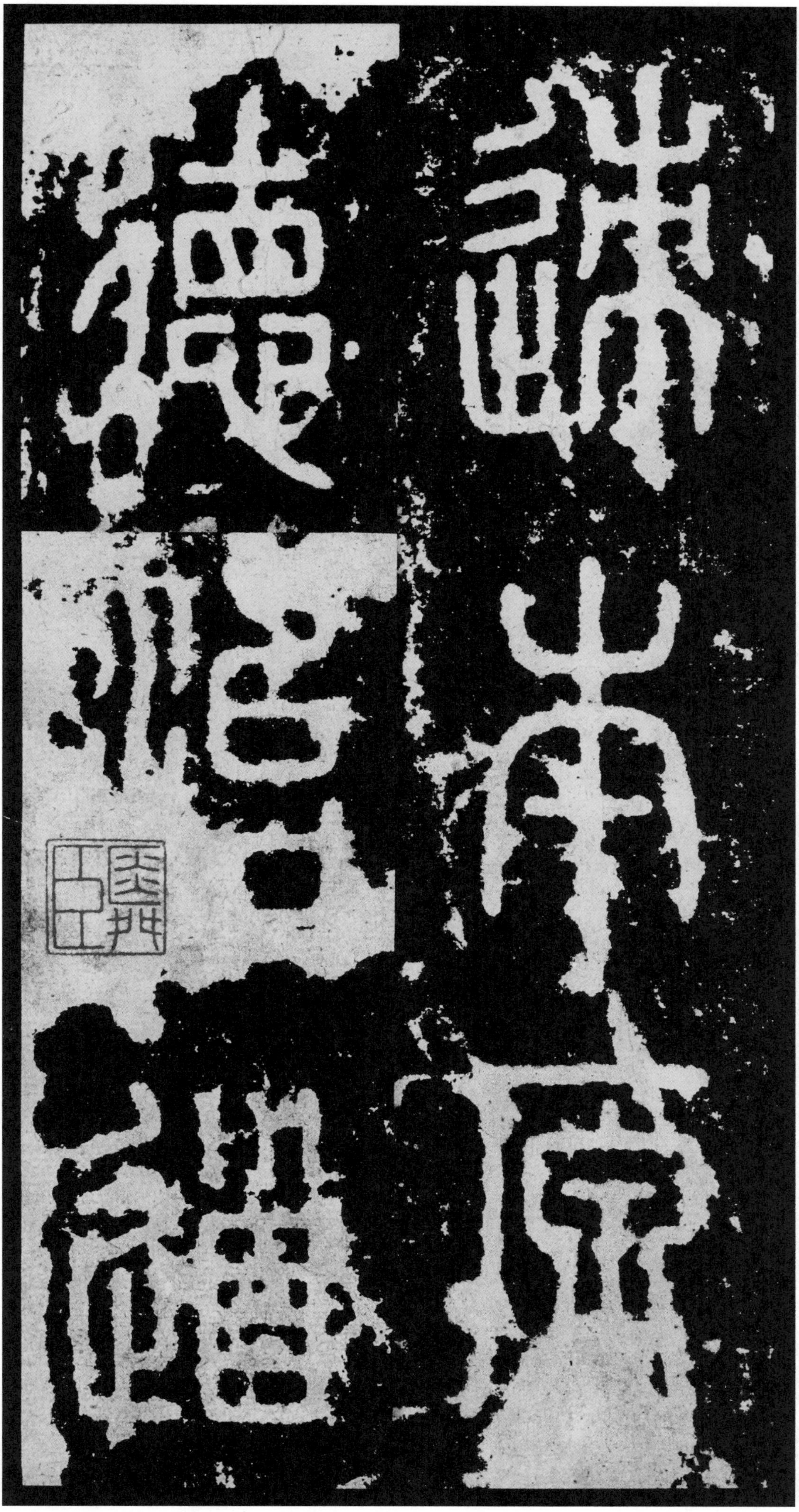

速（迹）本原　德治道

運行者（諸）產得宜

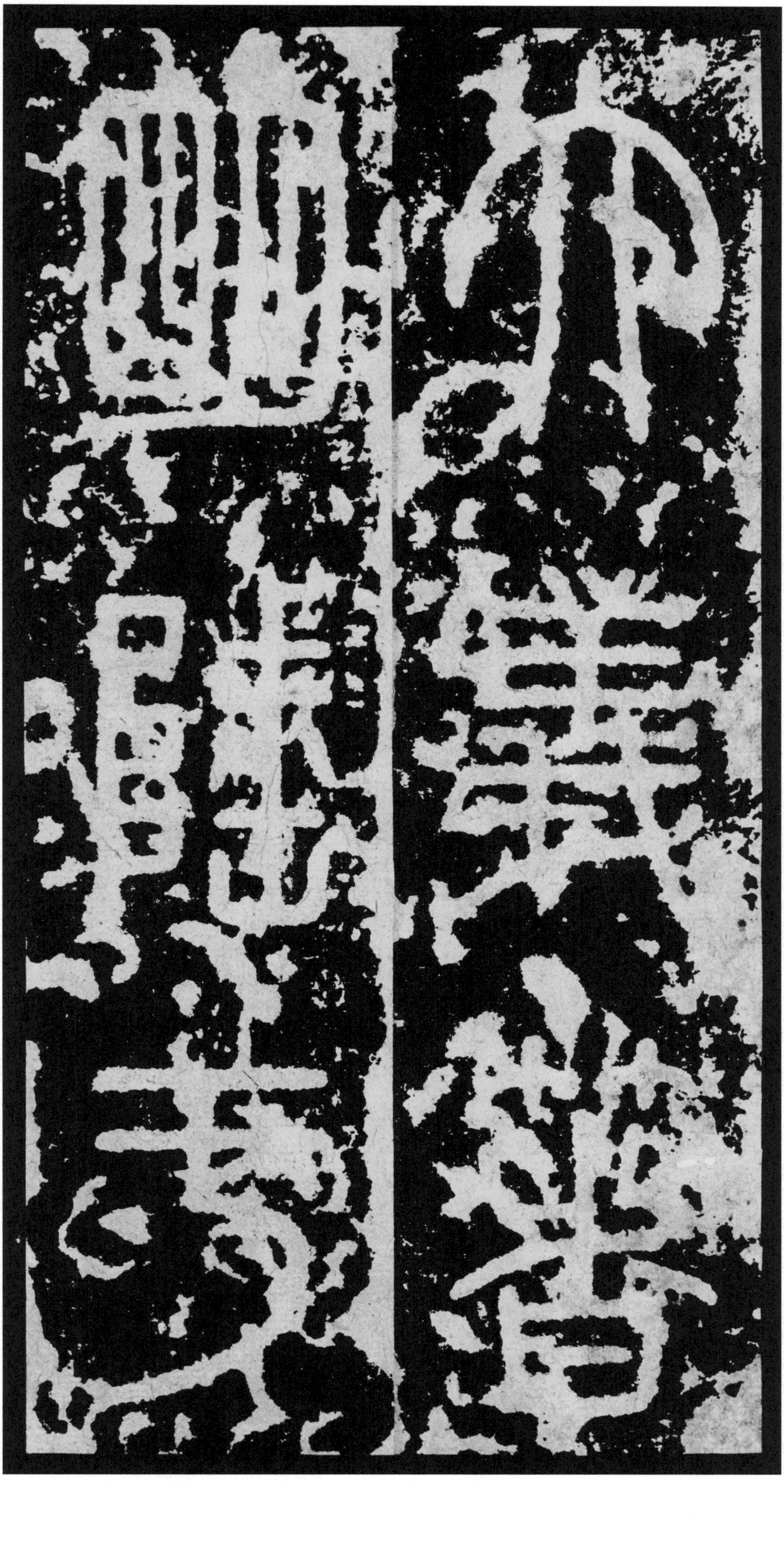

大義箸 明陲(垂)于

後嗣　皇帝躬

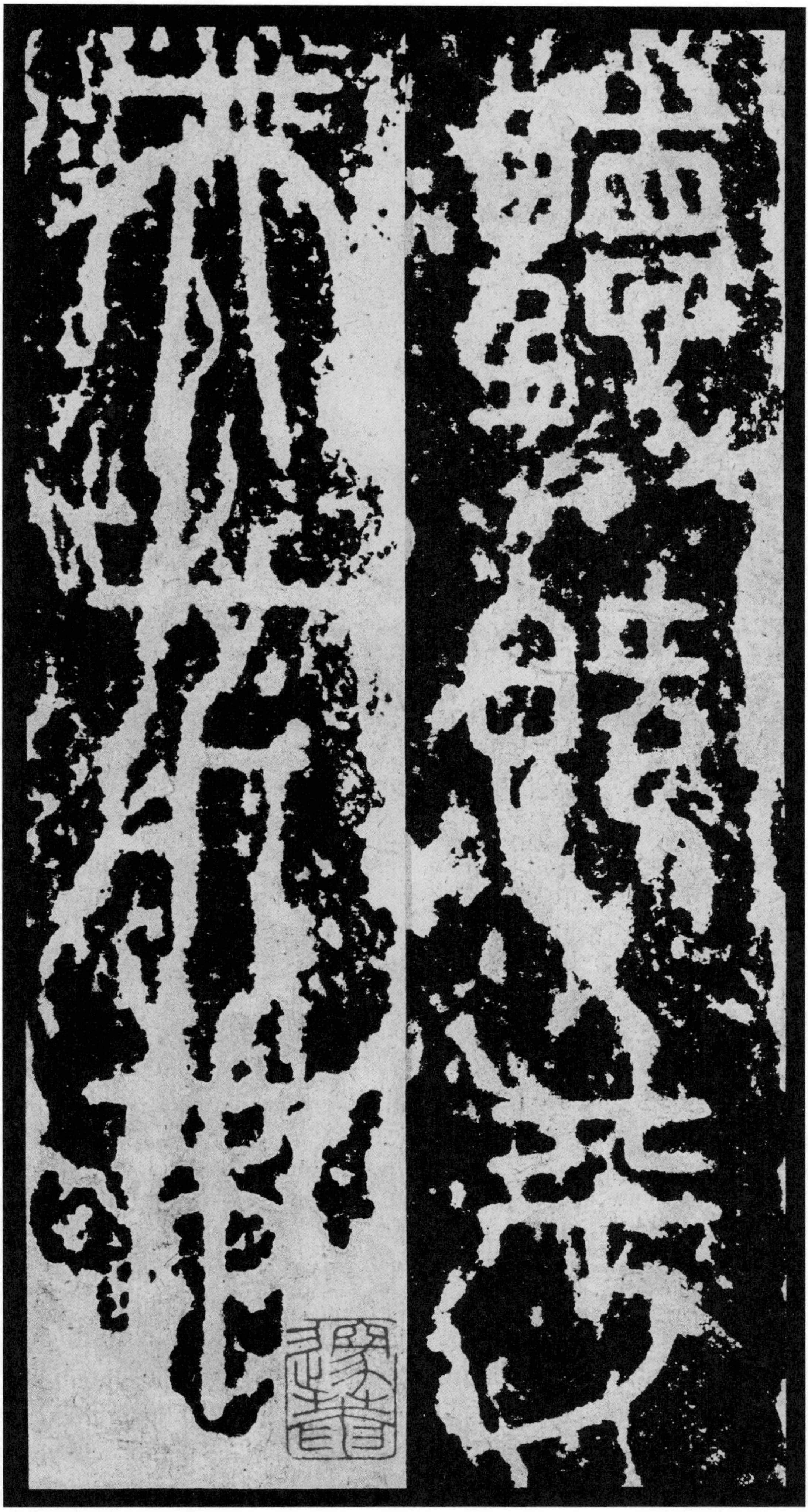

聽既平　天下不

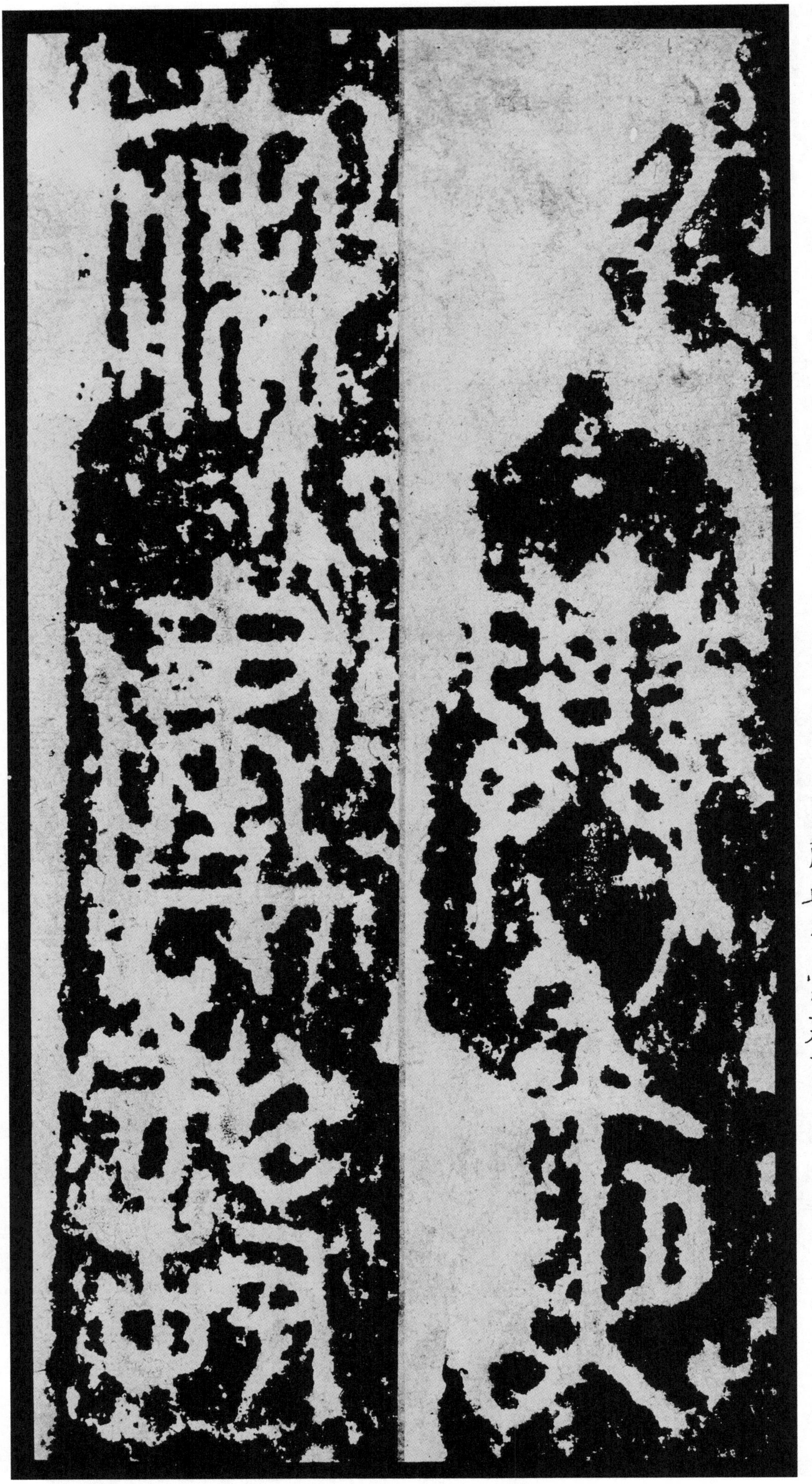

夙興夜 寐建設

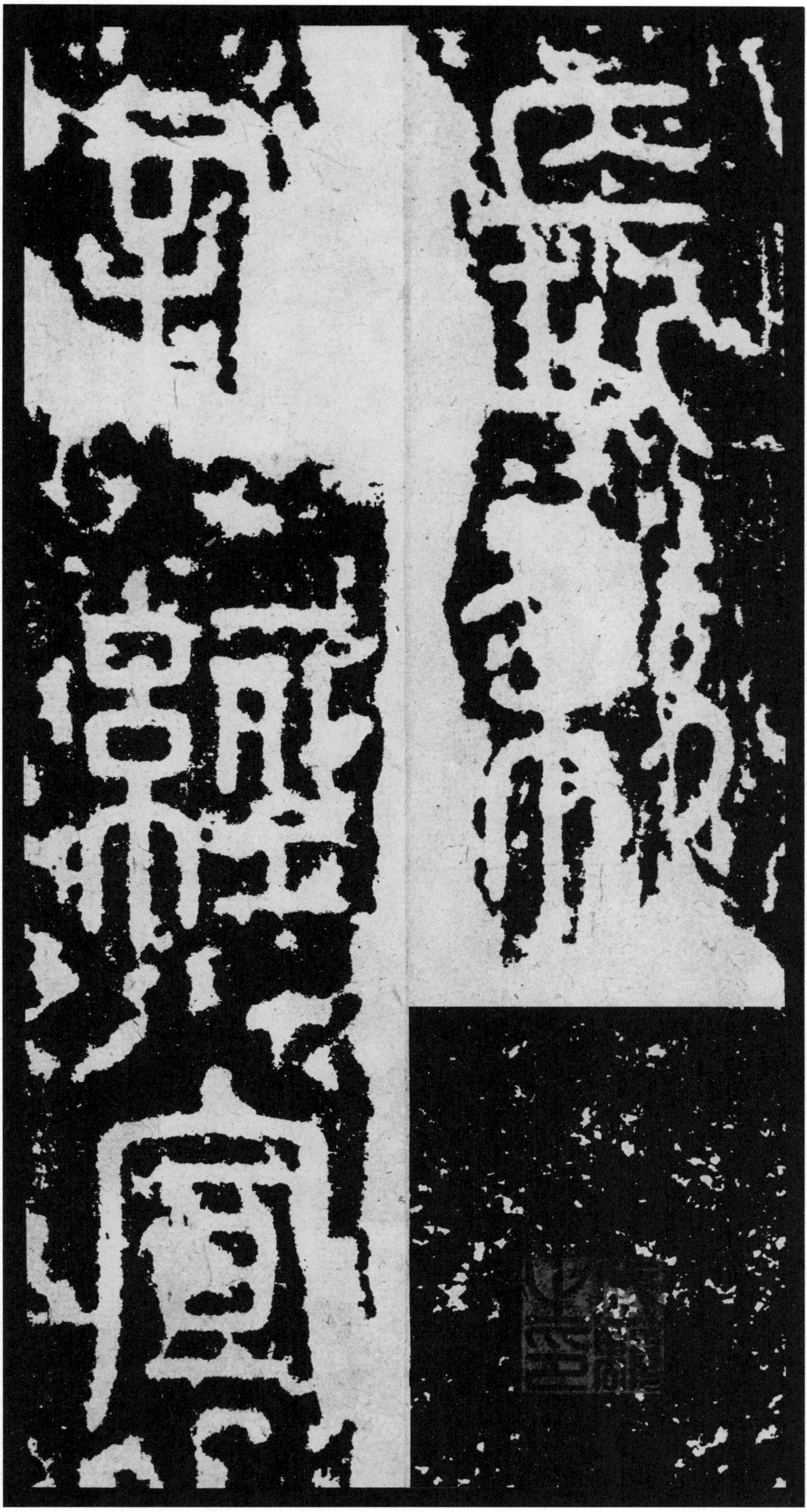

長利革 訓經宣

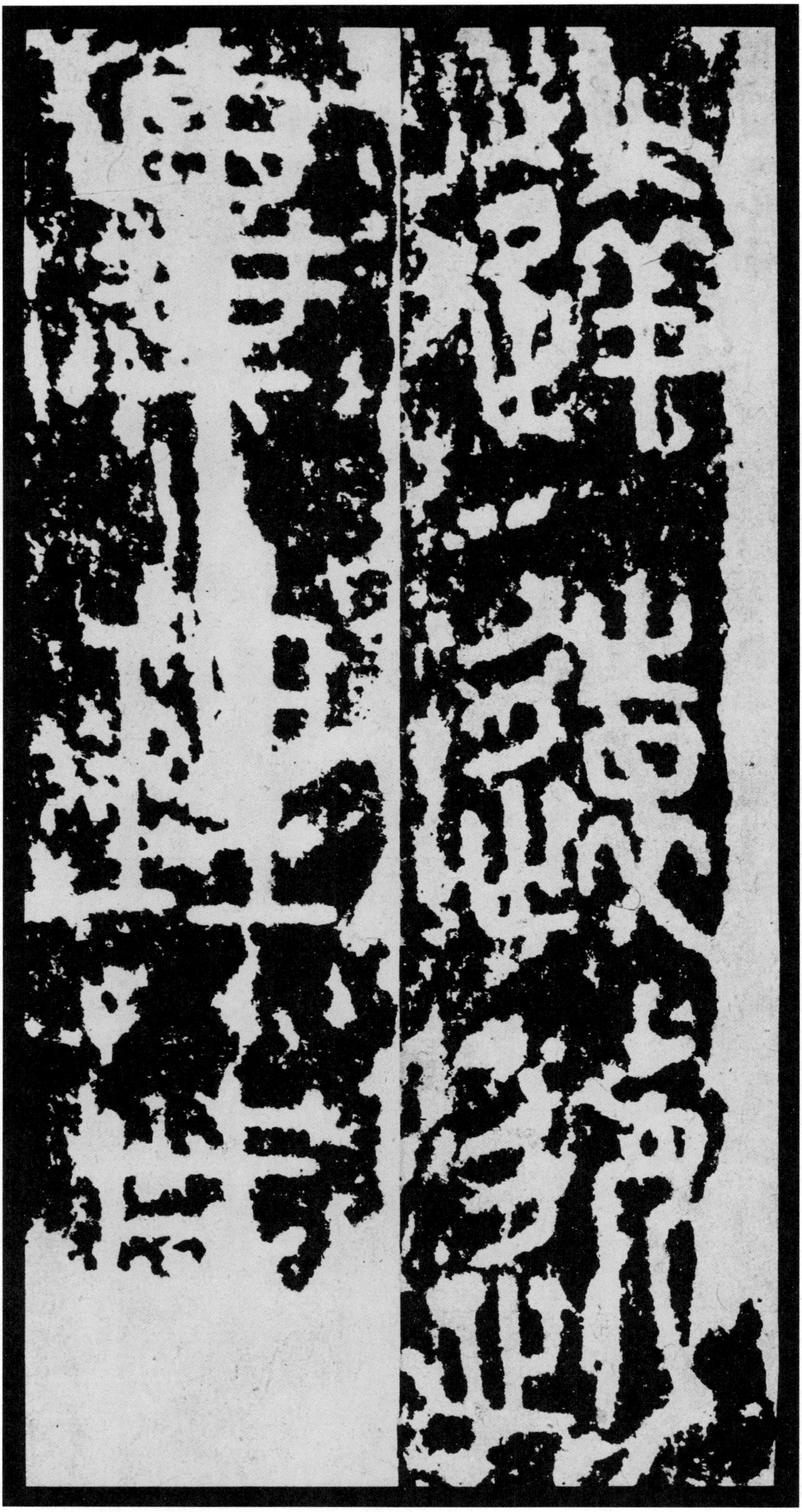

達遠近 畢理咸

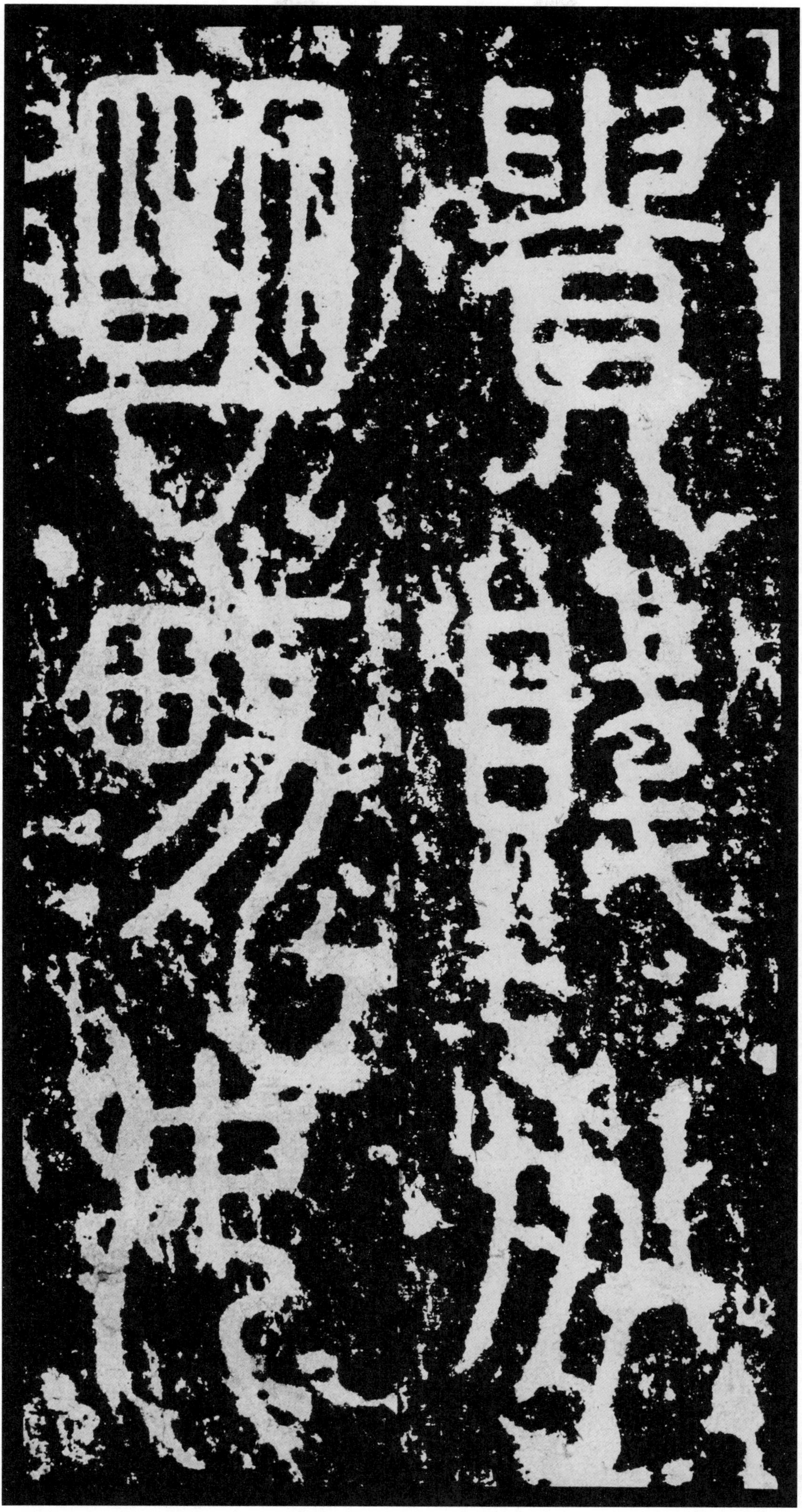

貴賤分 明男女

體順慎 昭隔内

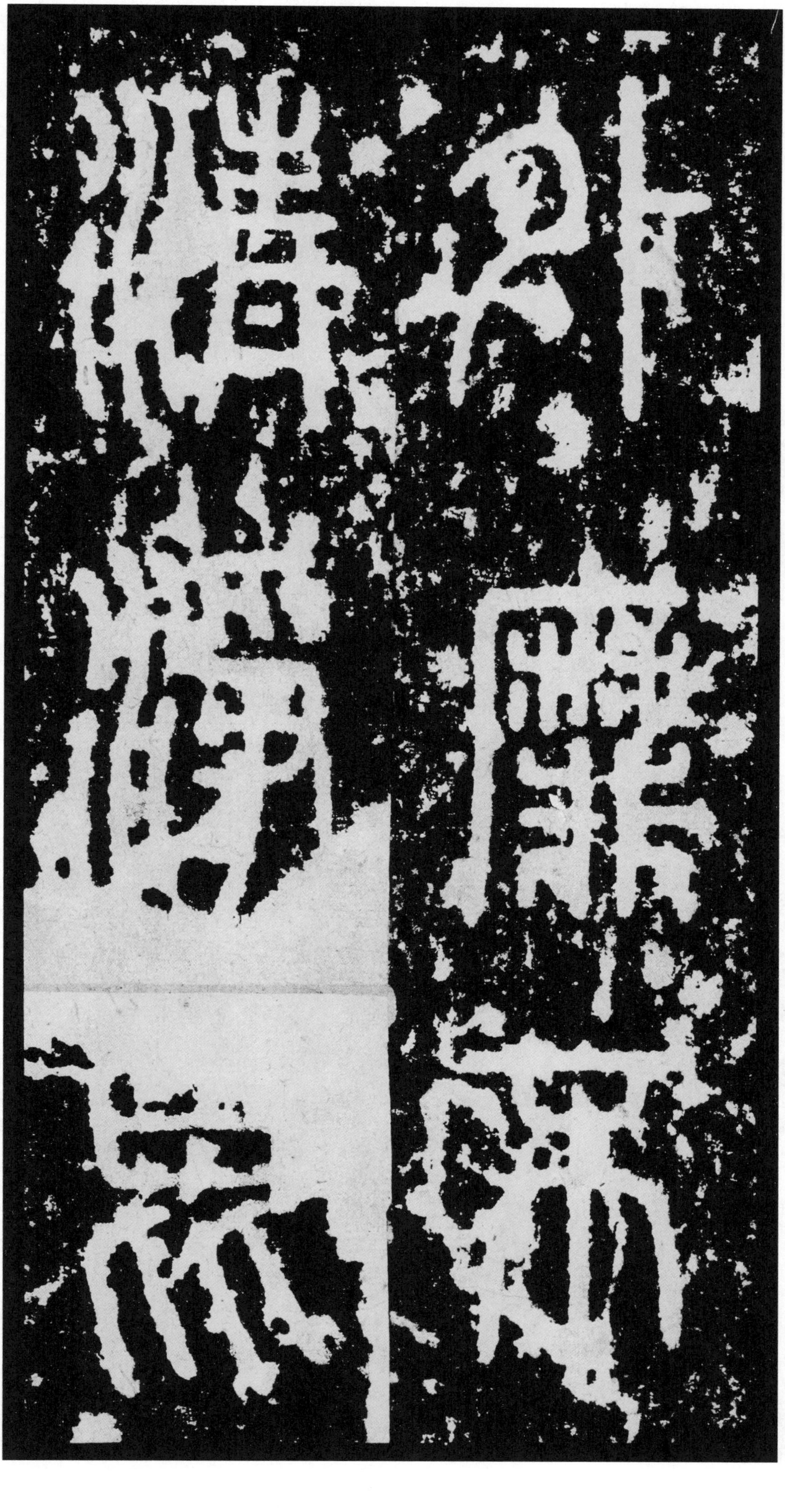

外靡不 清净昆

化及無　窮遵奉

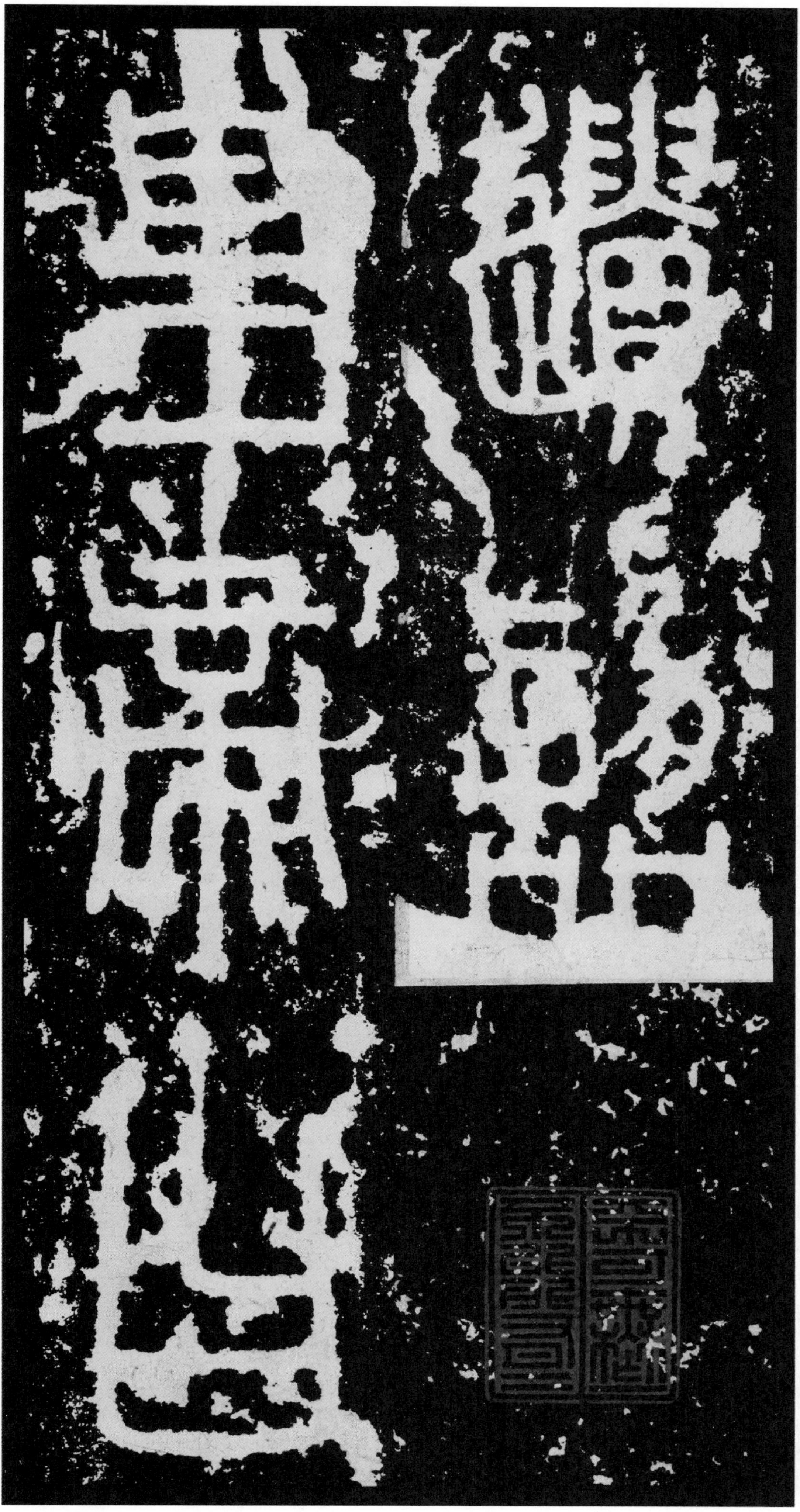

遺詔 皇帝曰

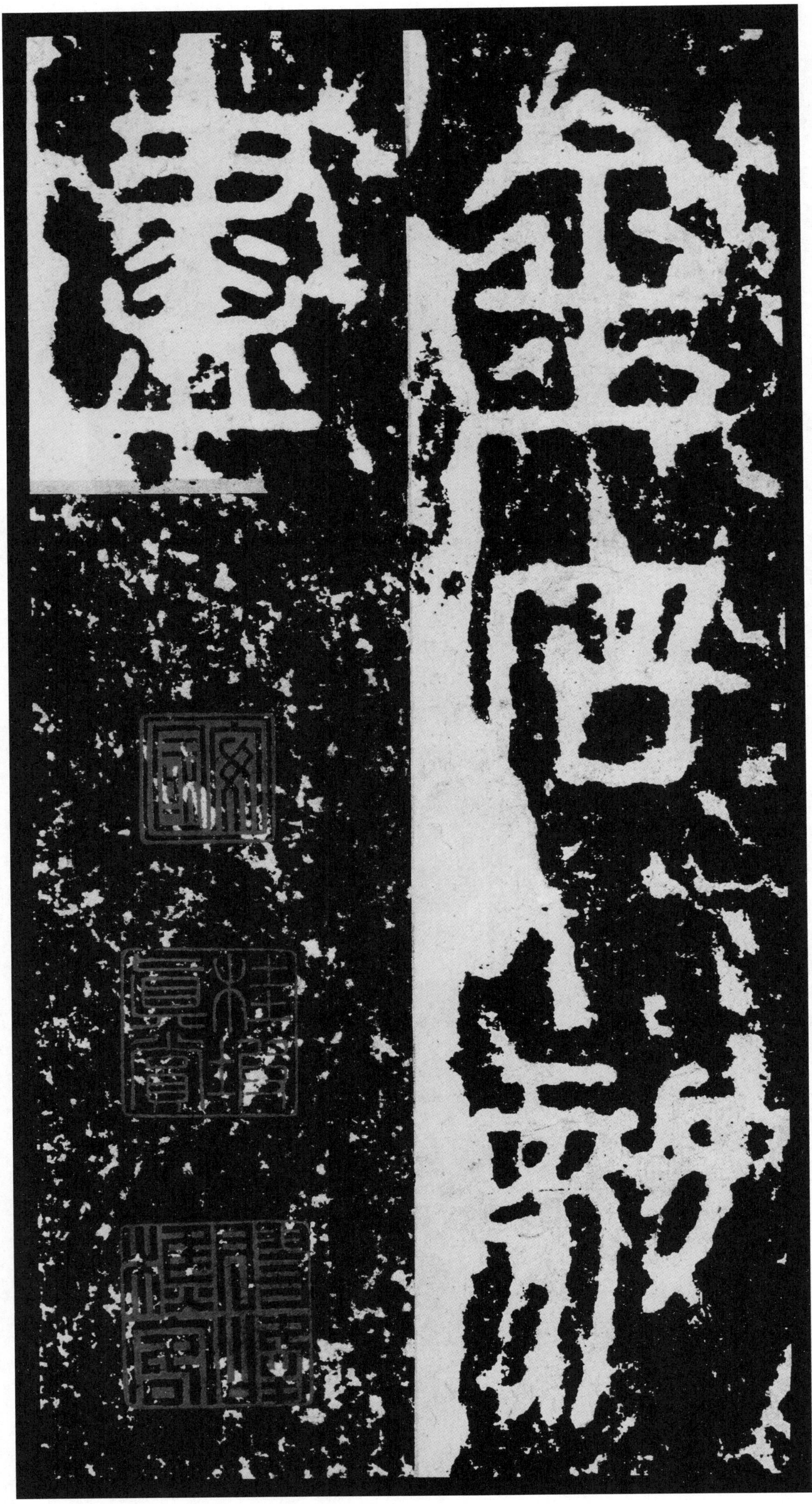

金石刻畫

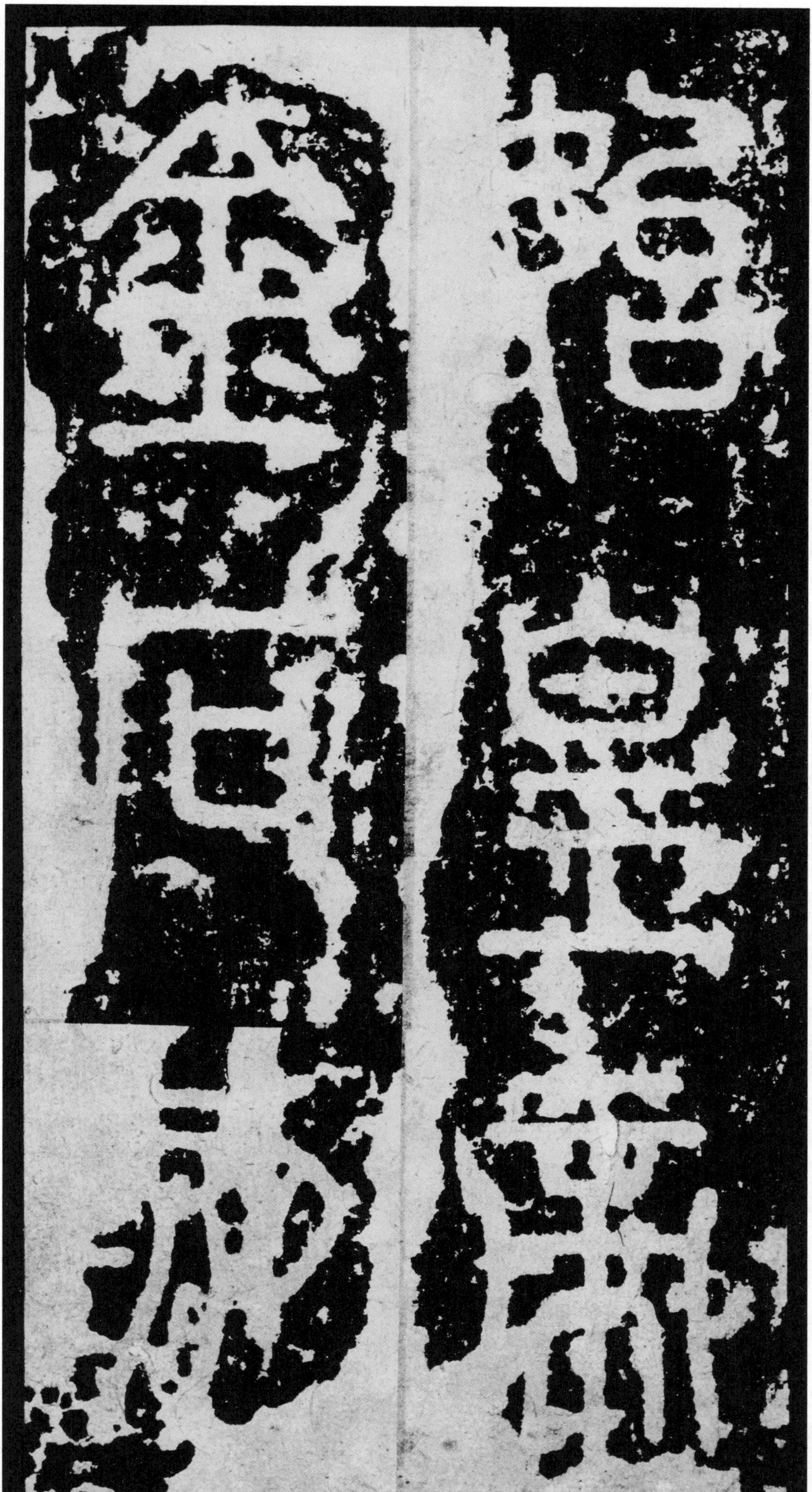

始皇帝 金石刻

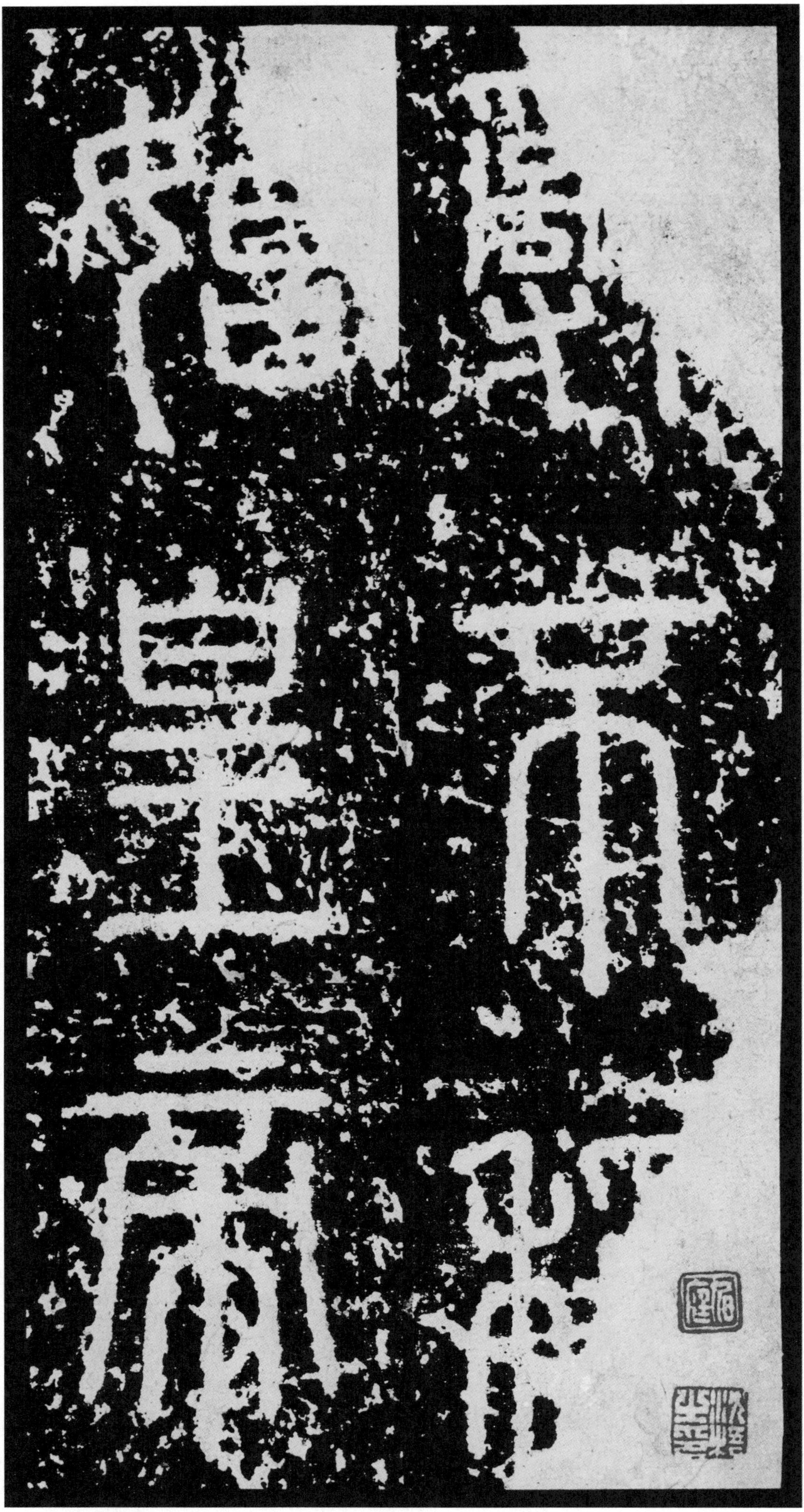

辭不稱 始皇帝

其於久遠也如

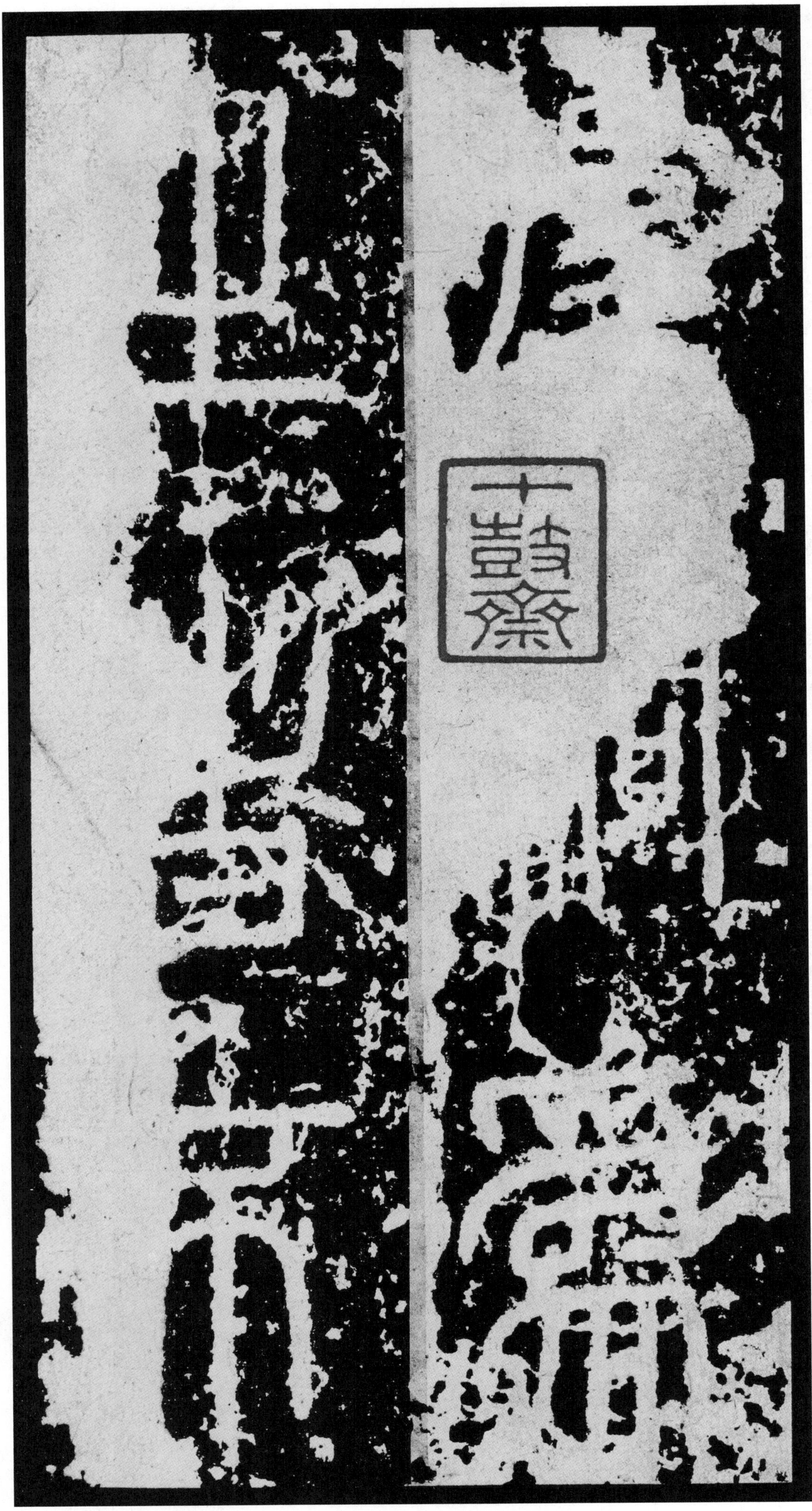

後嗣為 之者不

稱成功 丞相臣

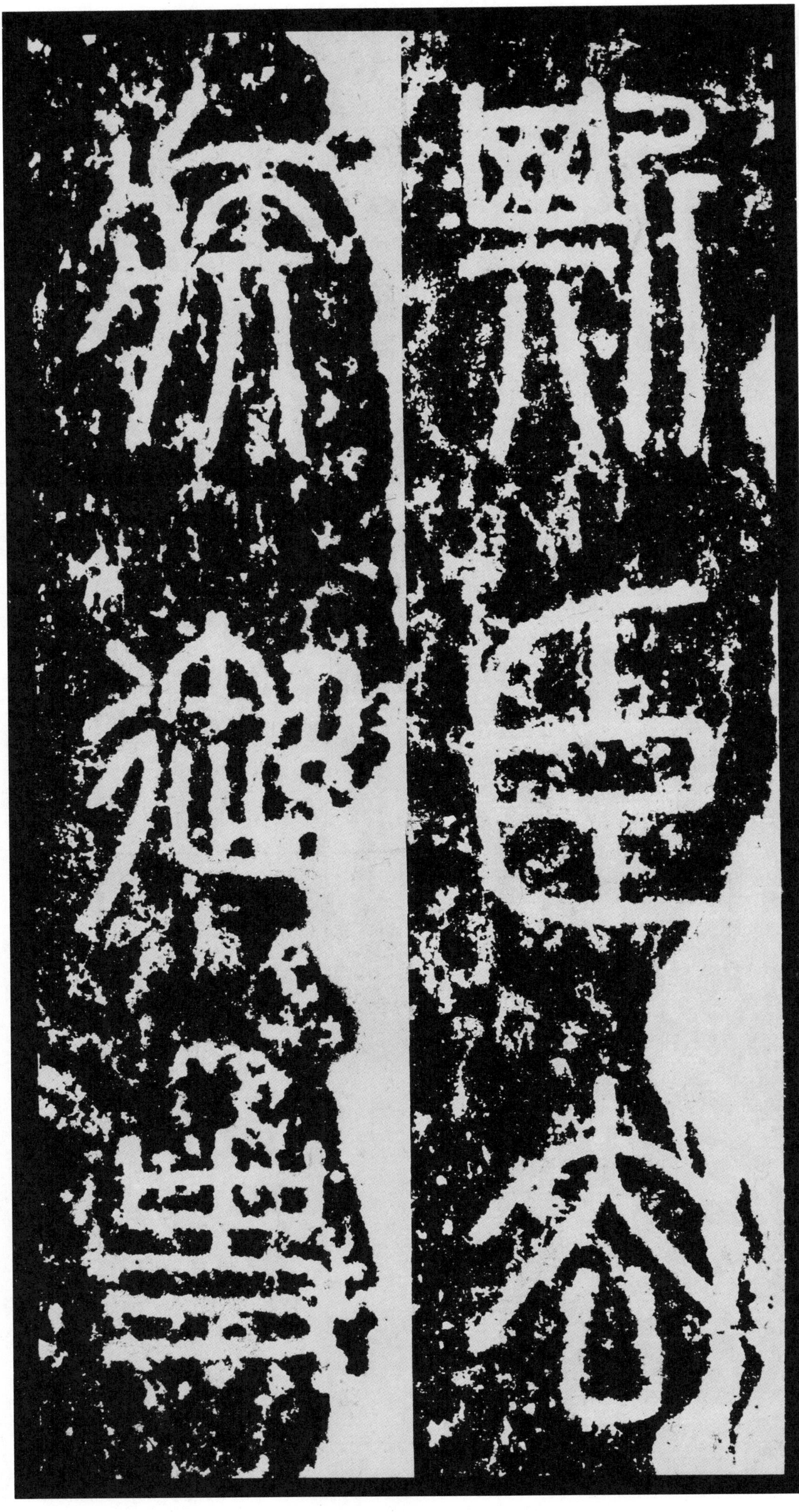

斯臣去 疾御史

夫=臣昧=死言

臣請具 刻詔書

金石刻 因明白

矣臣昧
死請

制曰可

秦琅邪台刻石

琅邪台刻石

小篆。秦始皇二十八年（前二一九）刻。传为李斯所书，石原在山东诸城东南海神祠中，现藏北京中国历史博物馆。此石文字漫漶，现存残文八十七字，主要是秦二世补刻的诏书及从臣姓名。清末杨守敬《平碑记》：『虽摩泐最甚，而古厚之气自在。』学此书者，应揣摩秦篆圆润古朴之趣。

五夫〻楊 楊皇帝曰

金石刻畫 始皇帝

所為也 今襲號 而金石

刻辭不稱始皇帝

其于久遠也如後嗣為

之者不稱成功盛

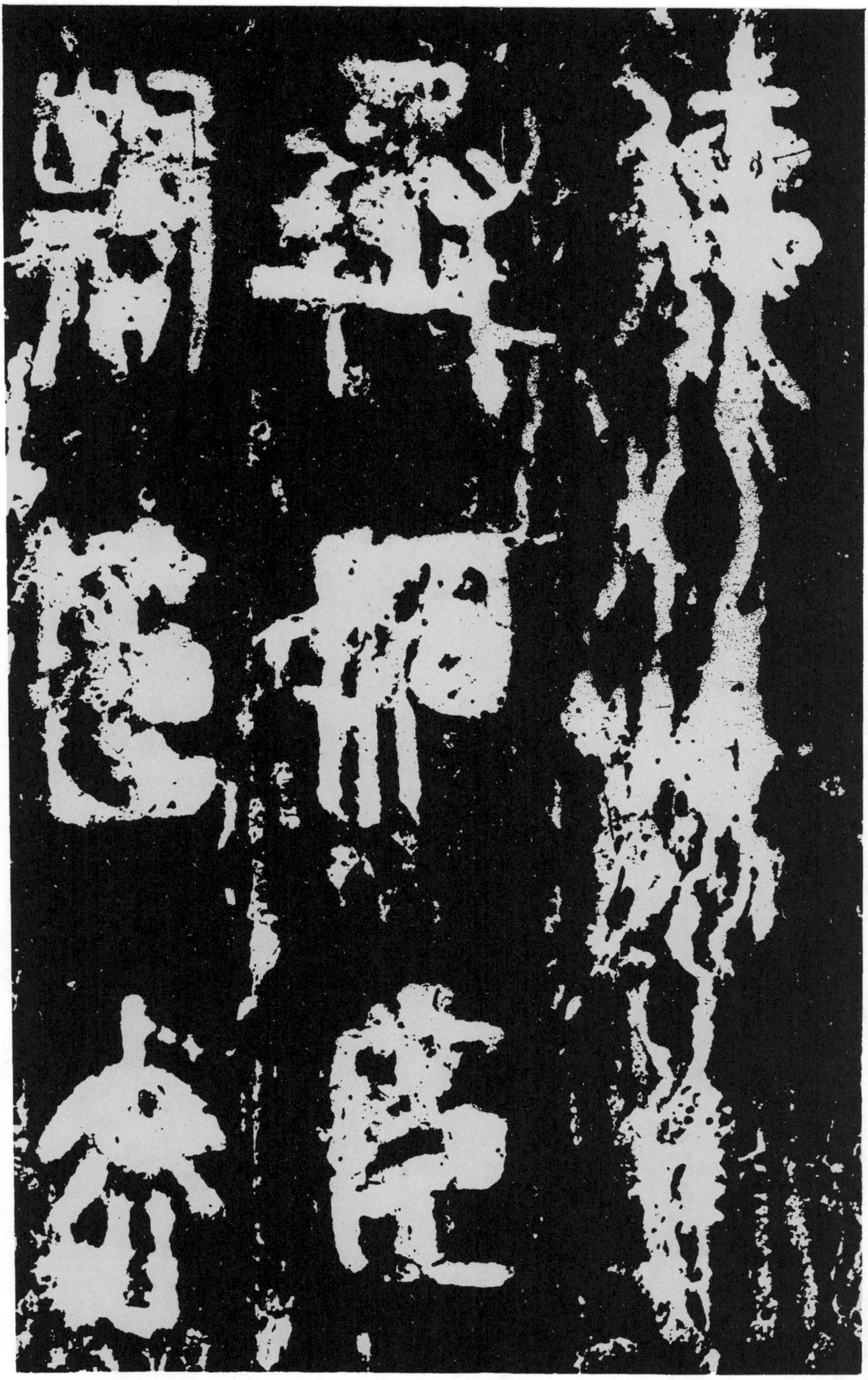

德 丞相臣 斯臣去

疾御史 夫=臣德 昧死言

臣請具刻詔書金石刻

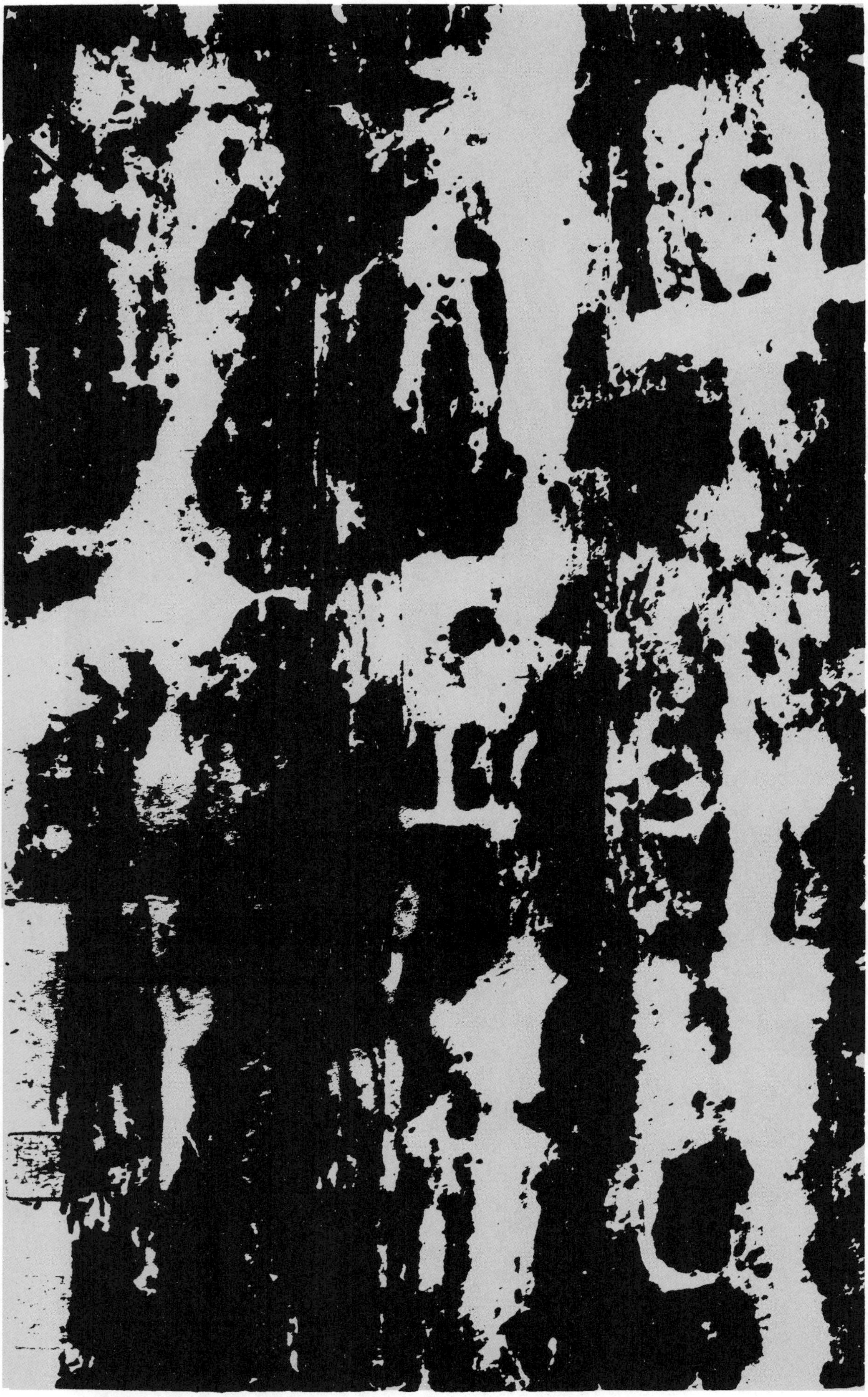

因明白 矣臣昧 死

秦峄山刻石

峄山刻石

小篆。为秦始皇于公元前三二一年统一六国后，于次年起巡视各地途中登邹峄山（亦称峄山）时所立的第一块刻石，传为李斯所书，原石已佚，亦无拓本存世。传世有宋淳化四年（九九三）郑文宝据南唐徐铉摹本重刻于长安的『长安本』，及元代申屠驹据郑文宝本重刻于绍兴的『绍兴本』等。这些重刻本的字迹，和现存的秦刻石（如《秦山刻石》《琅邪台刻石》）相较形貌意态别有情趣，学者可参照临写。

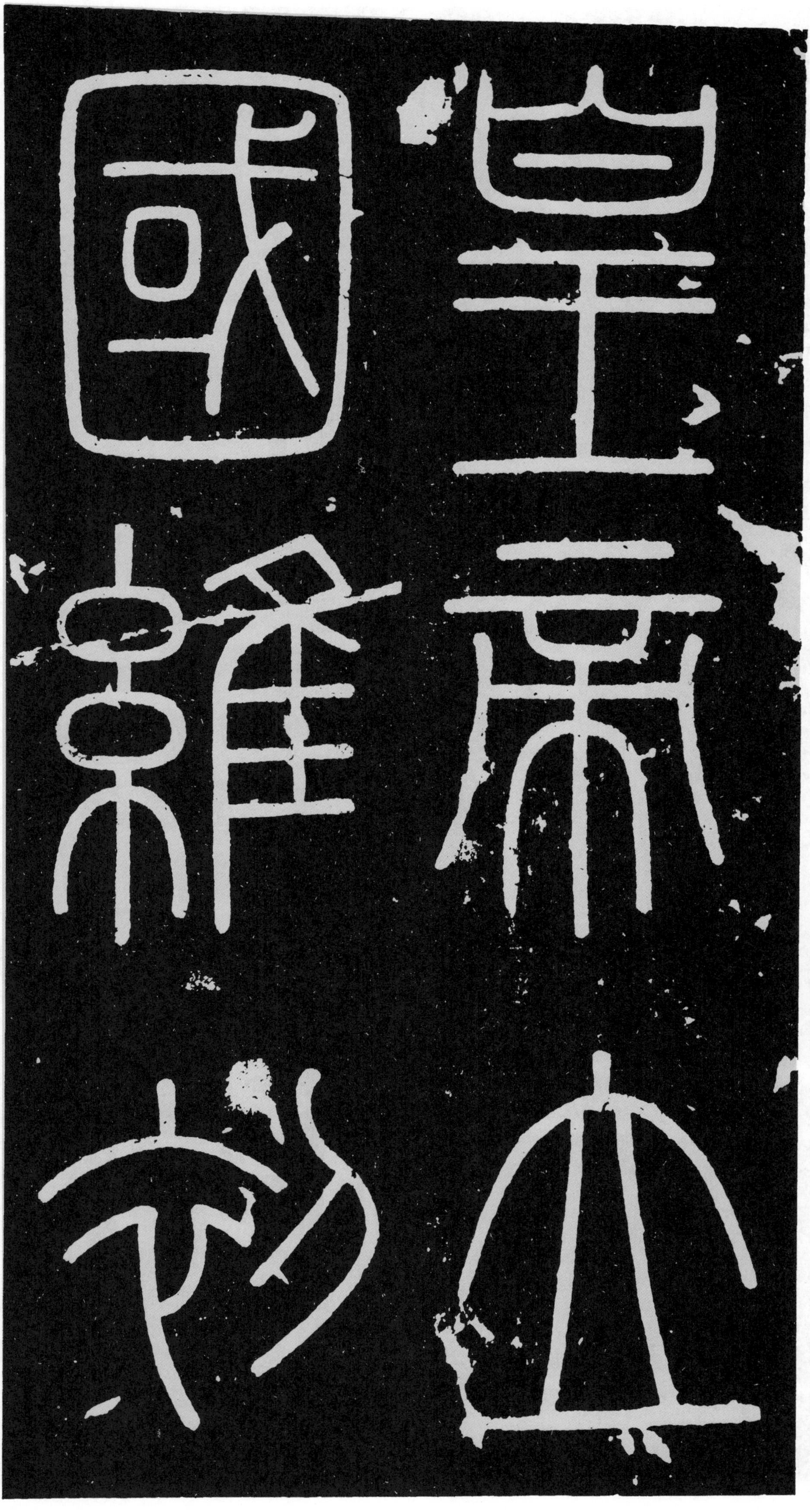

皇帝立 國維初

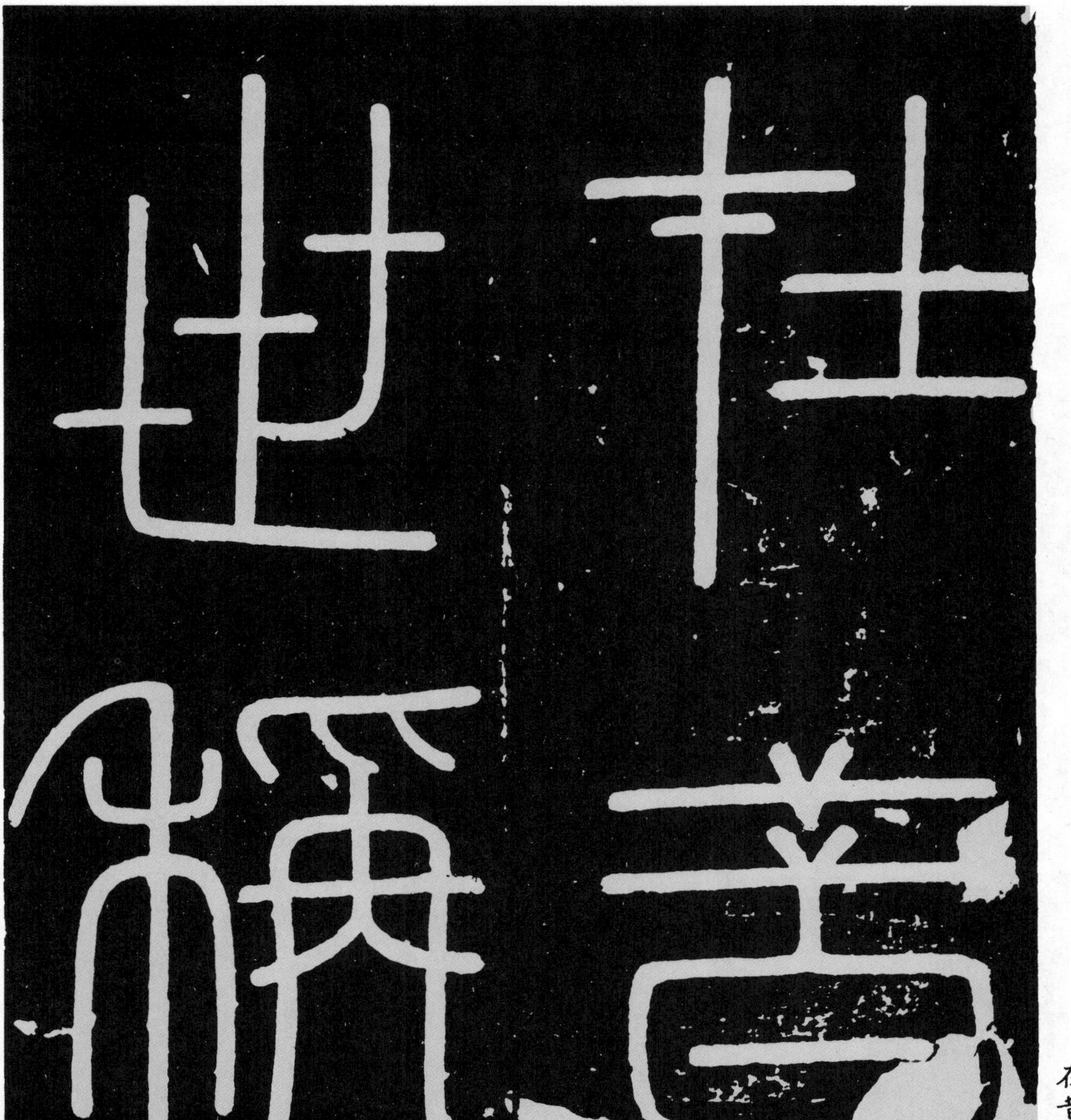

在昔嗣 世稱王

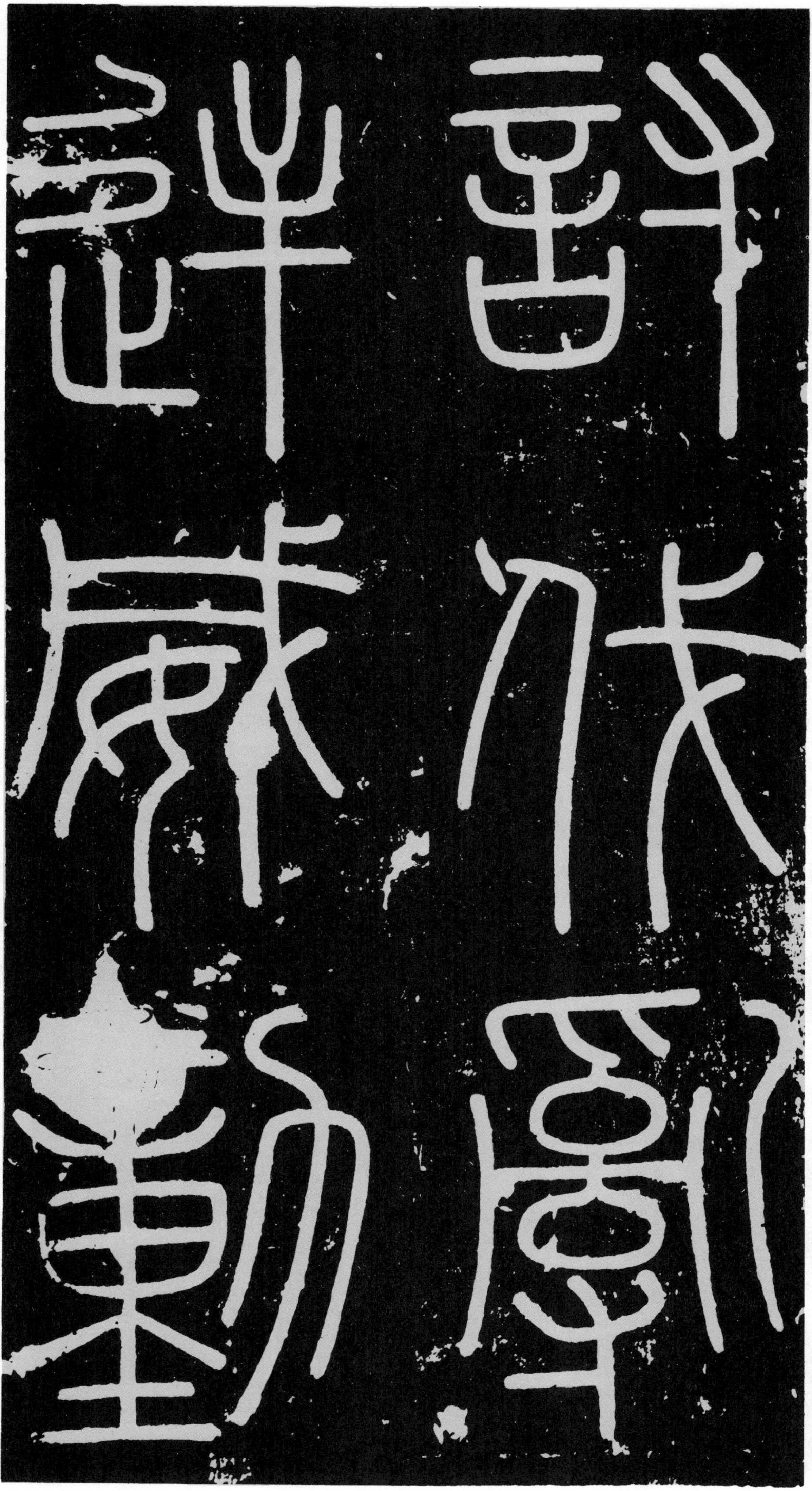

討伐亂　逆威動

四極武 義直方

戎臣奉 詔經時

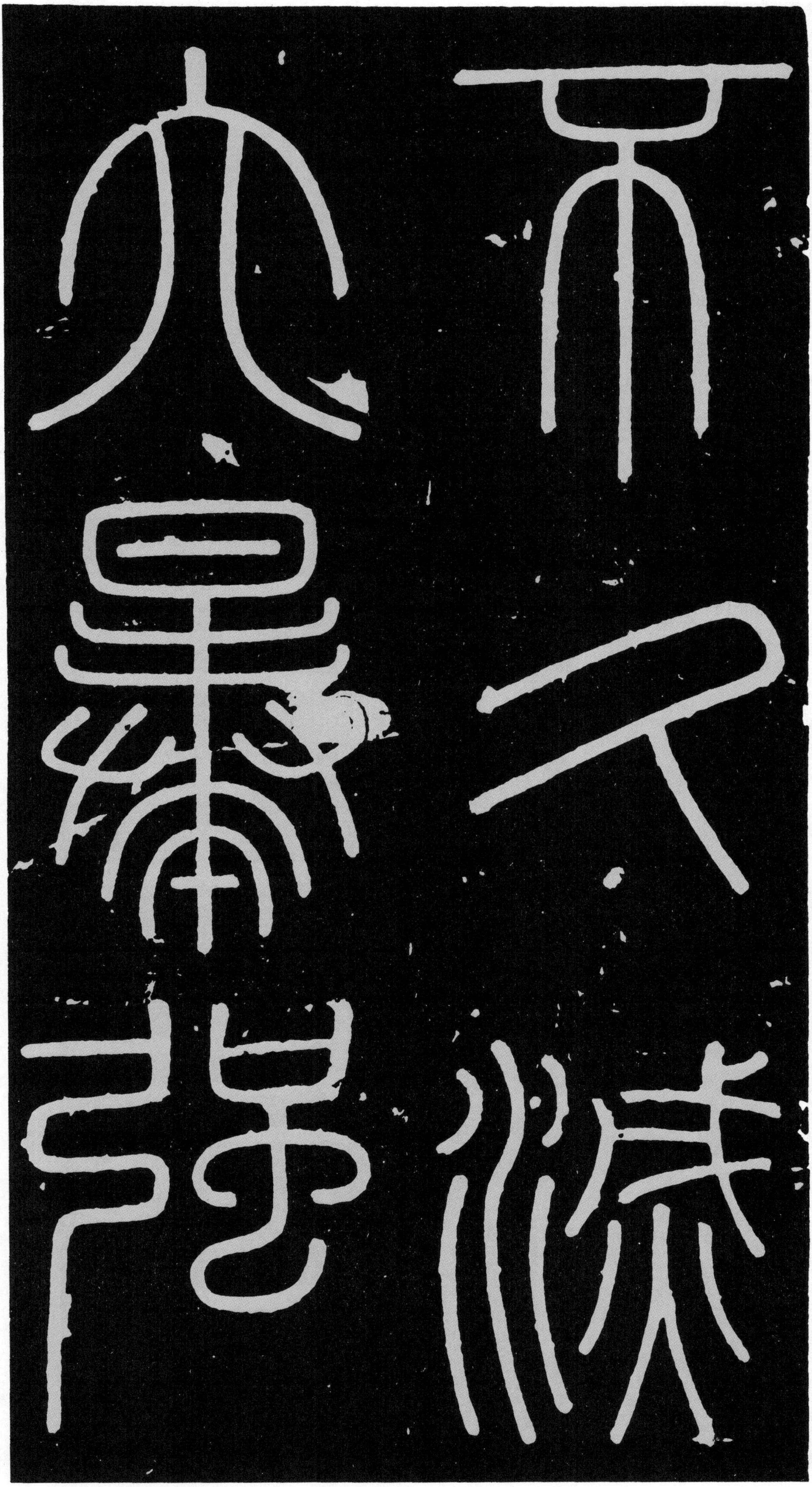

不久滅　六暴强

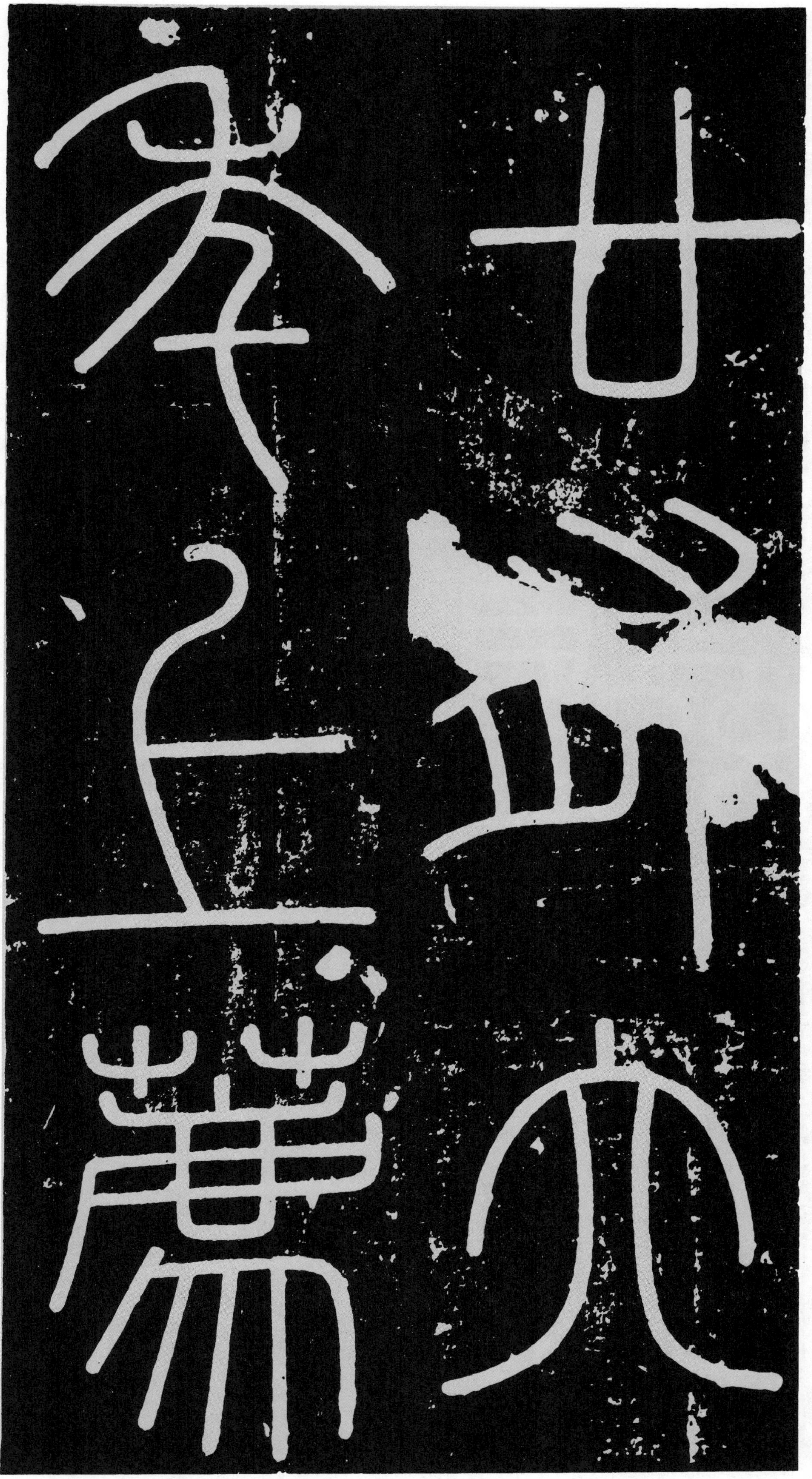

廿有六 年上薦

高號孝 道顯明

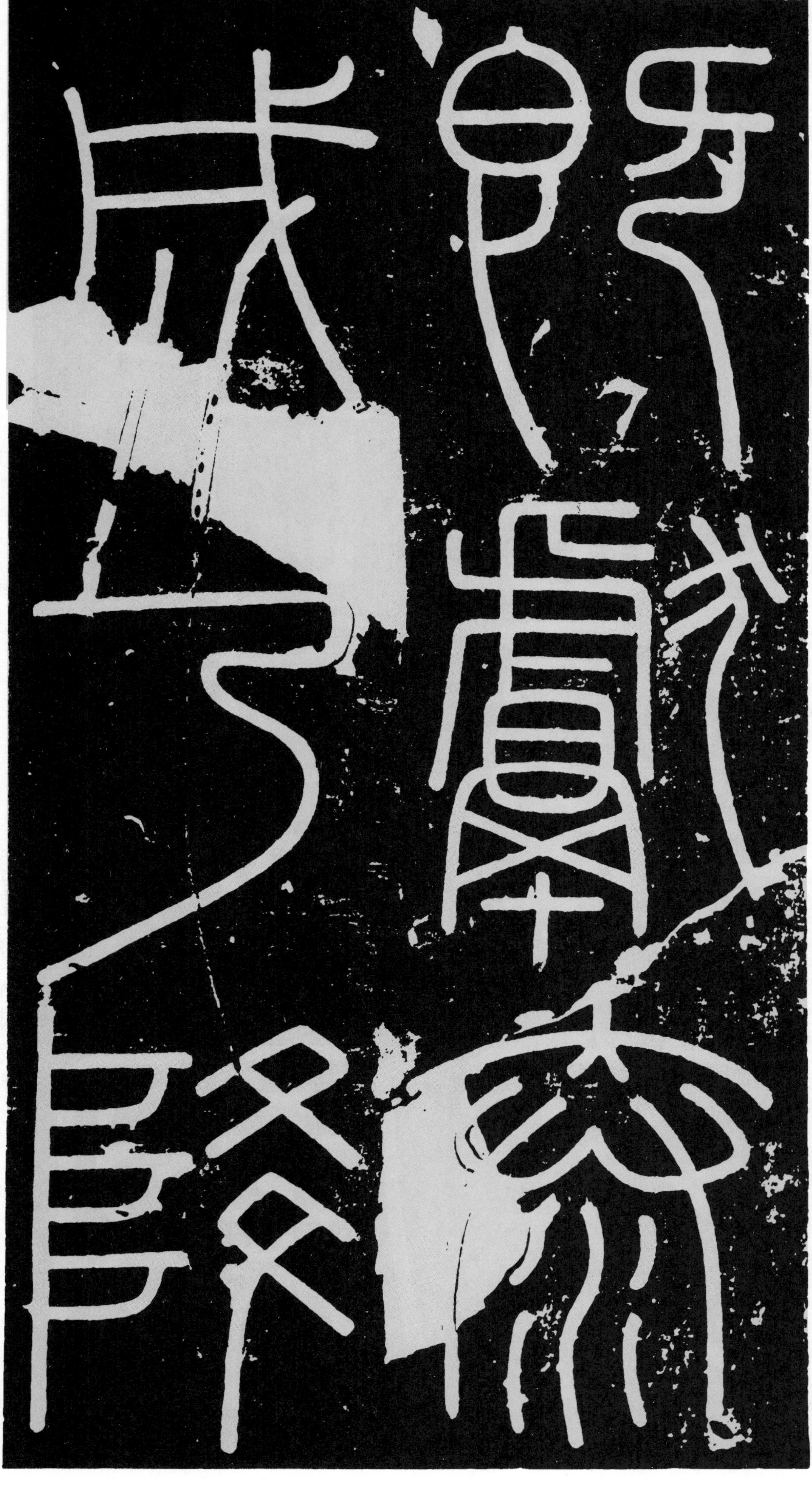

既獻泰 成乃降

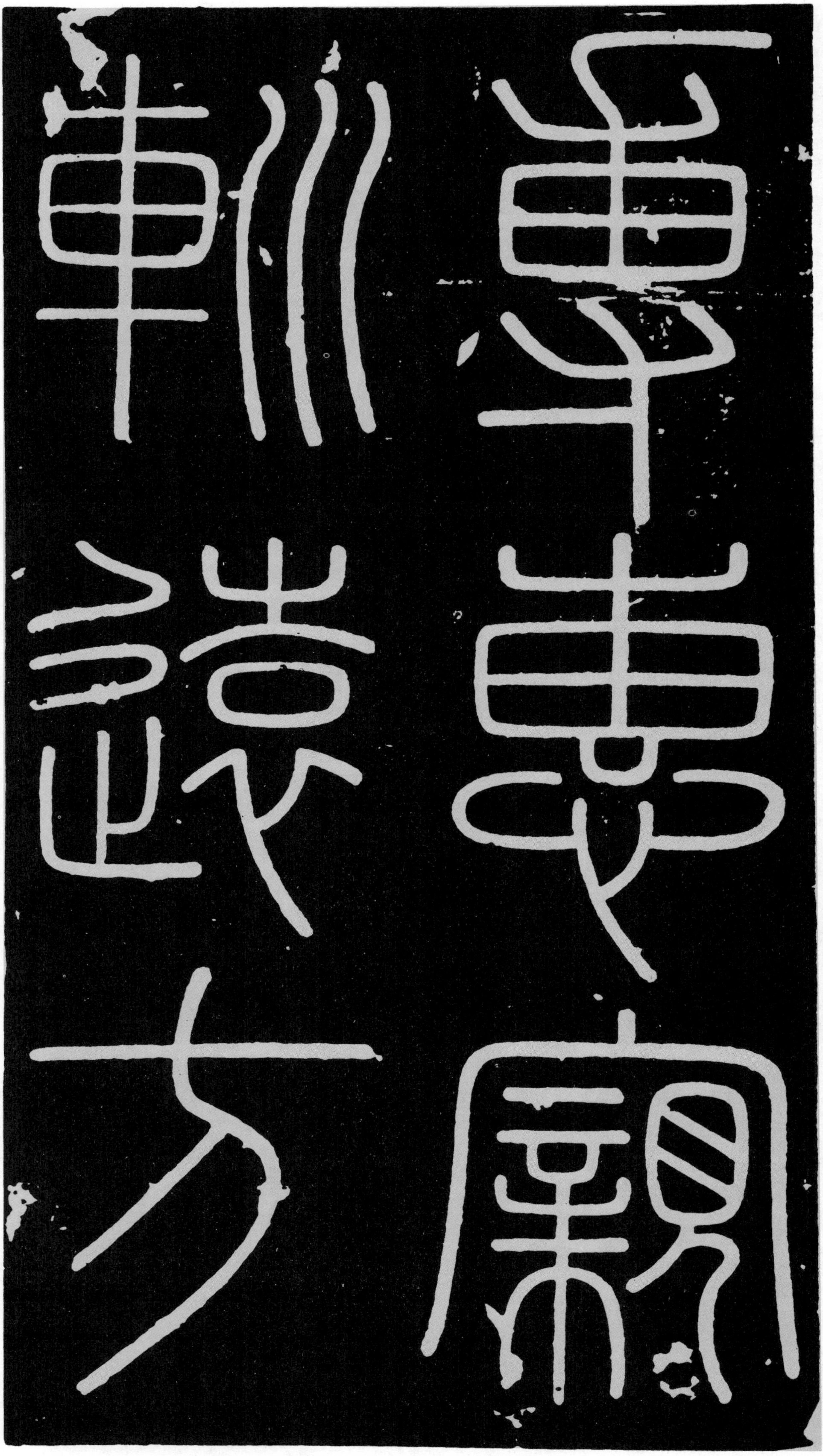

専惠窺 剸遠方

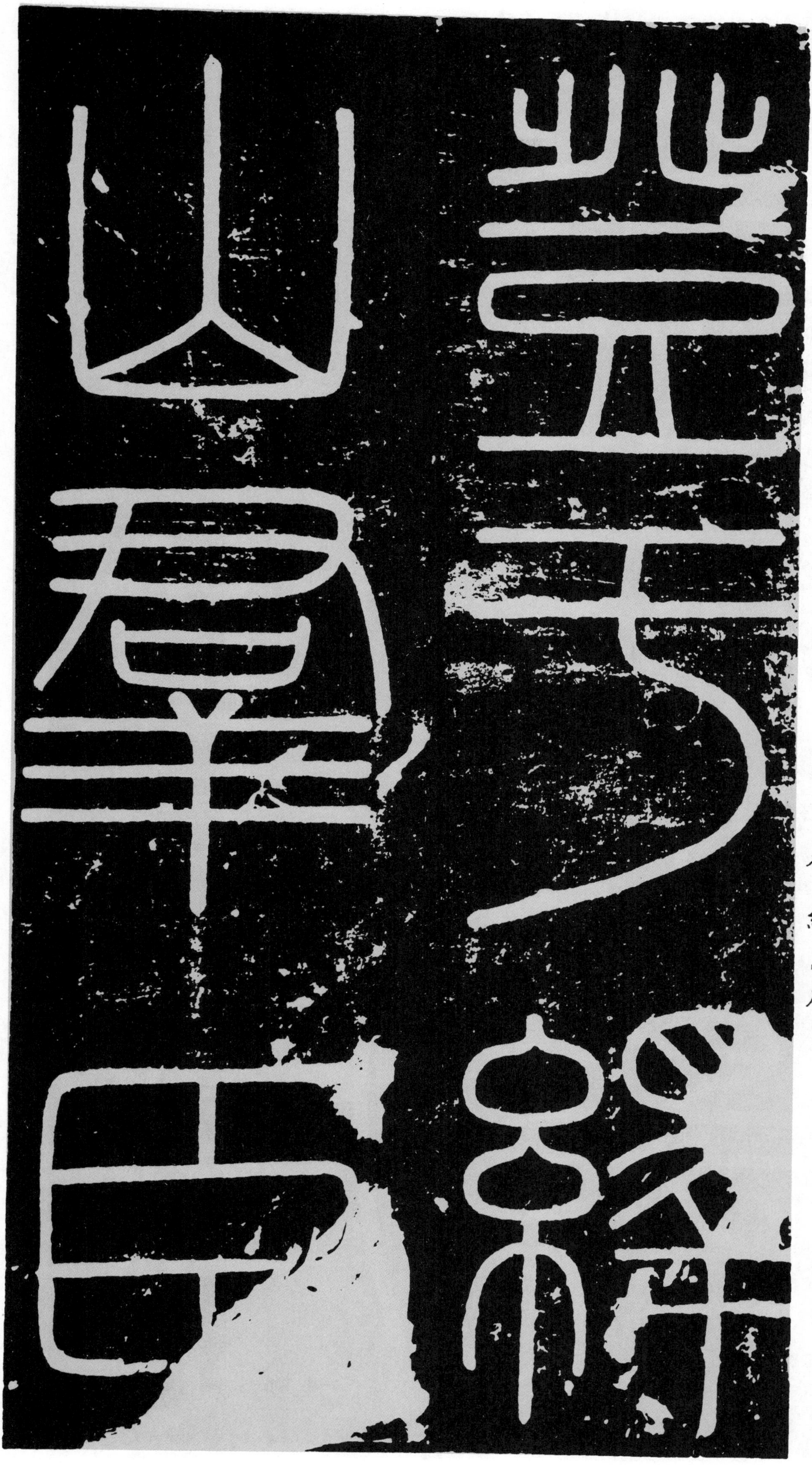

登于繹 山羣臣

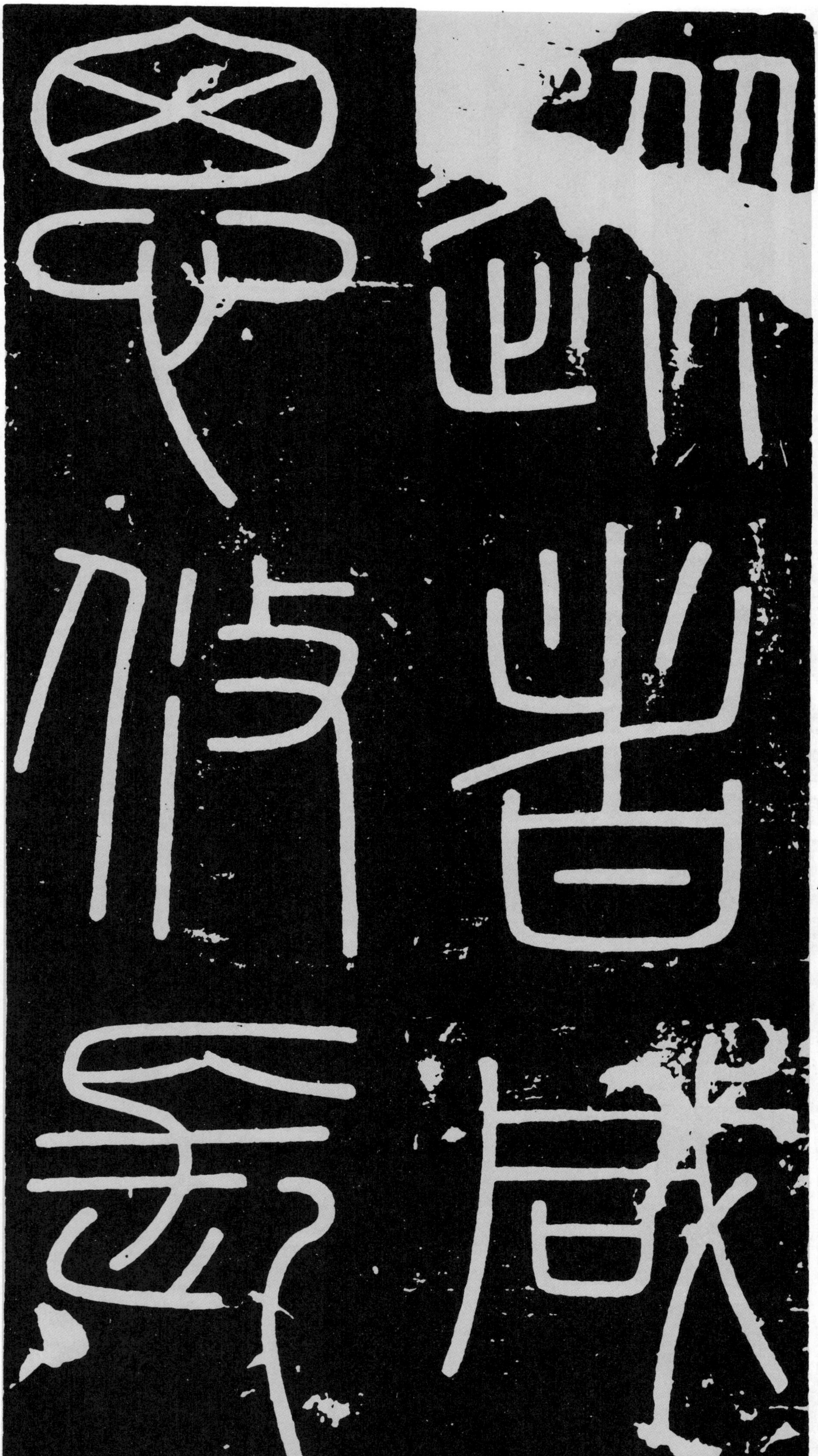

從者咸　思攸長

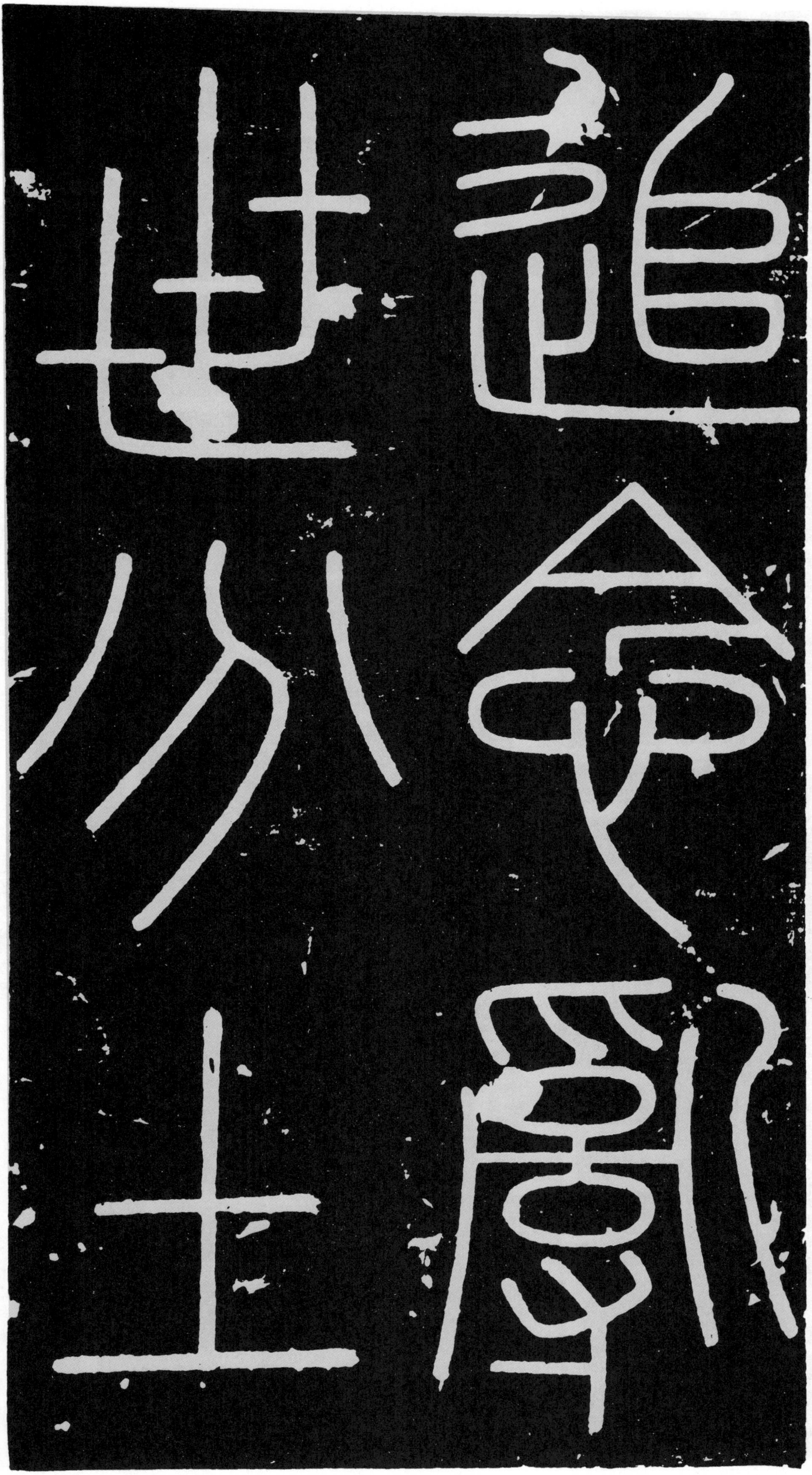

追念亂 世分土

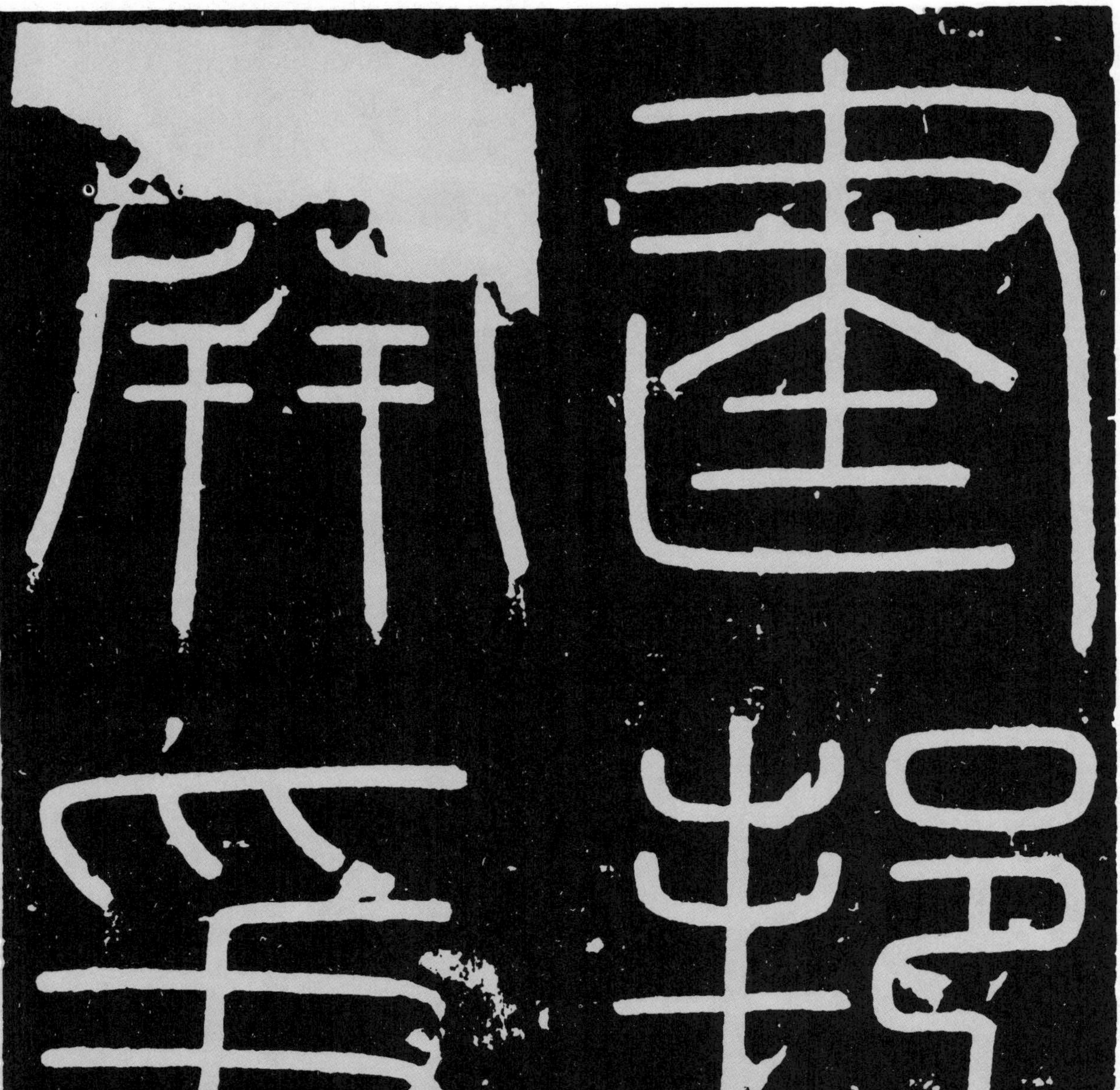

建邦以開争理

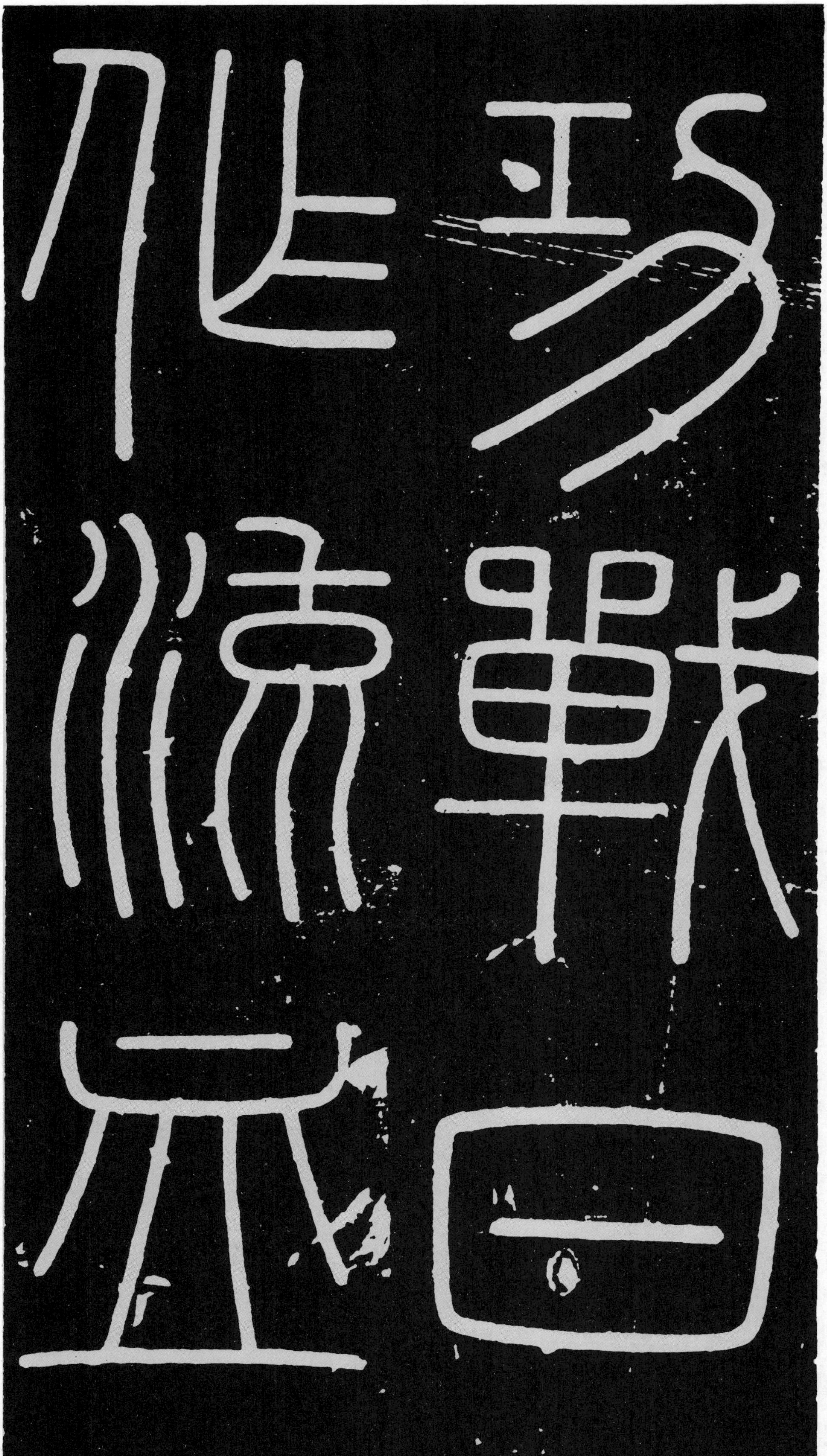

功戰曰作流血

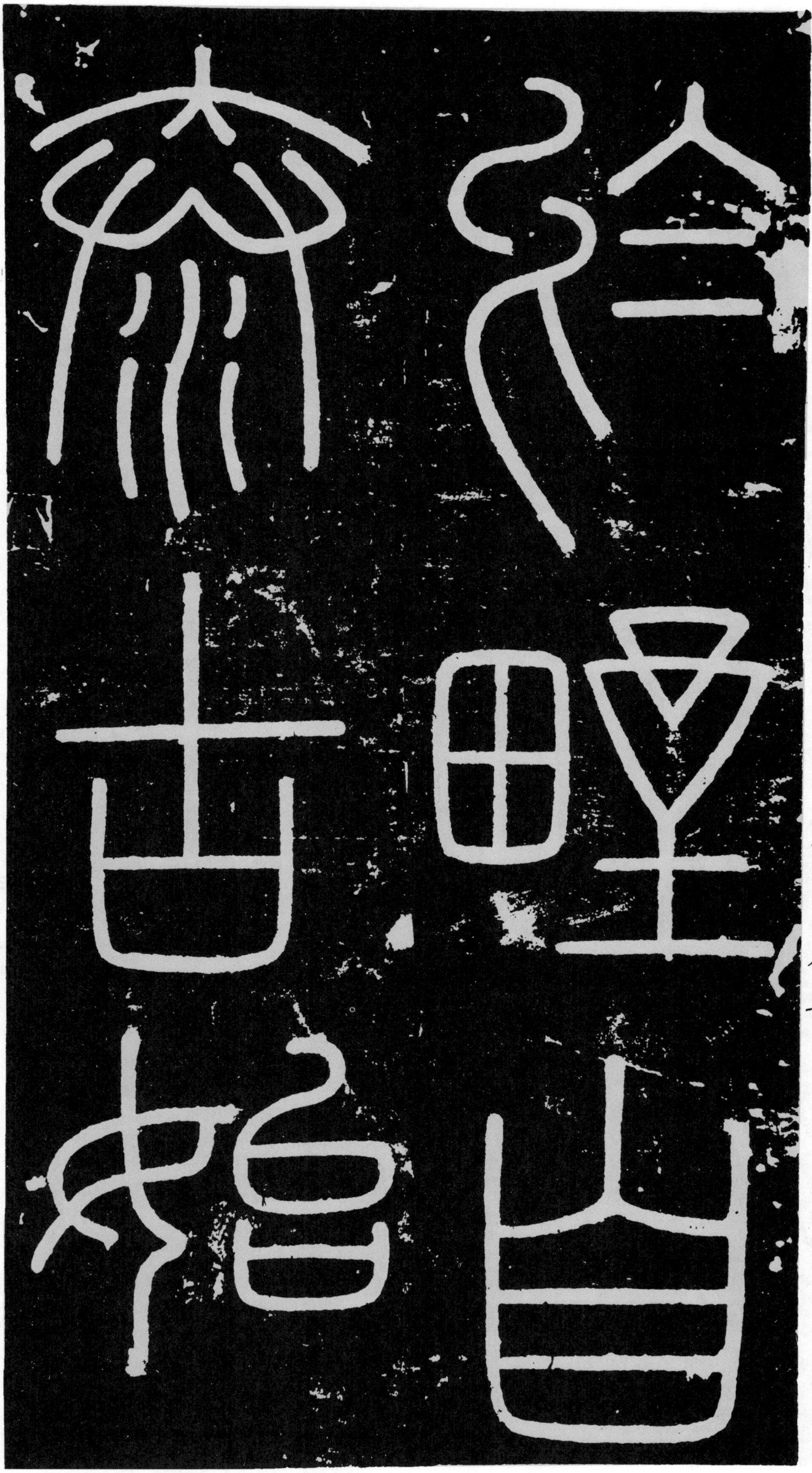

於野自 泰古始

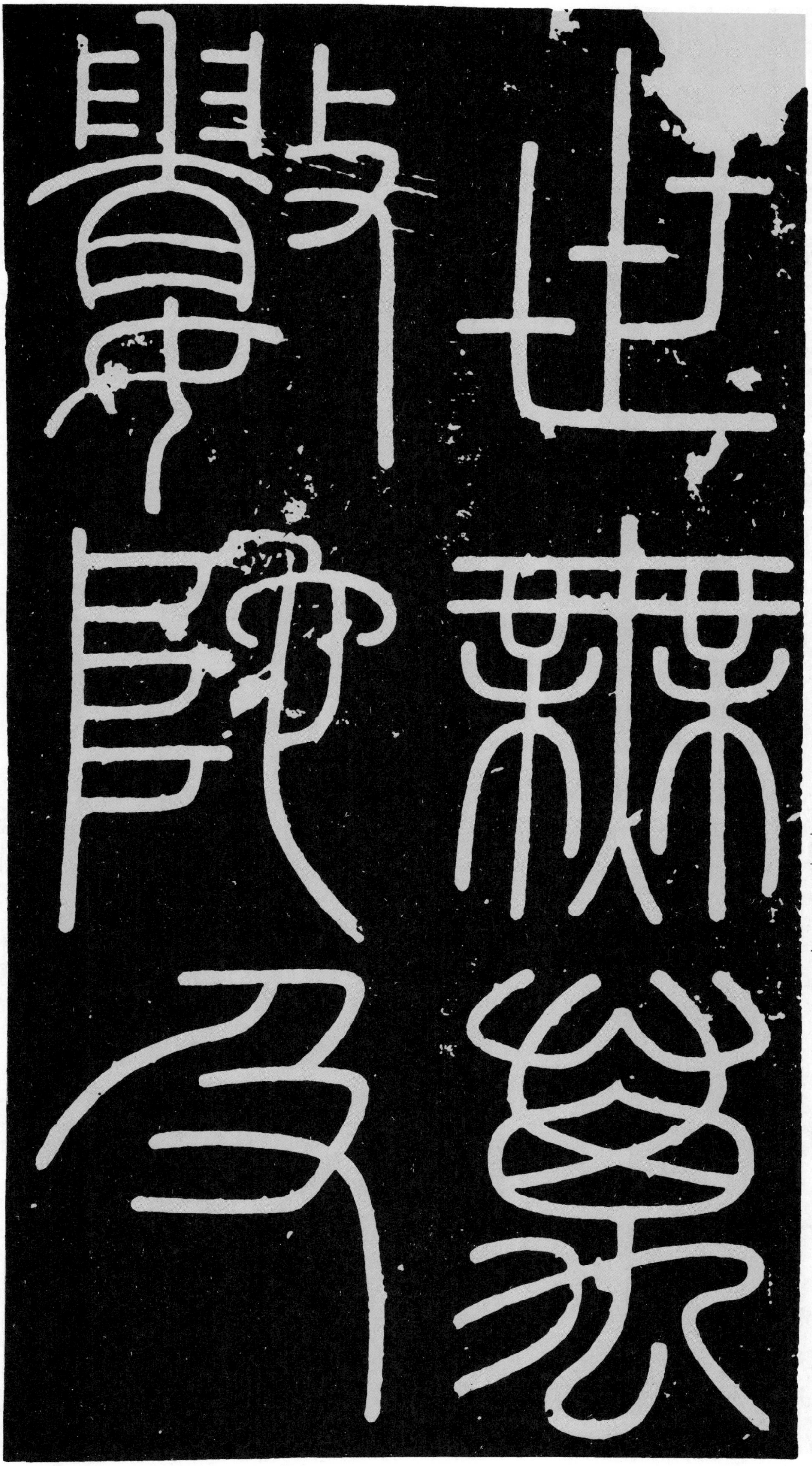

世無萬
數陀及

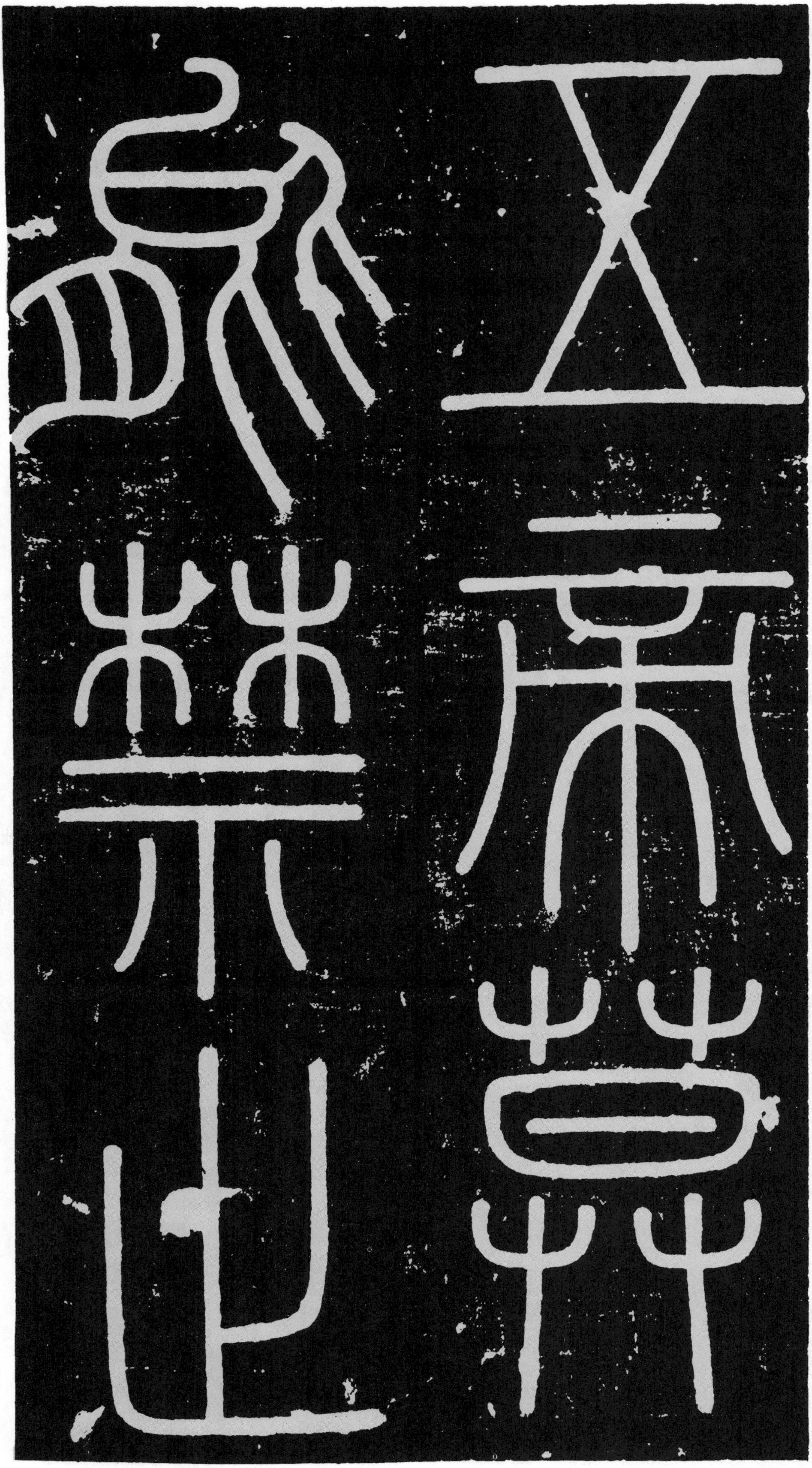

五帝莫 能禁止

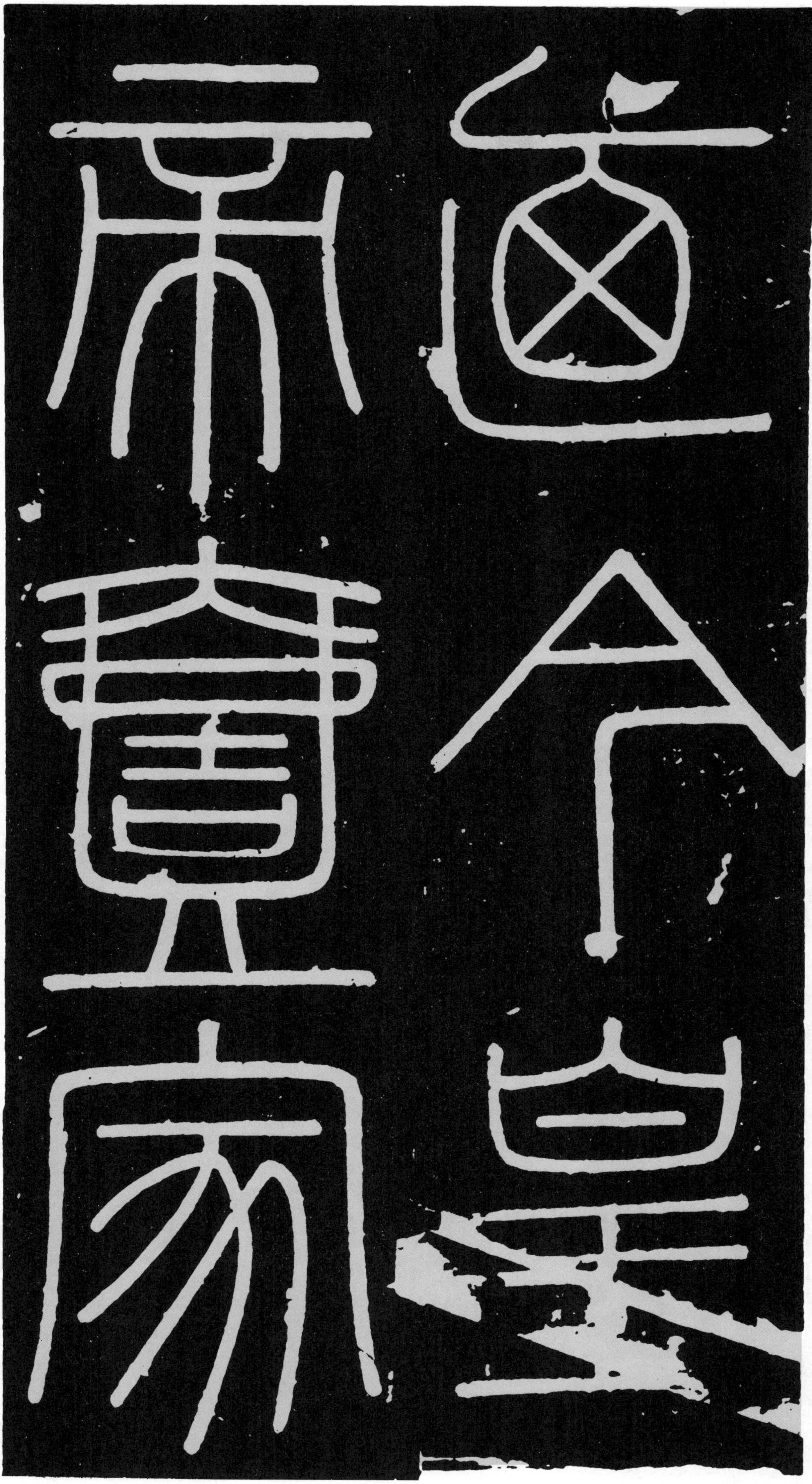

迺今皇 帝壹家

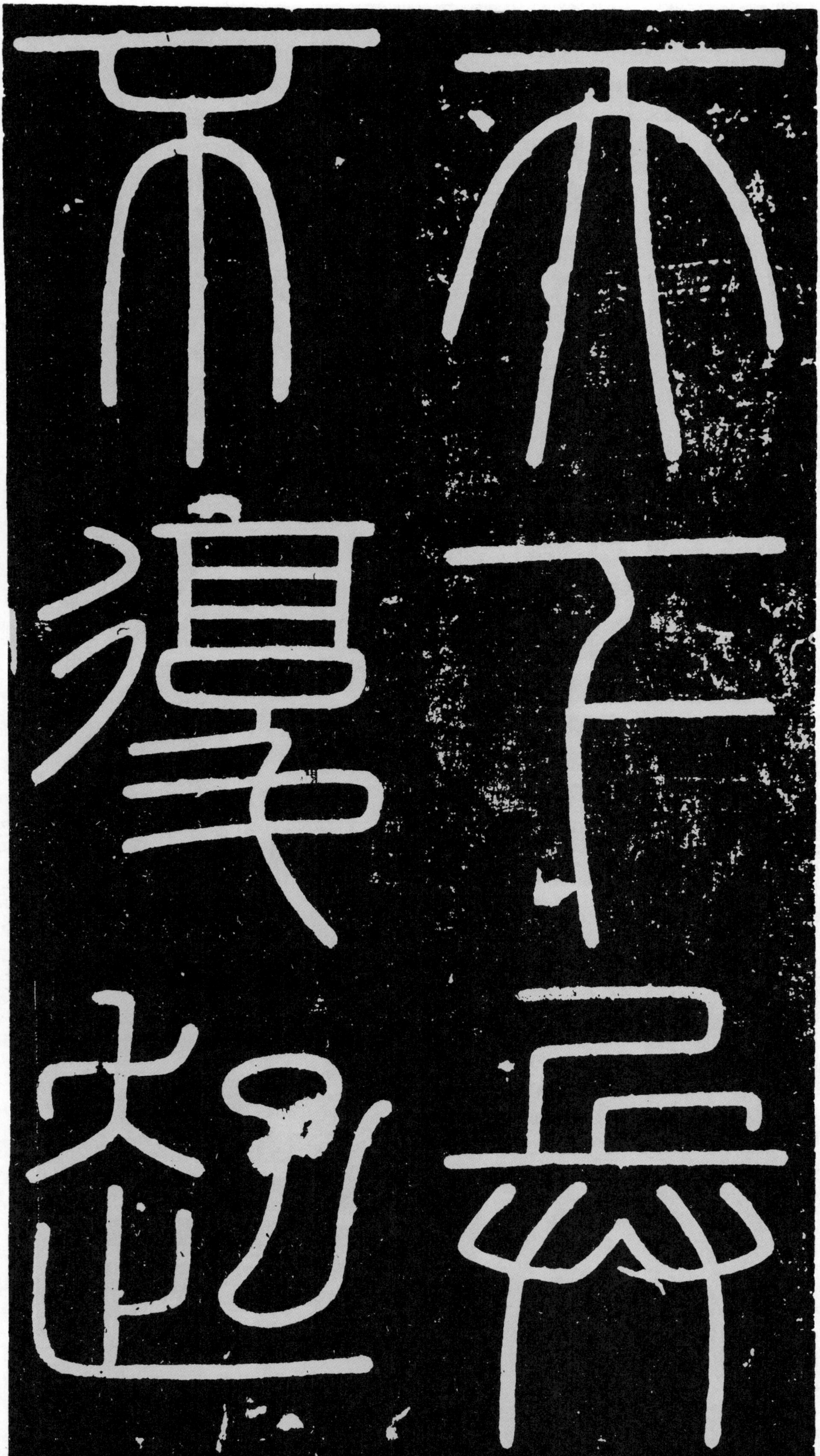

天下兵 不復起

菑（灾）害滅 除黔首

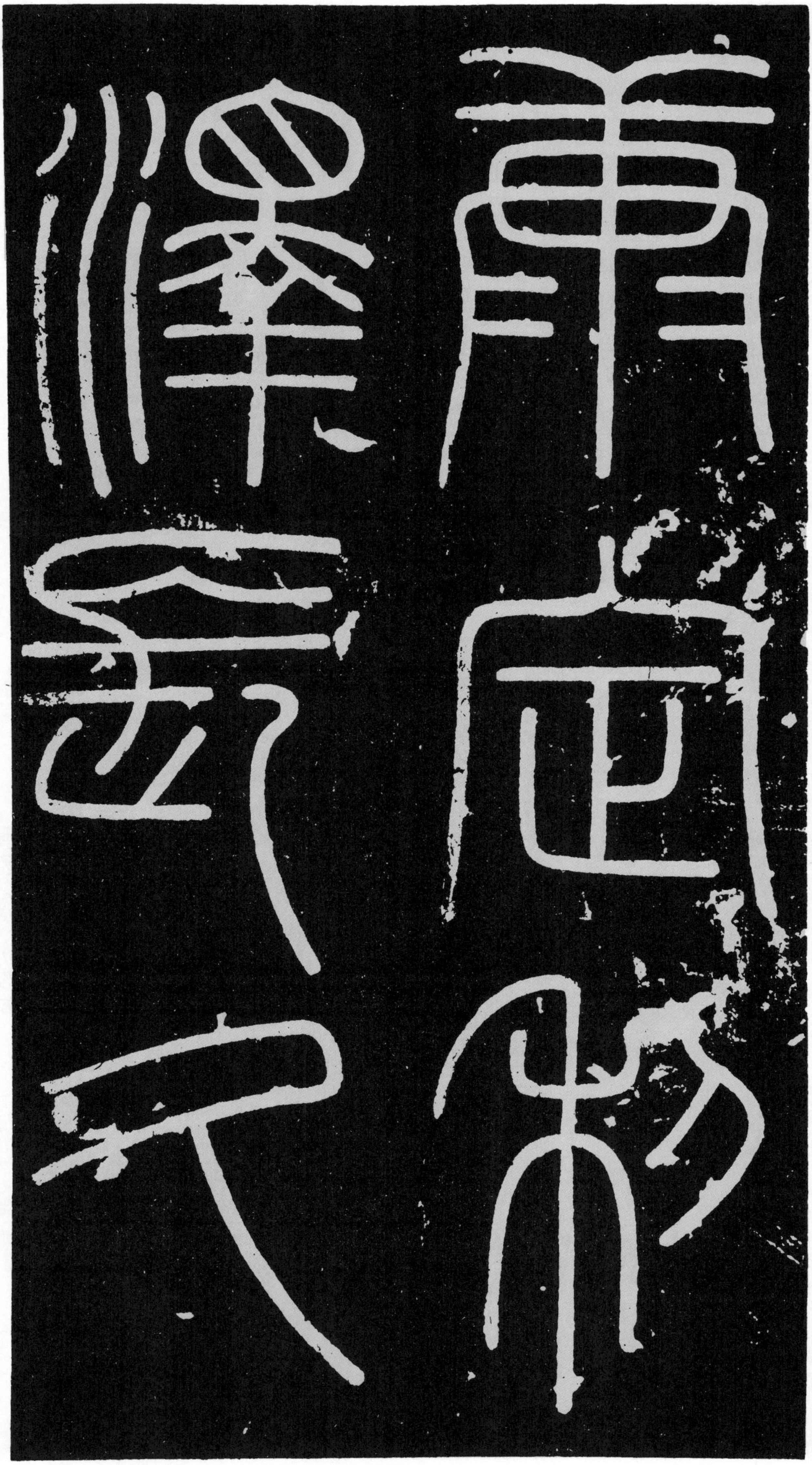

康定利 澤長久

羣臣誦 略刻此

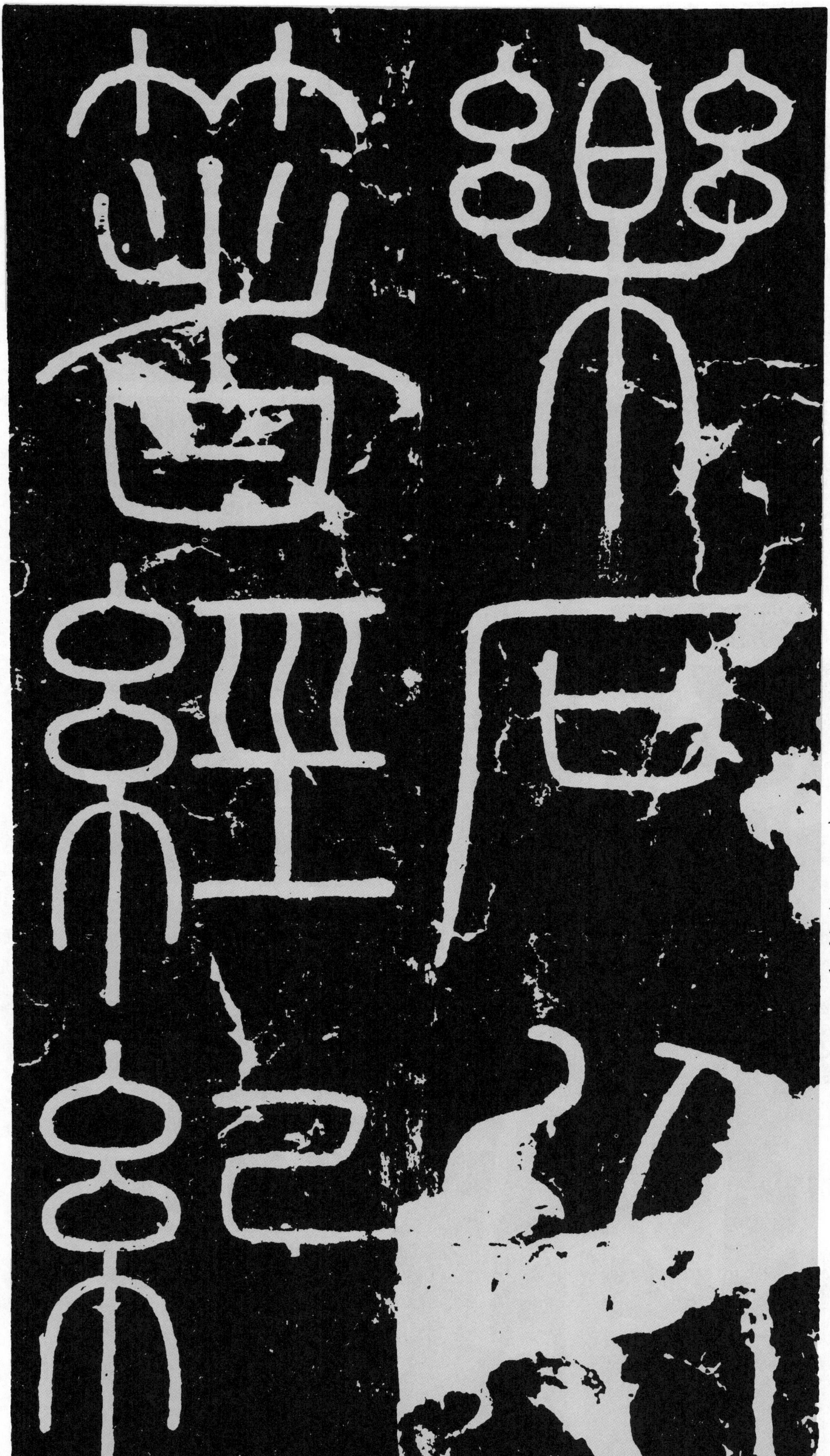

樂石以 箸經紀

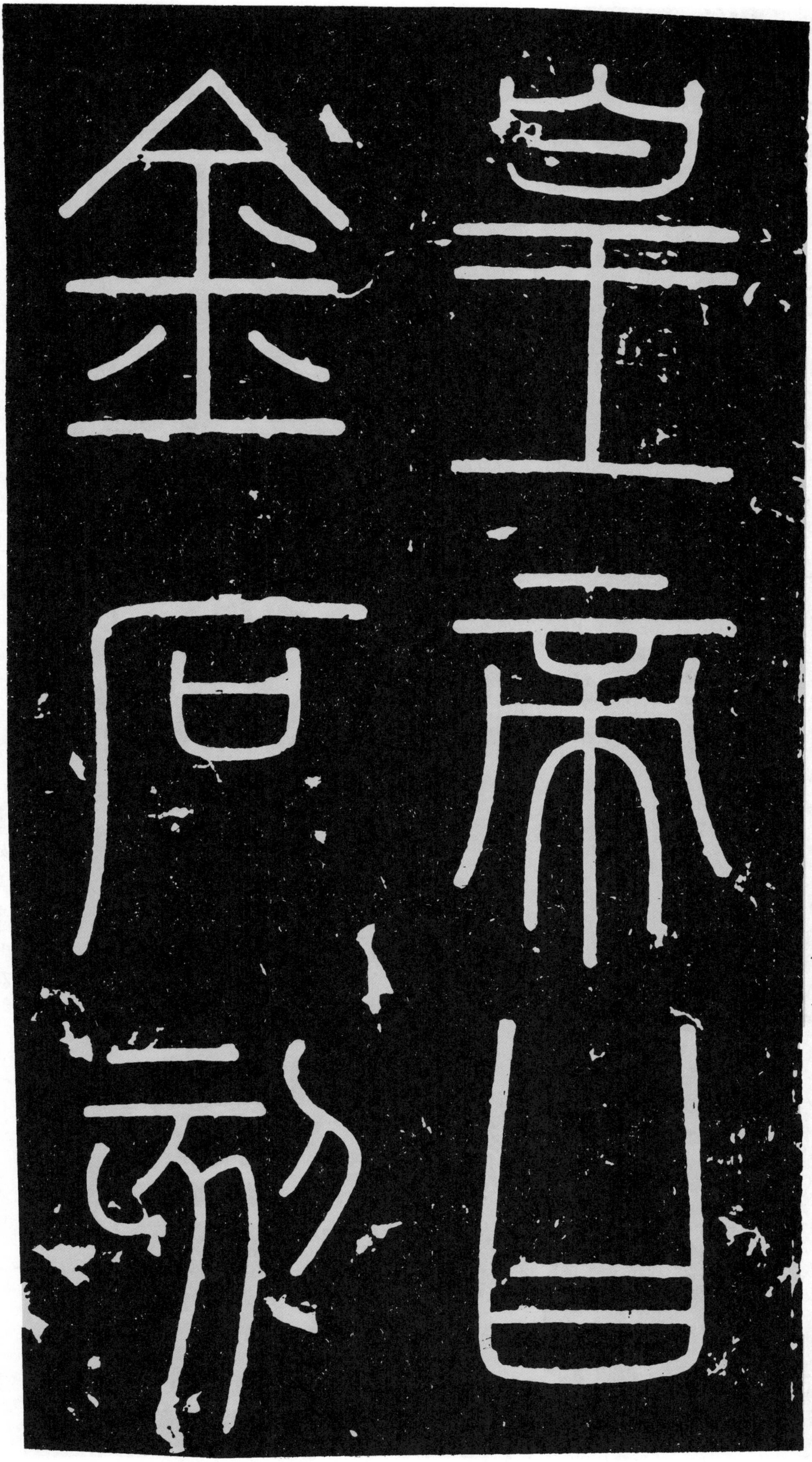

皇帝曰 金石刻

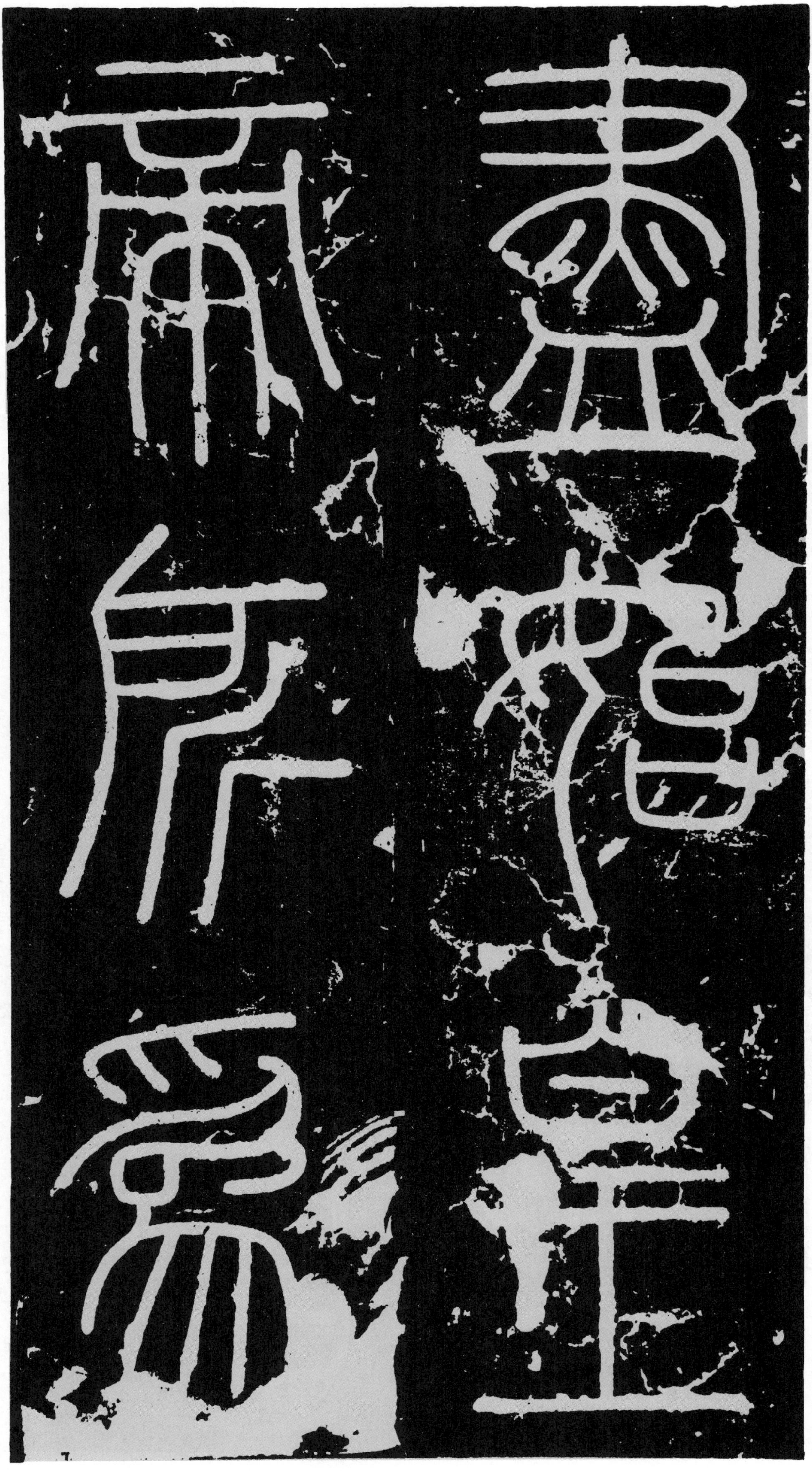

盡始皇 帝所為

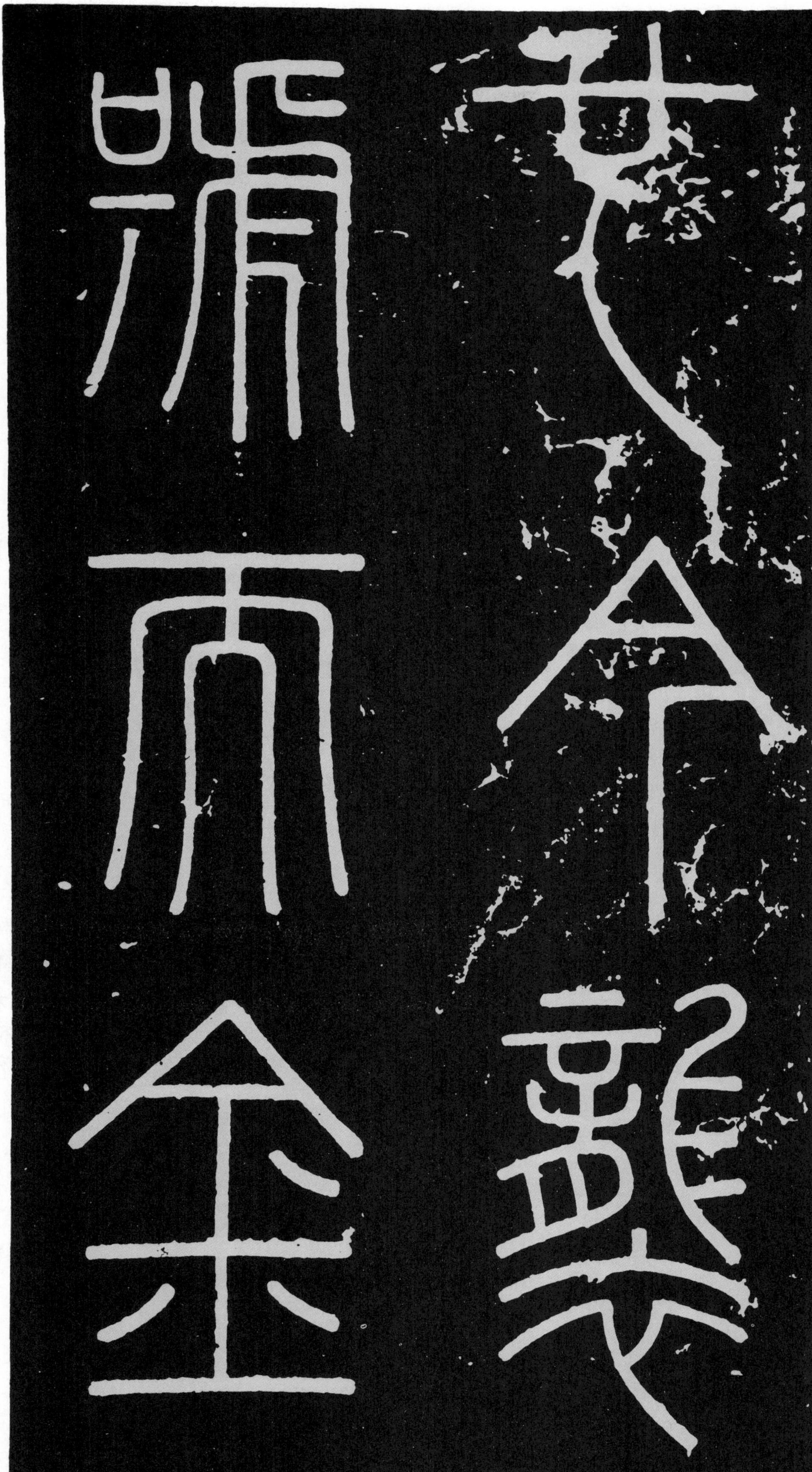

也今襲 號而金

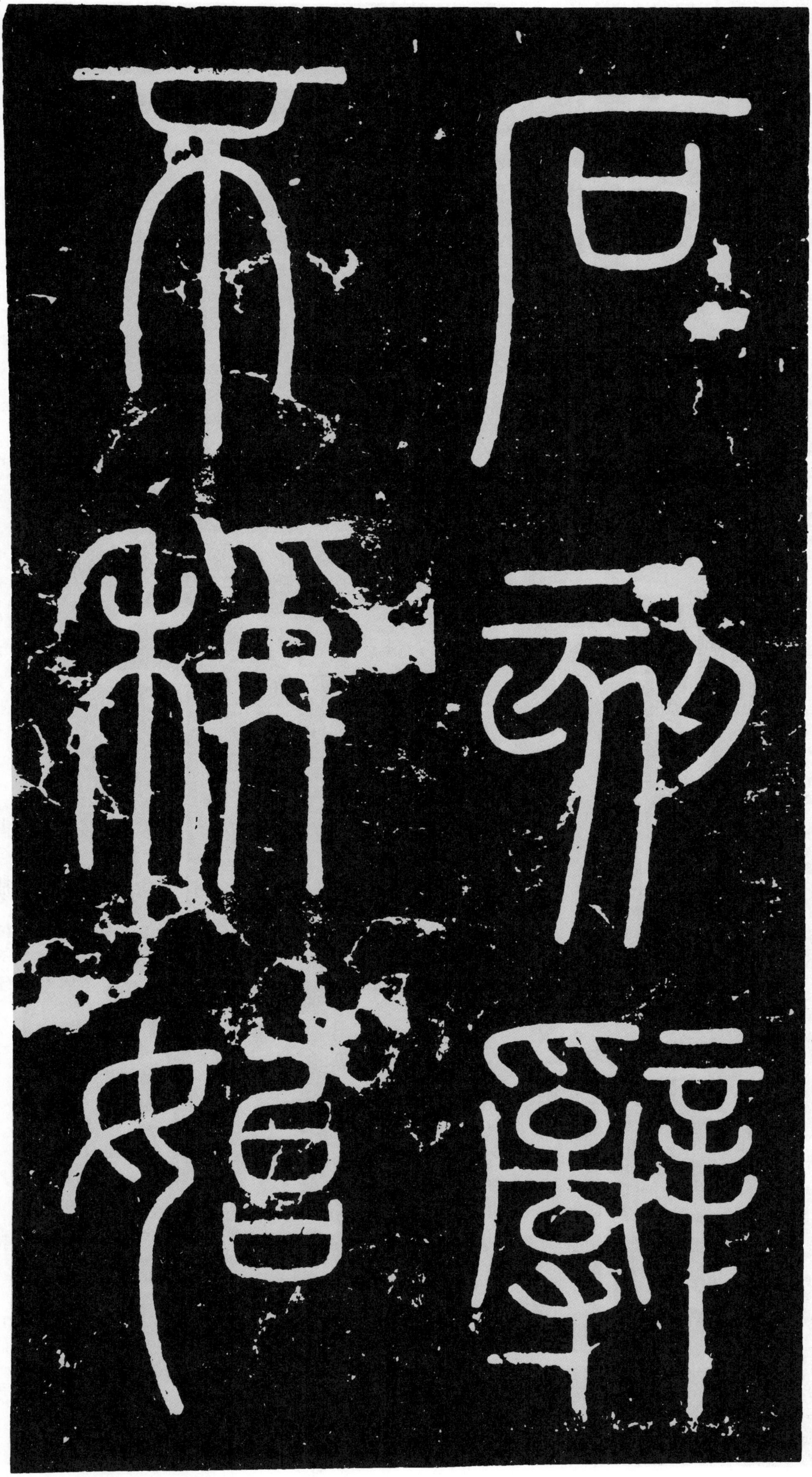

石刻辭 不稱始

皇帝其　於久遠

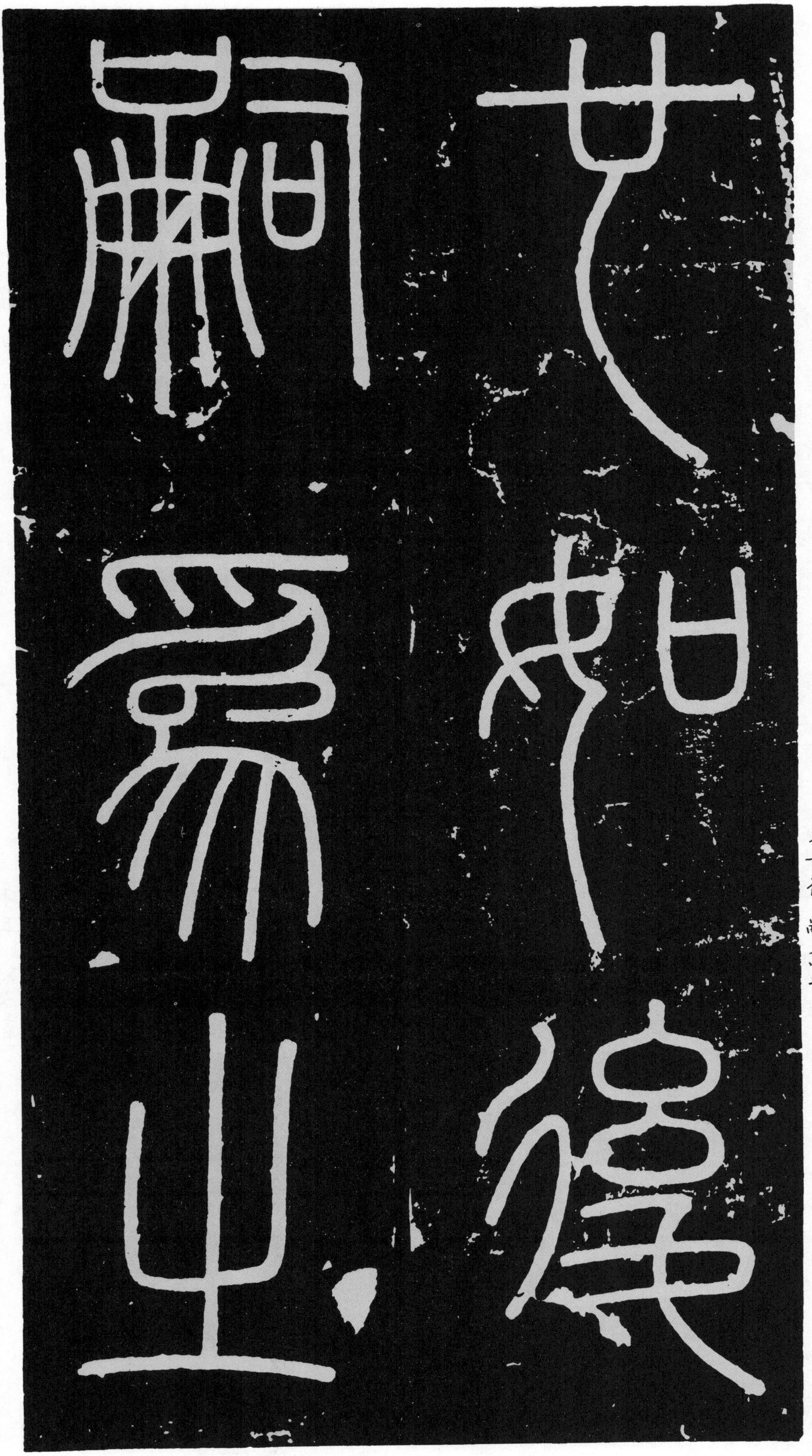

也如後
嗣為之

者不稱 成功盛

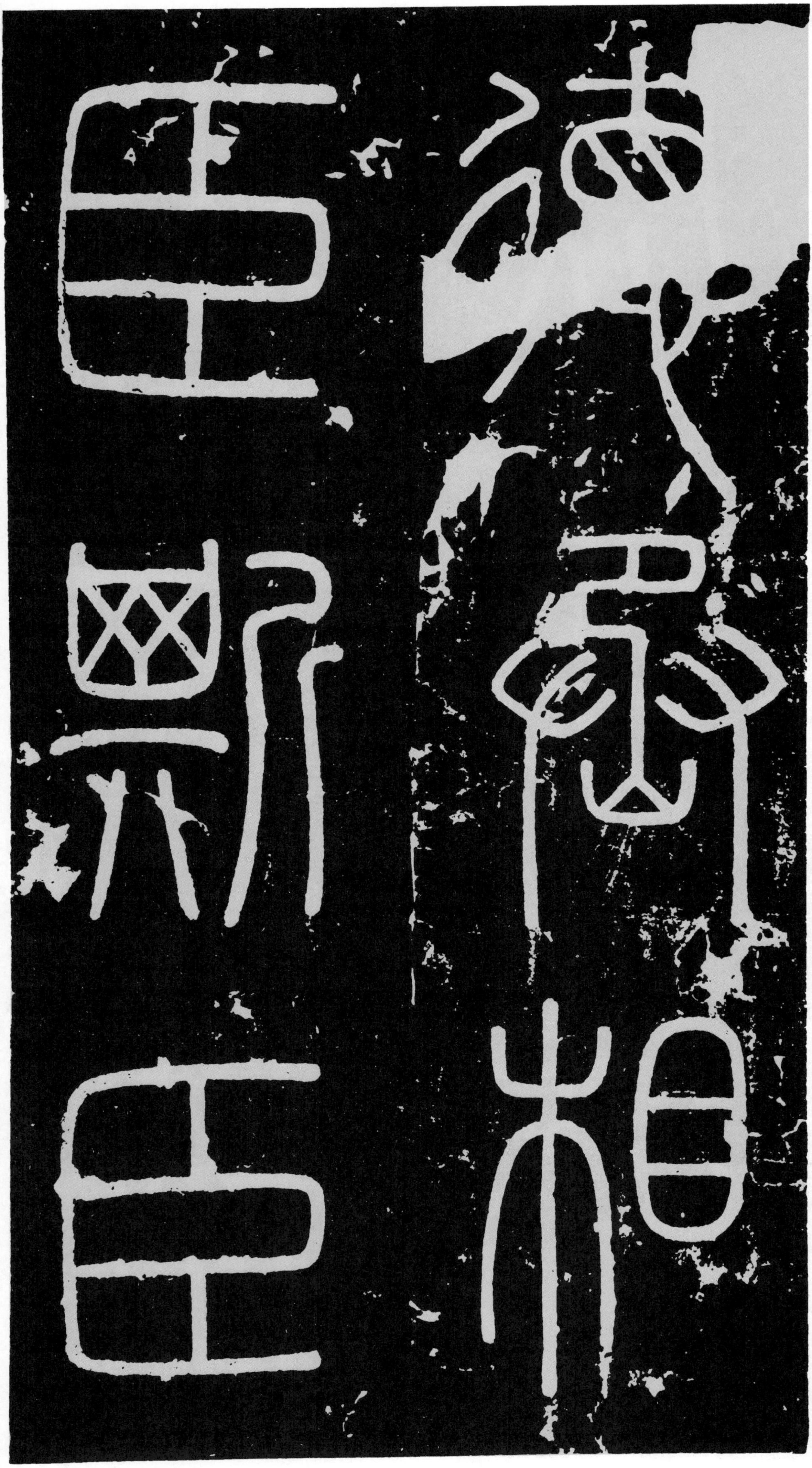

德丞相 臣斯臣

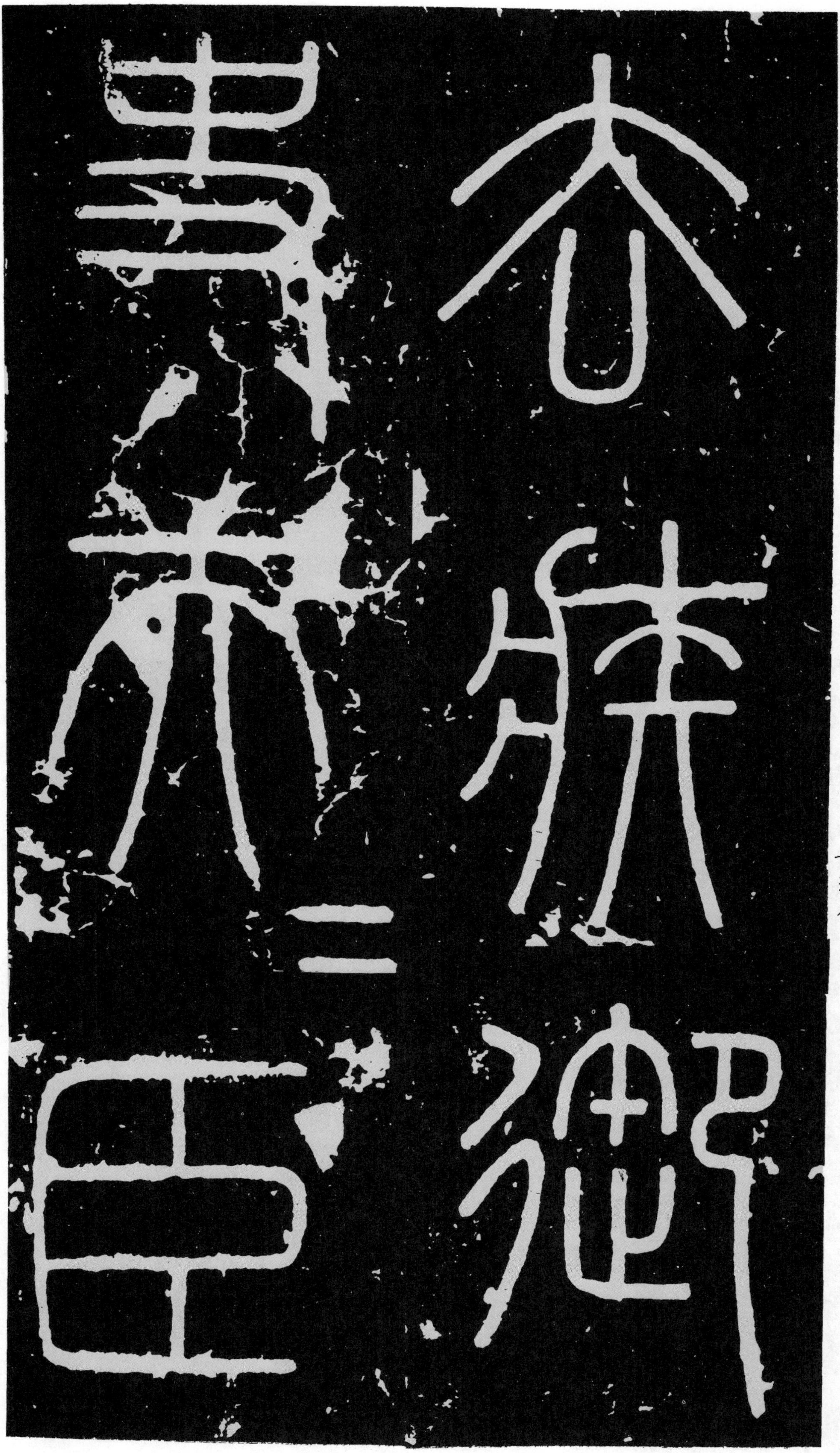

去疾御 史夫=臣

德昧死　言臣請

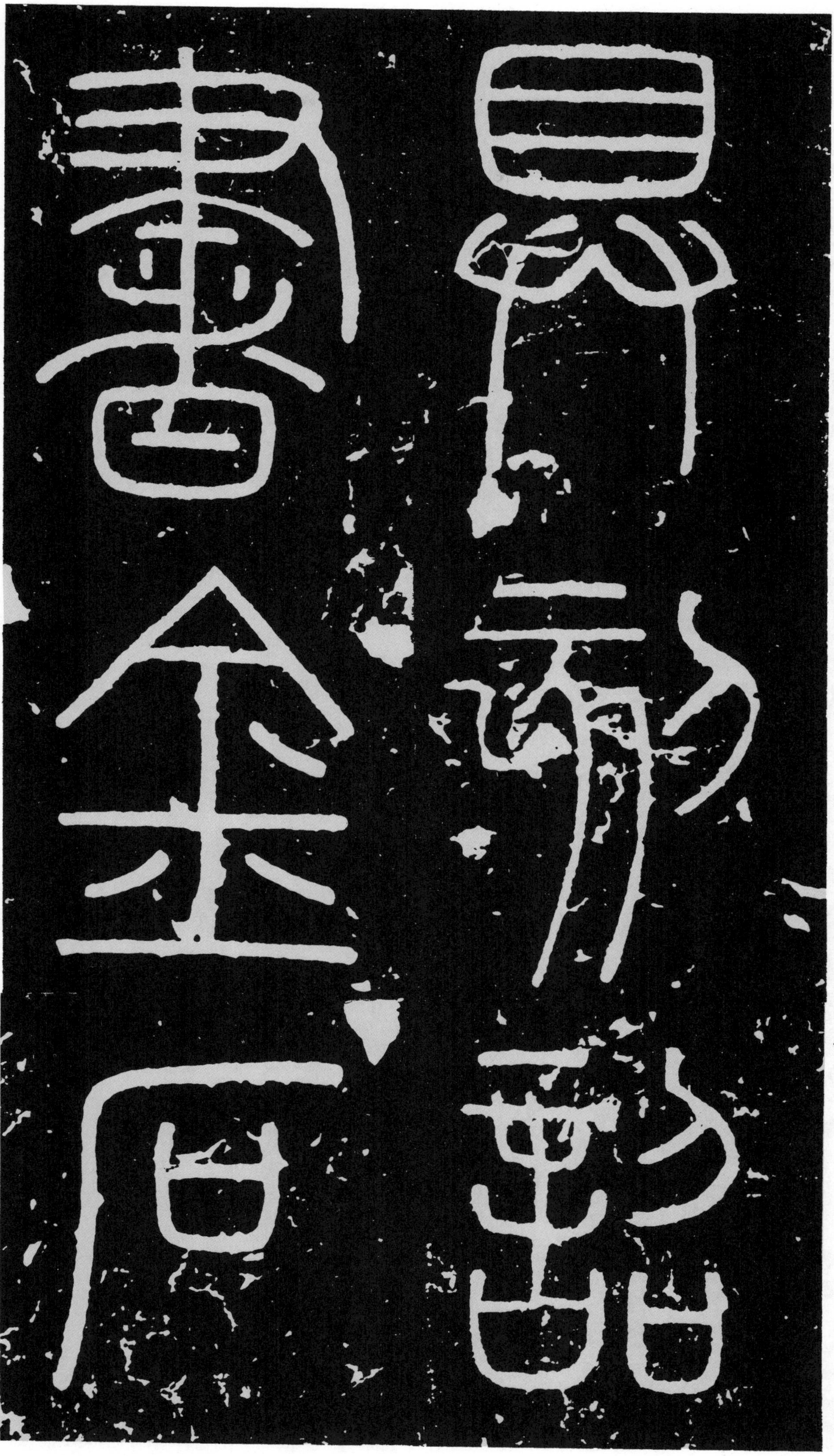

具刻詔書金石

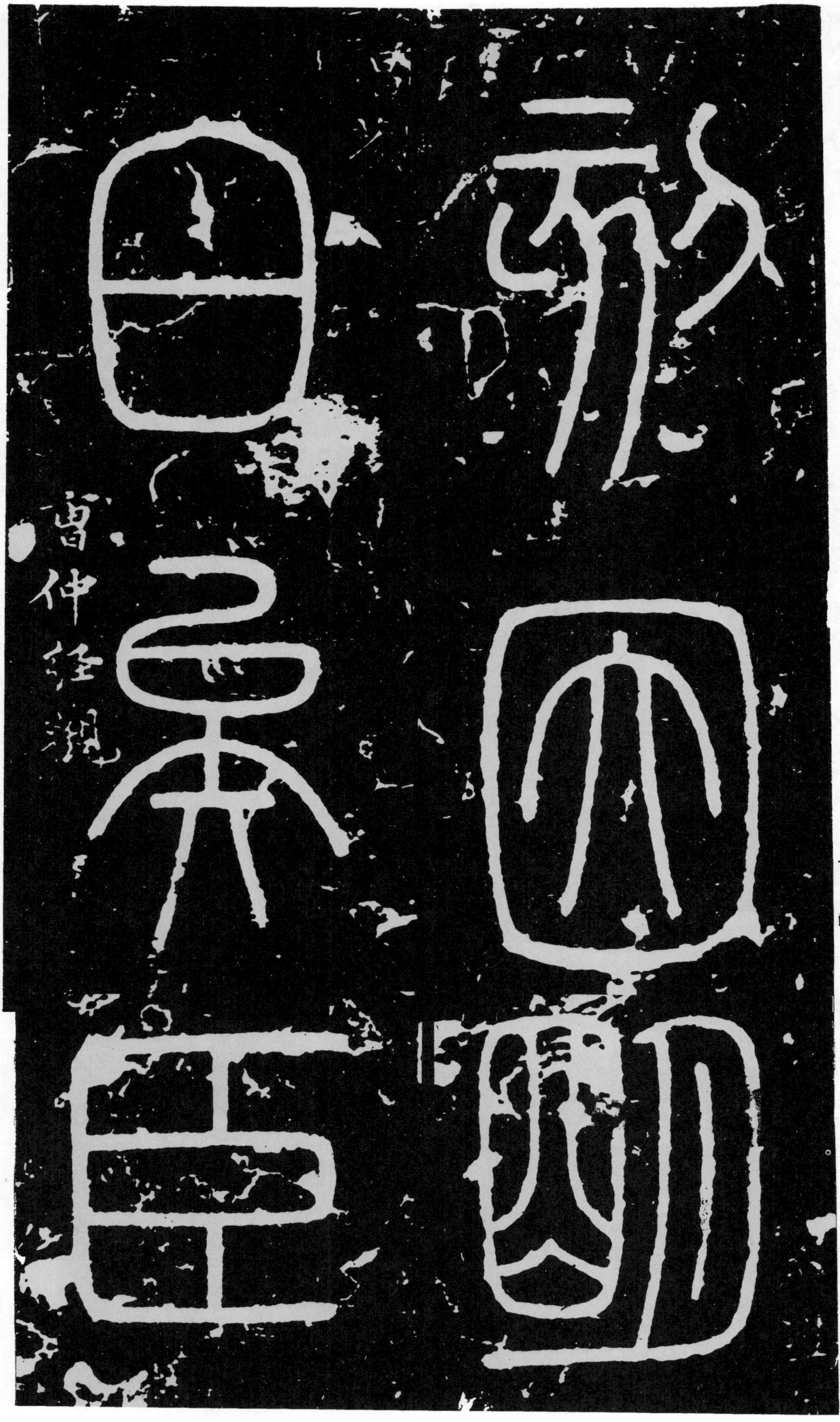

刻因明　白矣臣

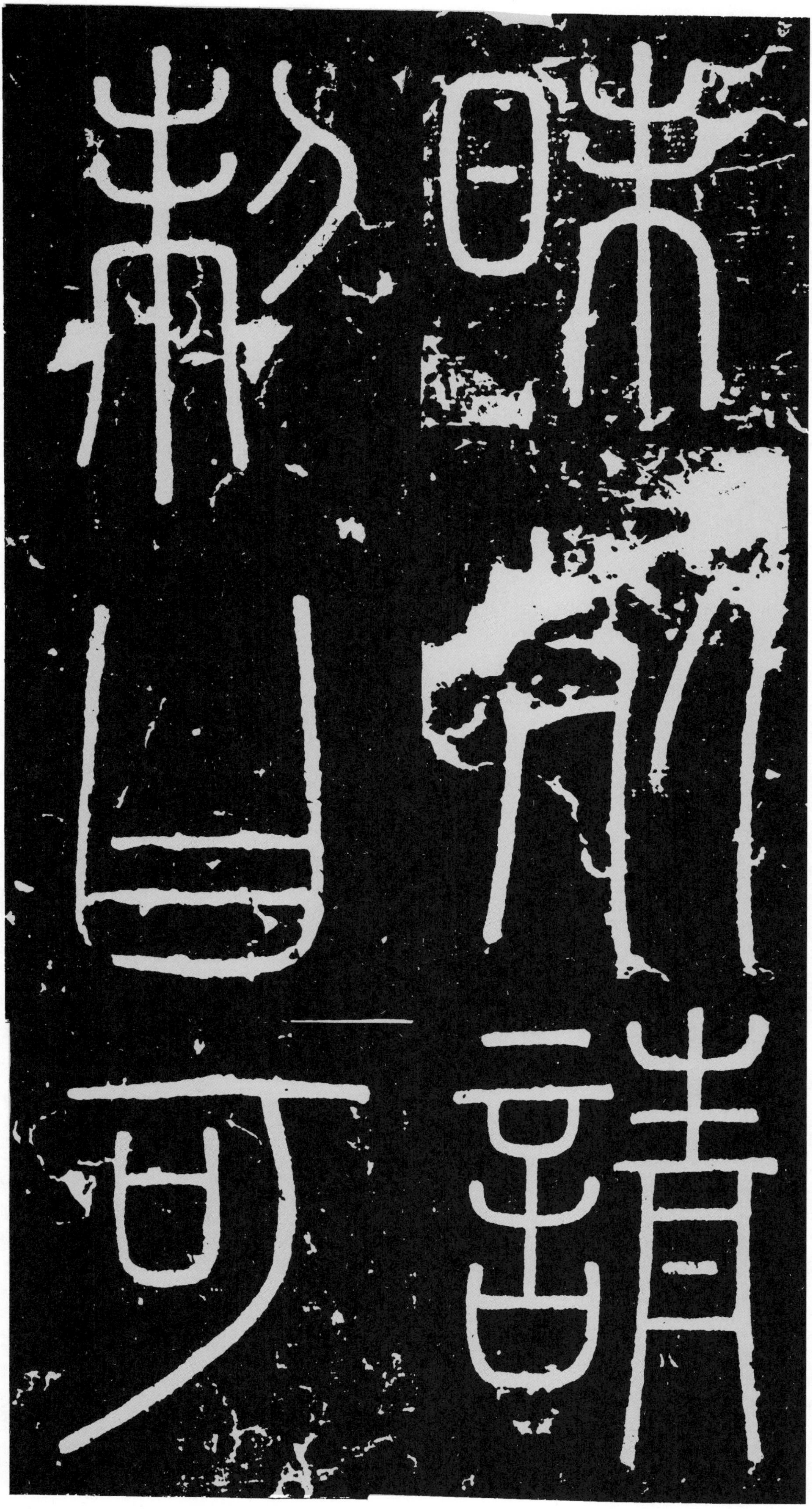

昧死請 制曰可

汉袁安碑

袁安碑

小篆。东汉永元四年（九二）立，未署书人姓名。一九二九年发现于河南偃师是辛家村。篆书十行，每行原为十六字，今每行皆缺损一字。此碑结体流美，用笔酣畅，是汉篆中的上品。

近人启功评述此碑曰：『字形并不写得滚圆，而把它微微加方，便增加了稳重的效果。这种写法，其实自秦代的刻石，即已透露出来，后来若干篆书的好作品，都具有这种特点。』

司徒公 汝南女

陽袁安　召公授

易孟氏 永平三

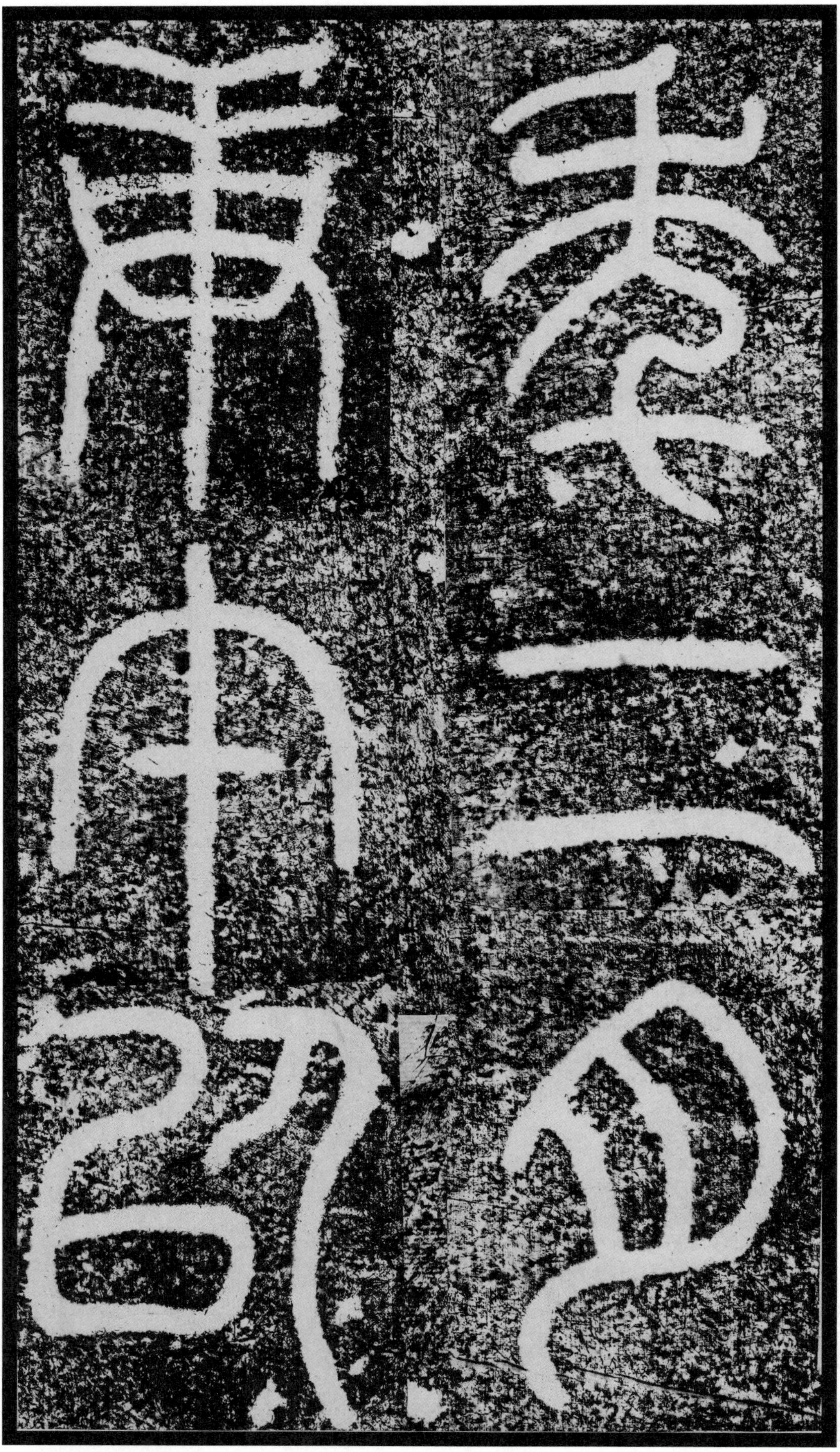

年二月 庚午以

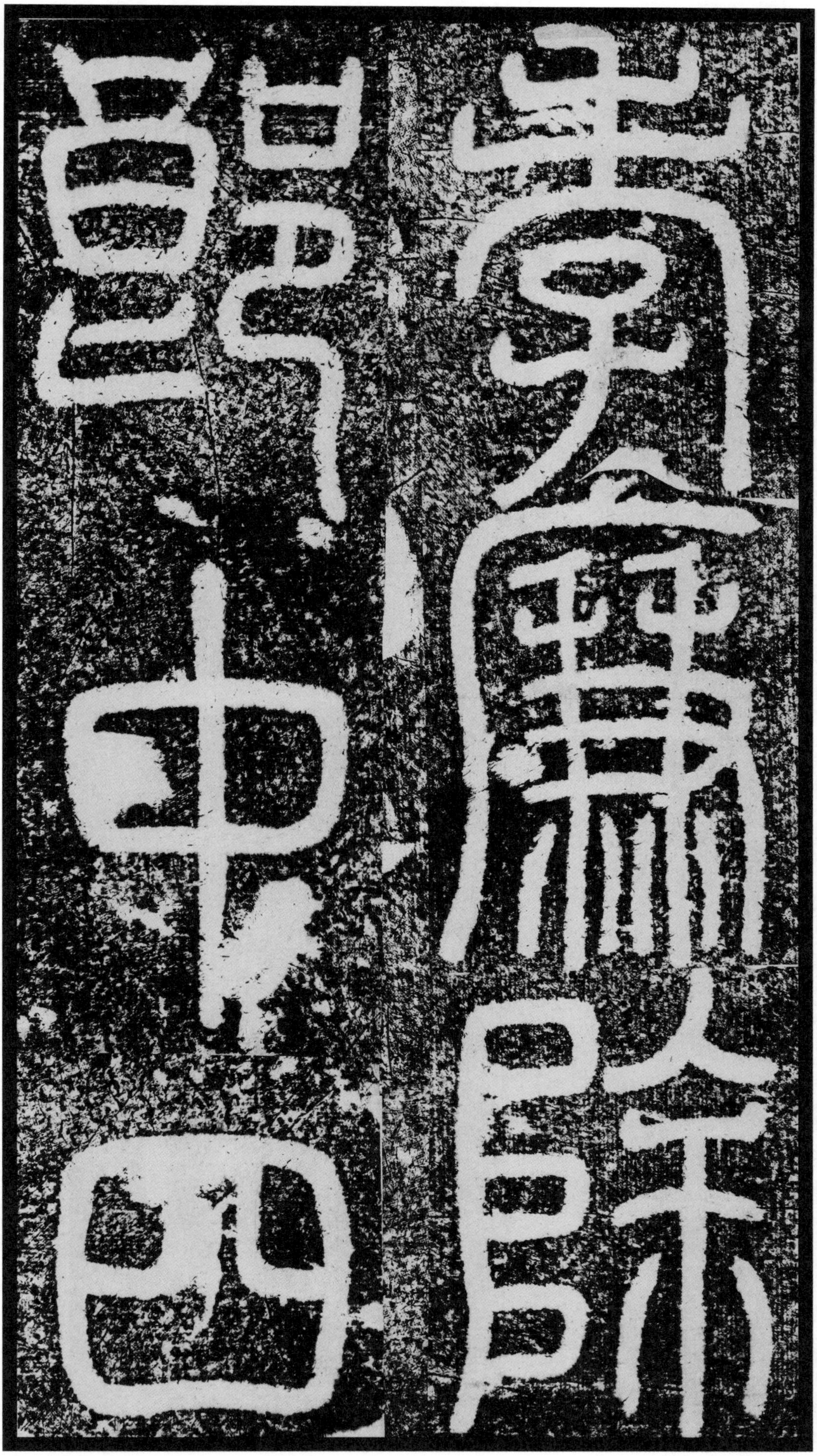

孝廉除 郎中四

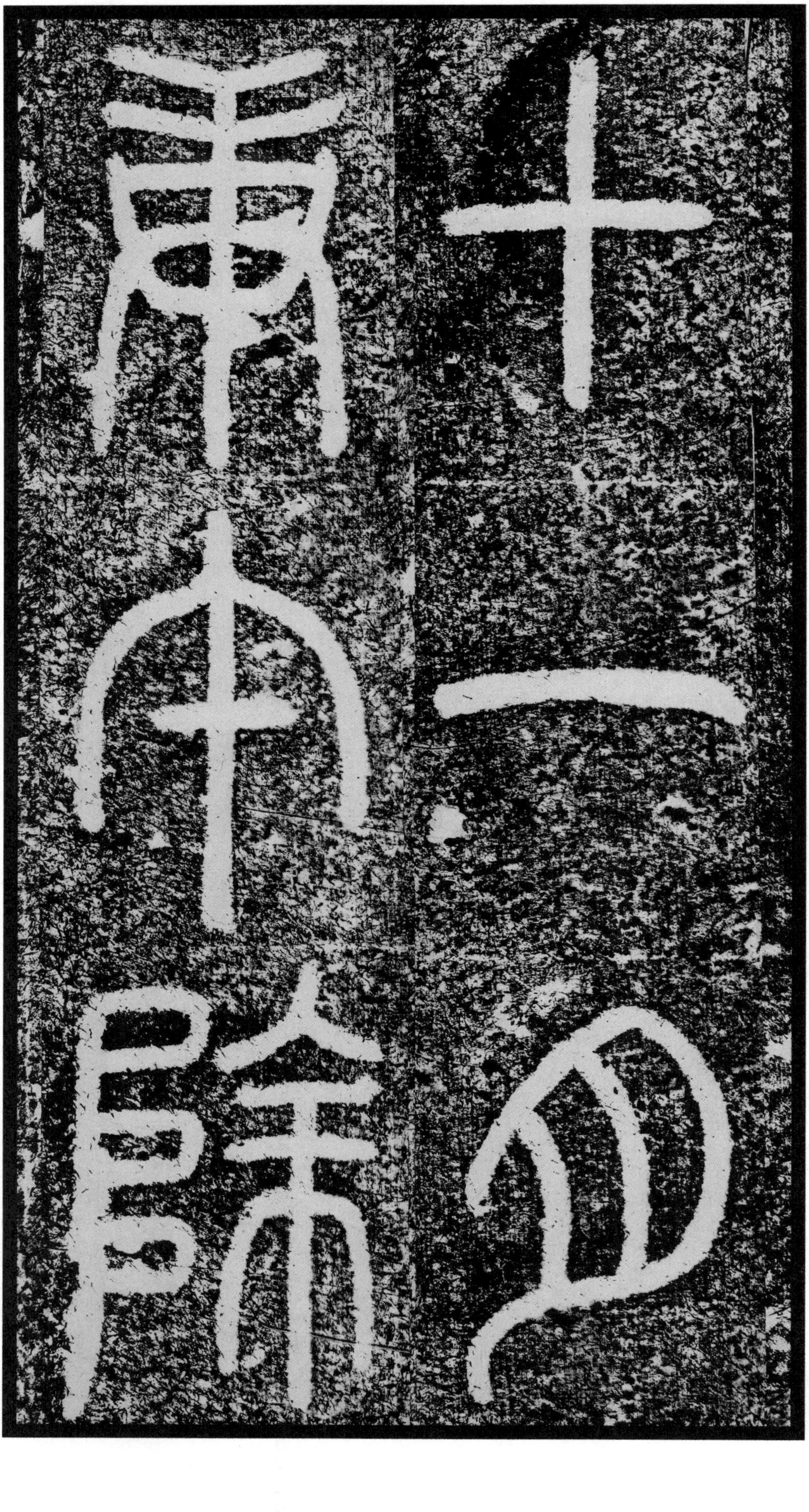

十一月 庚午除

給事謁 者五年

正月乙　遷東海

陰平長　十年二

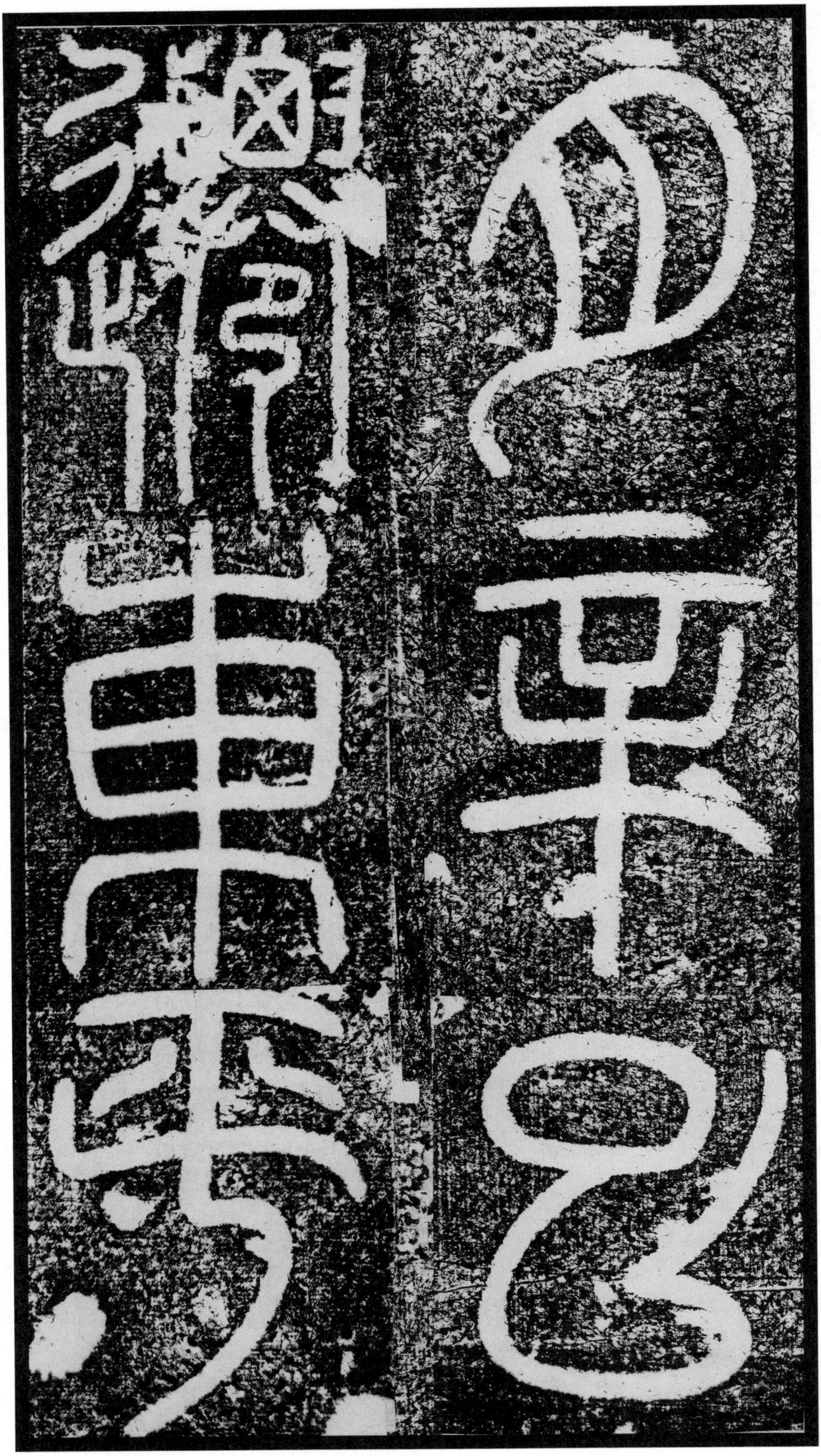

月辛巳 遷東平

城令十　三年十

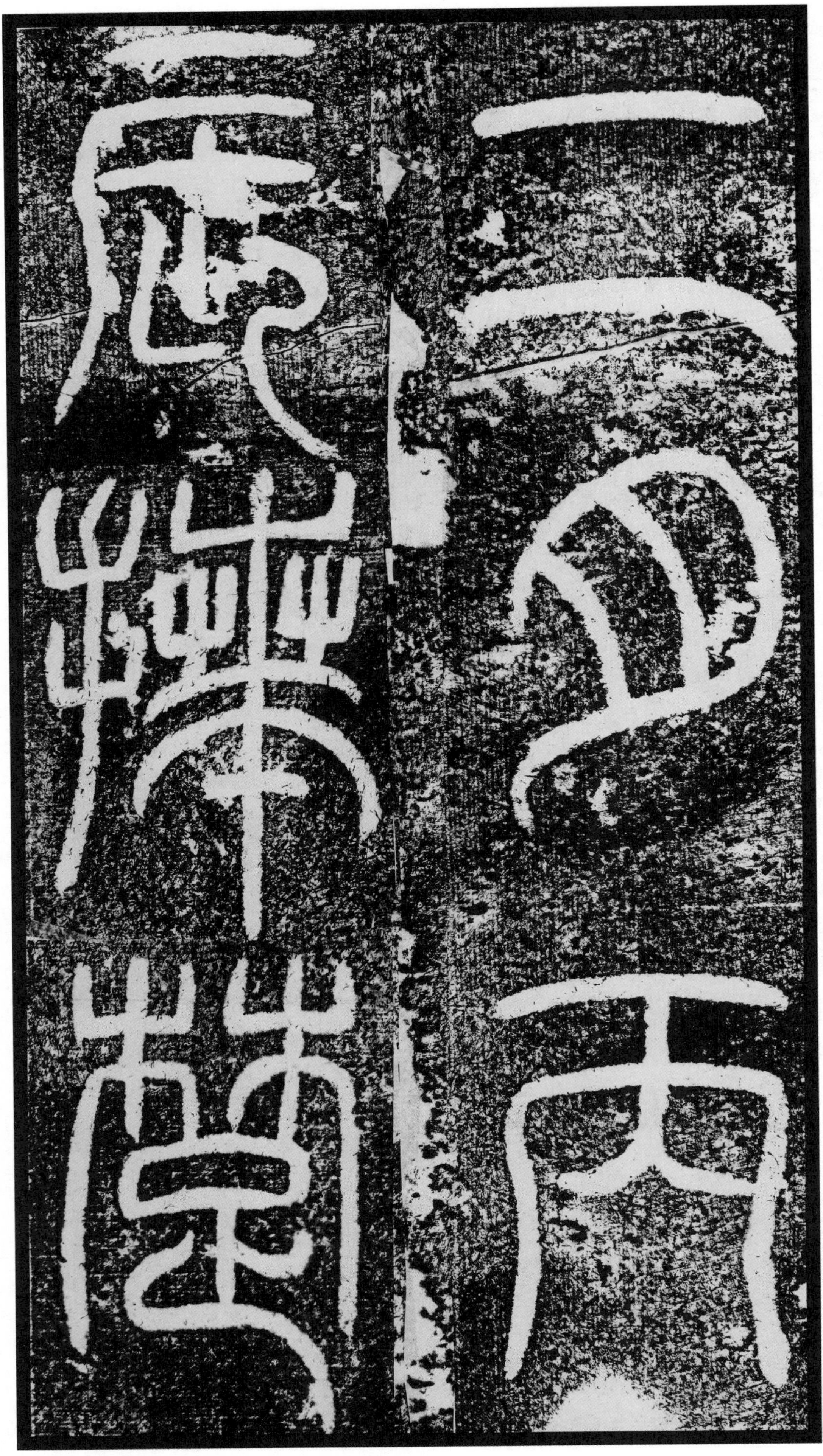

二月丙 辰拜楚

郡守十 七年八

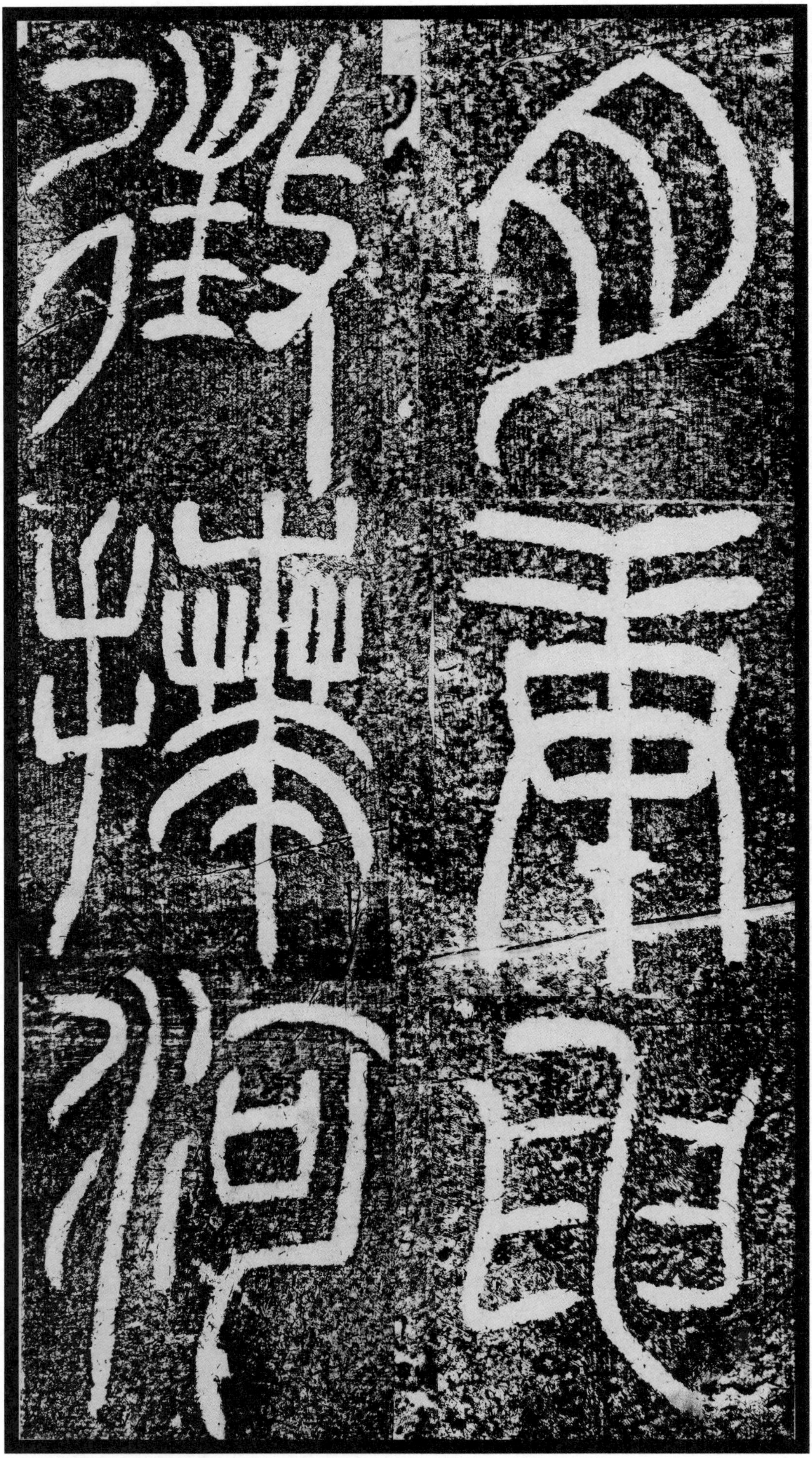

月庚申 徵拜河

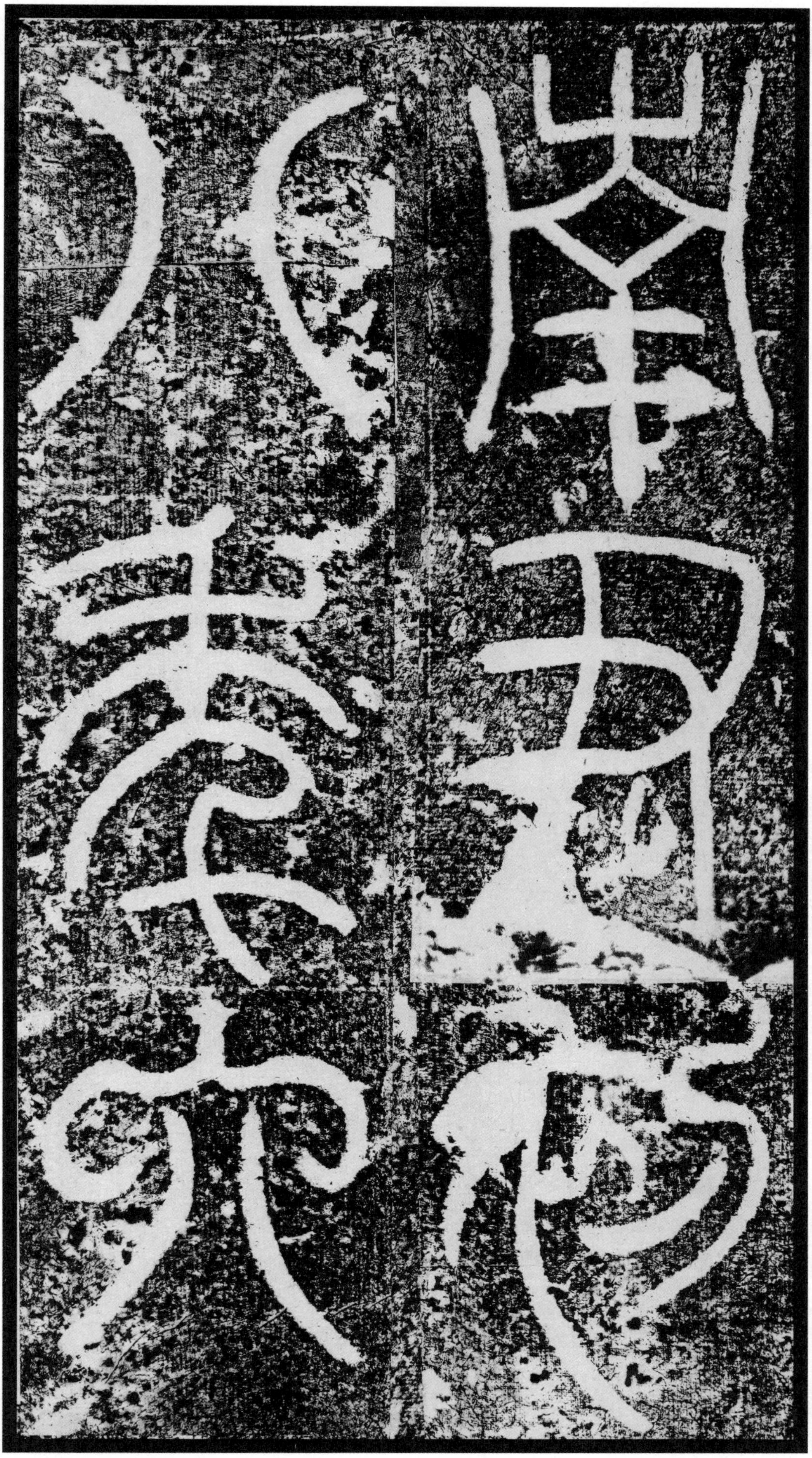

南尹初八年六

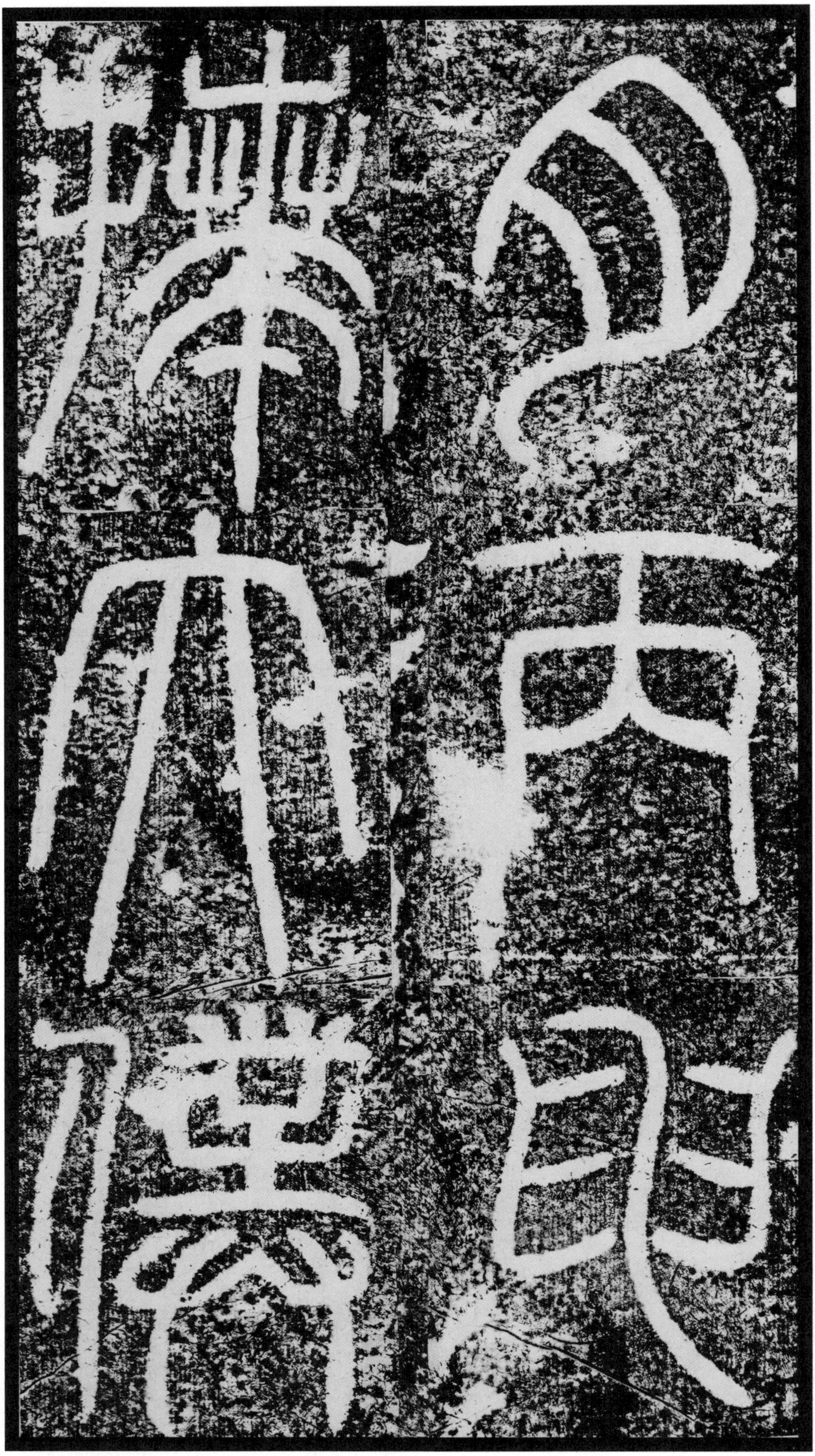

月丙申 拜太僕

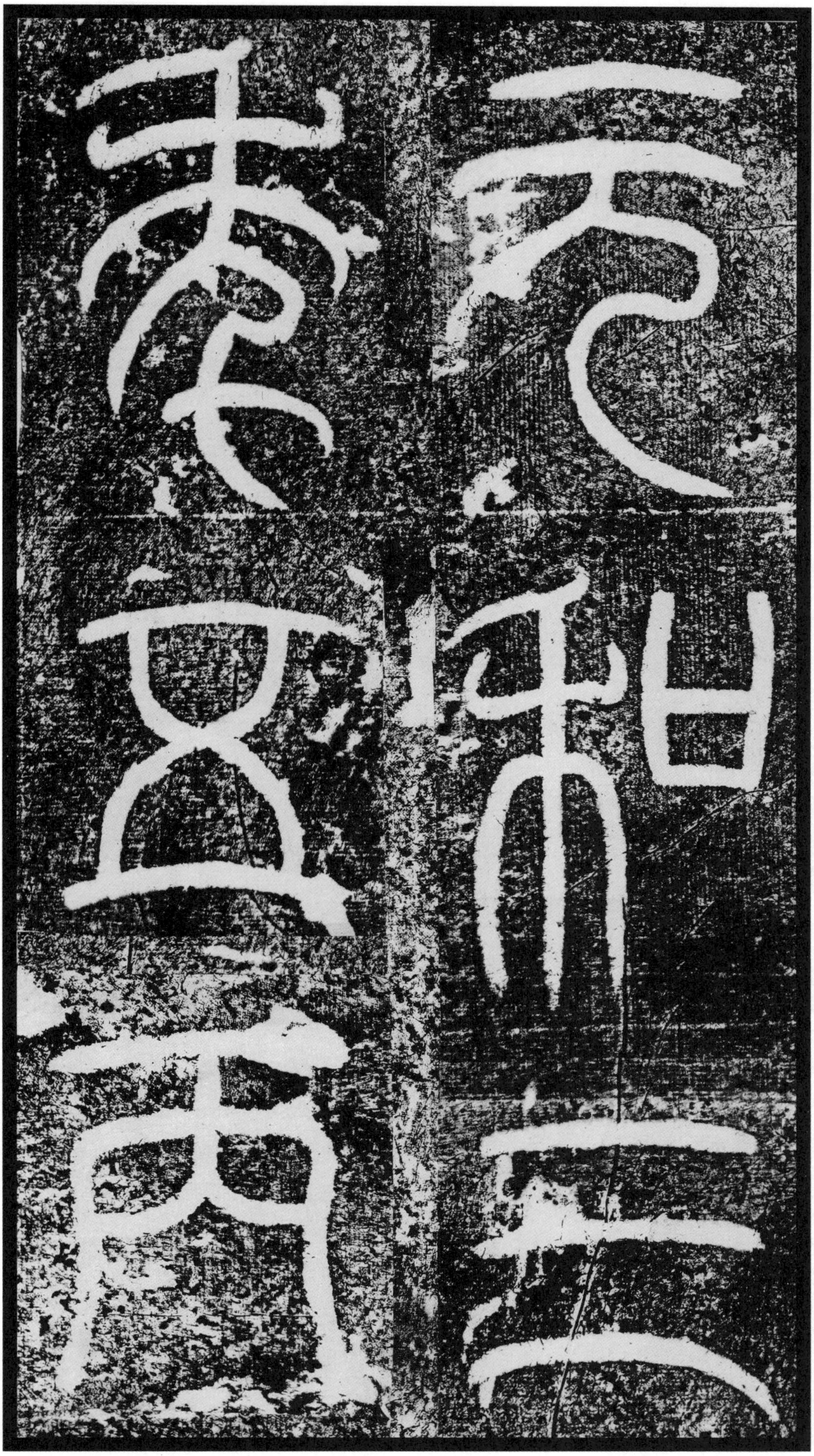

元和三 年五丙

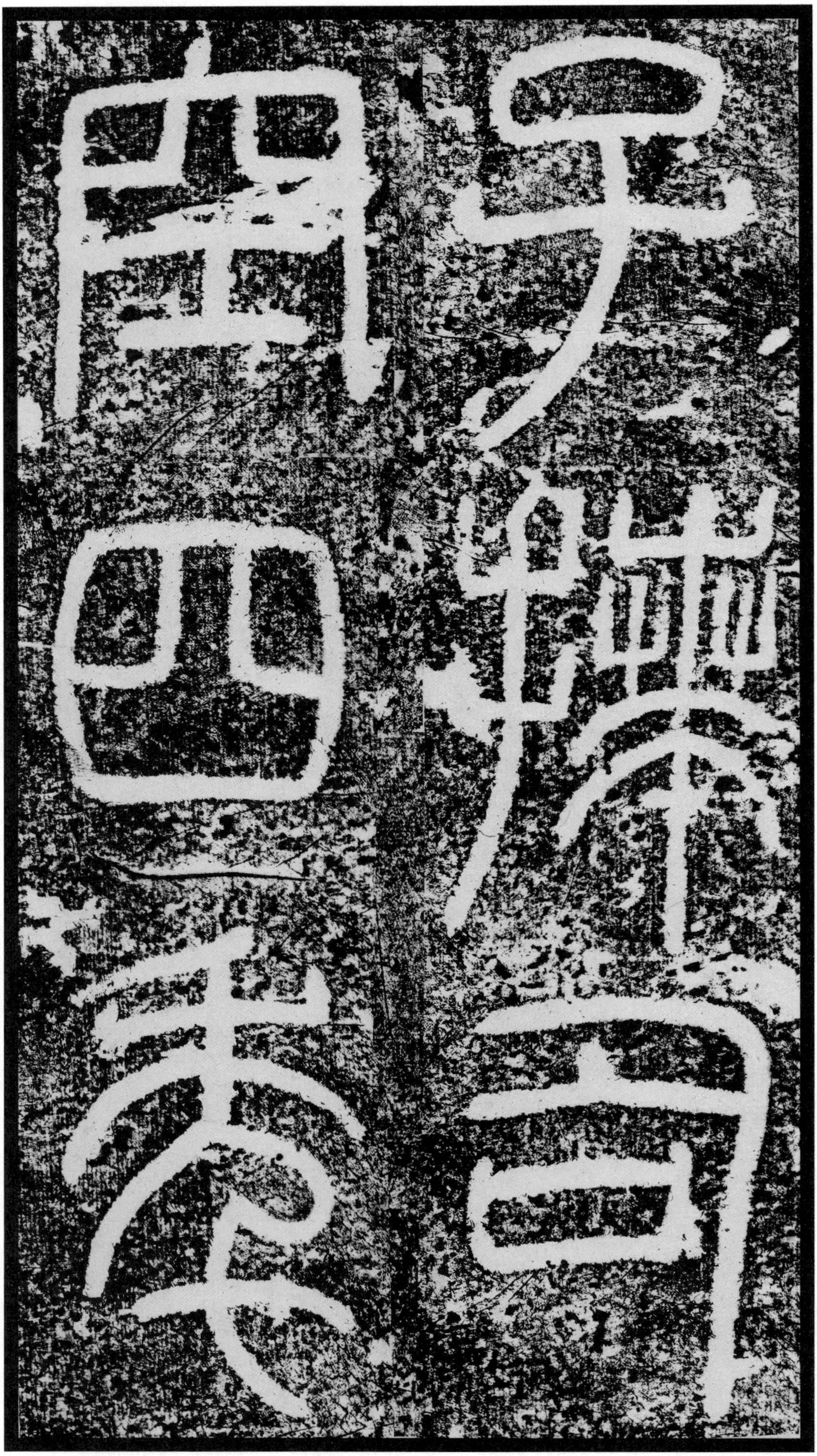

子拜司 空四年

六月己 夘拜司

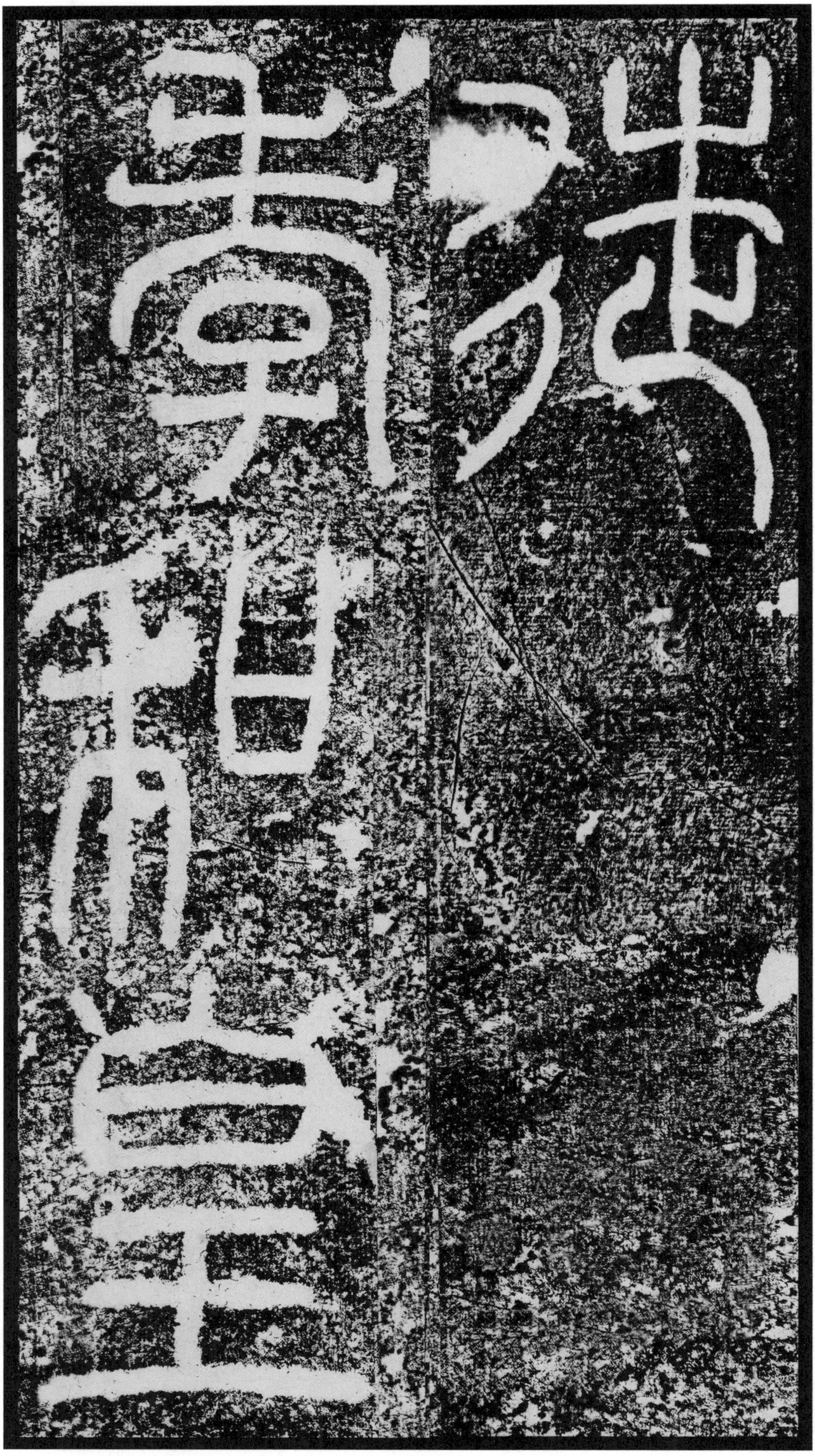

徒

孝和皇

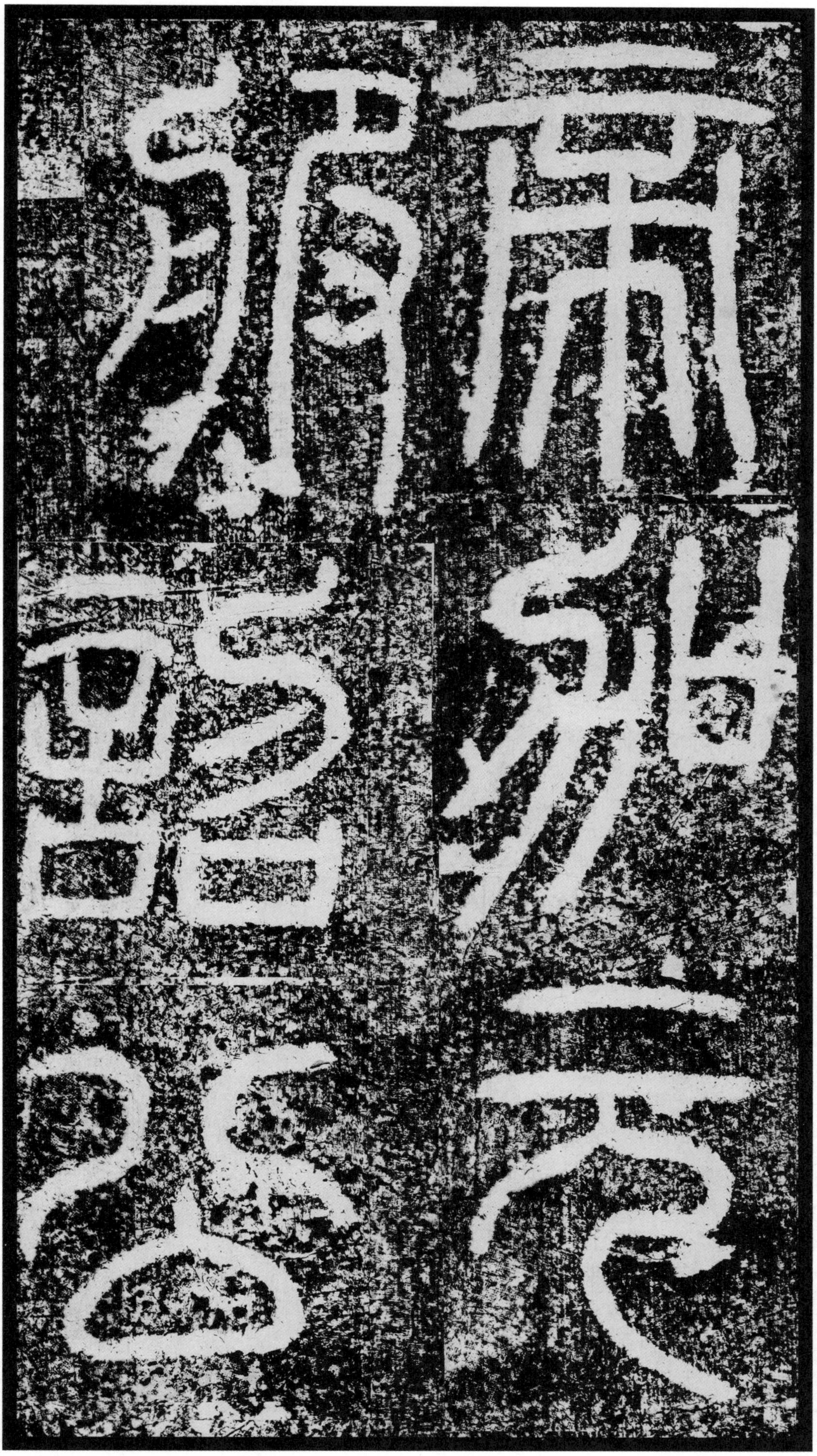

帝加元 服詔公

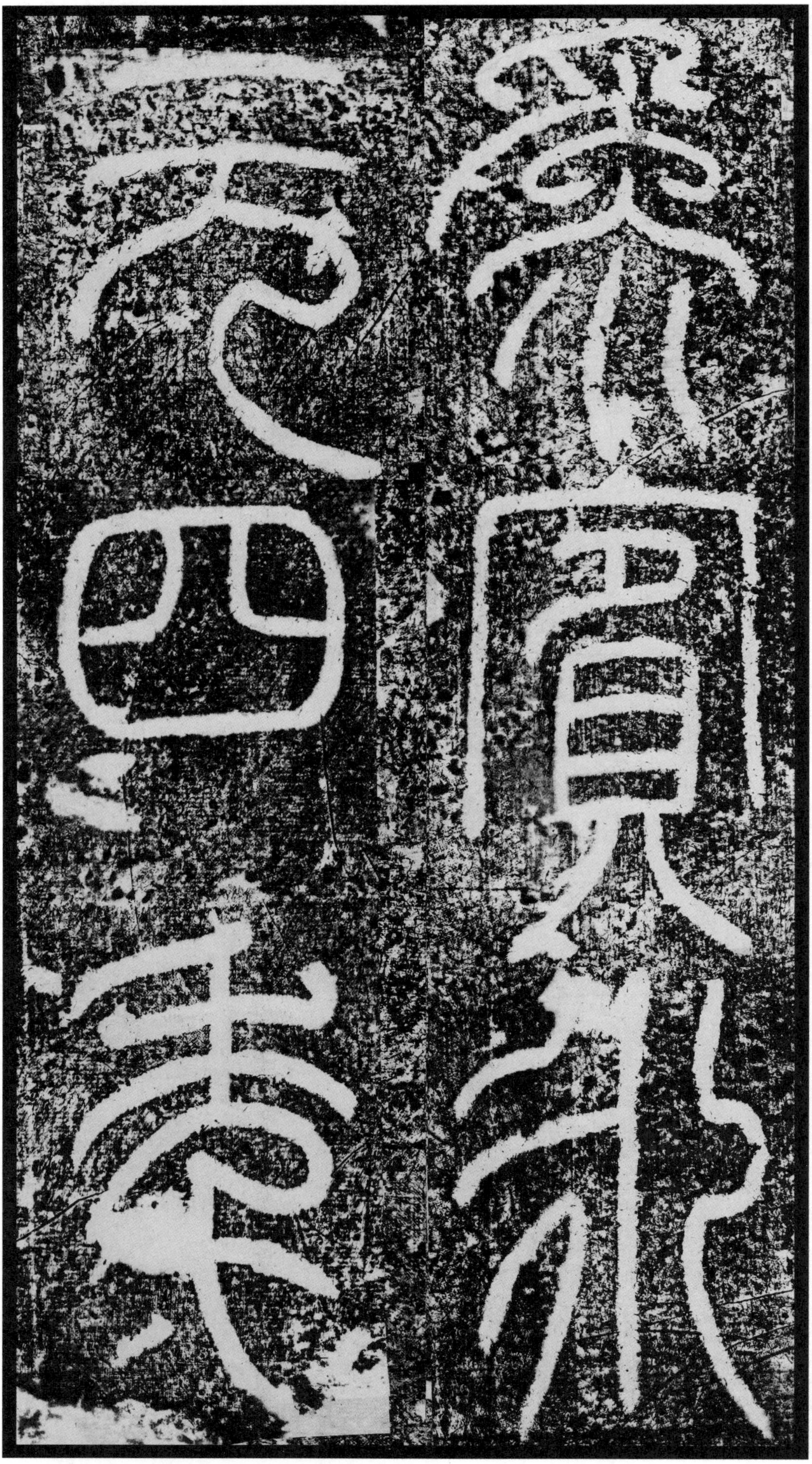

為賓永 元四年

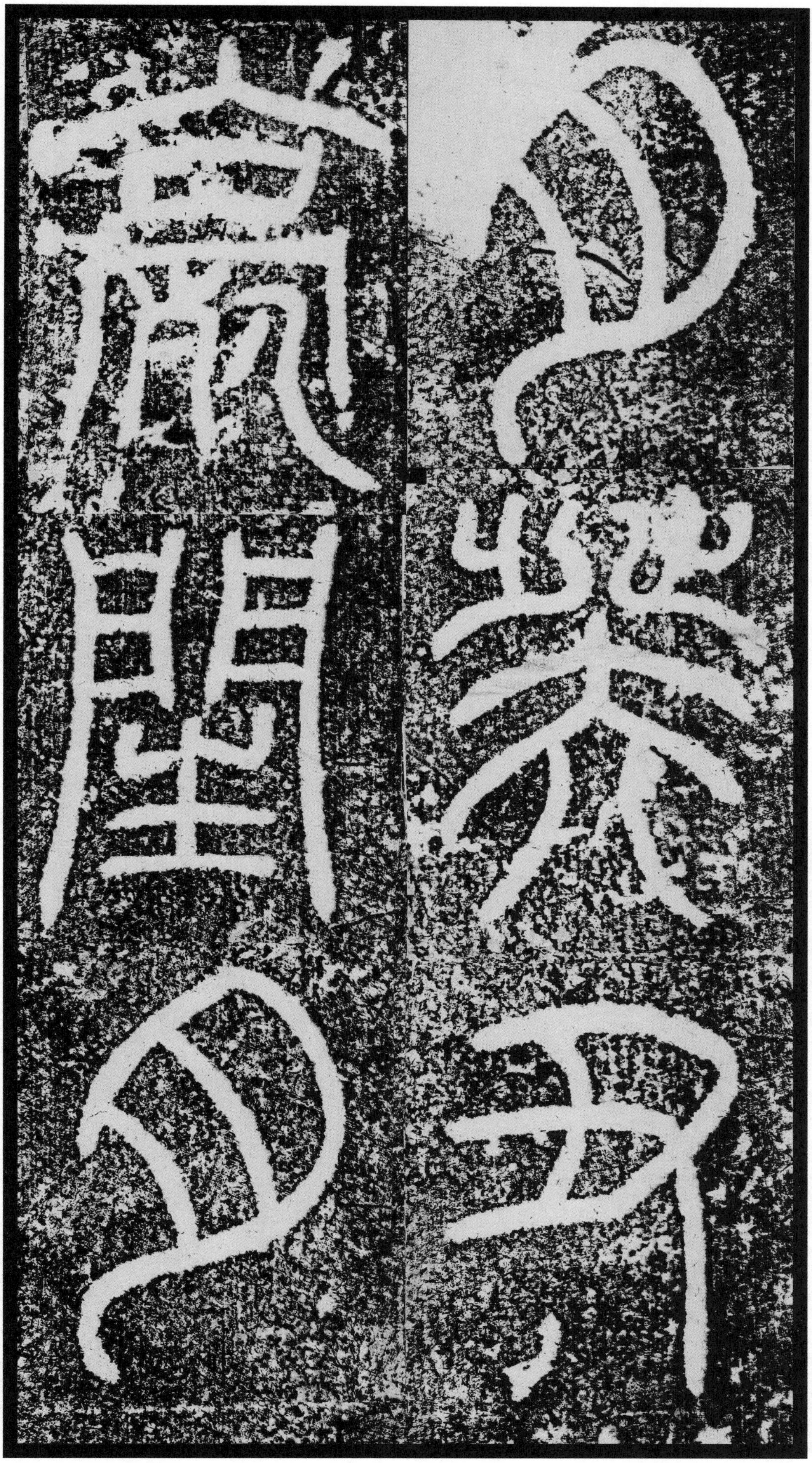

月癸丑 薨閏月

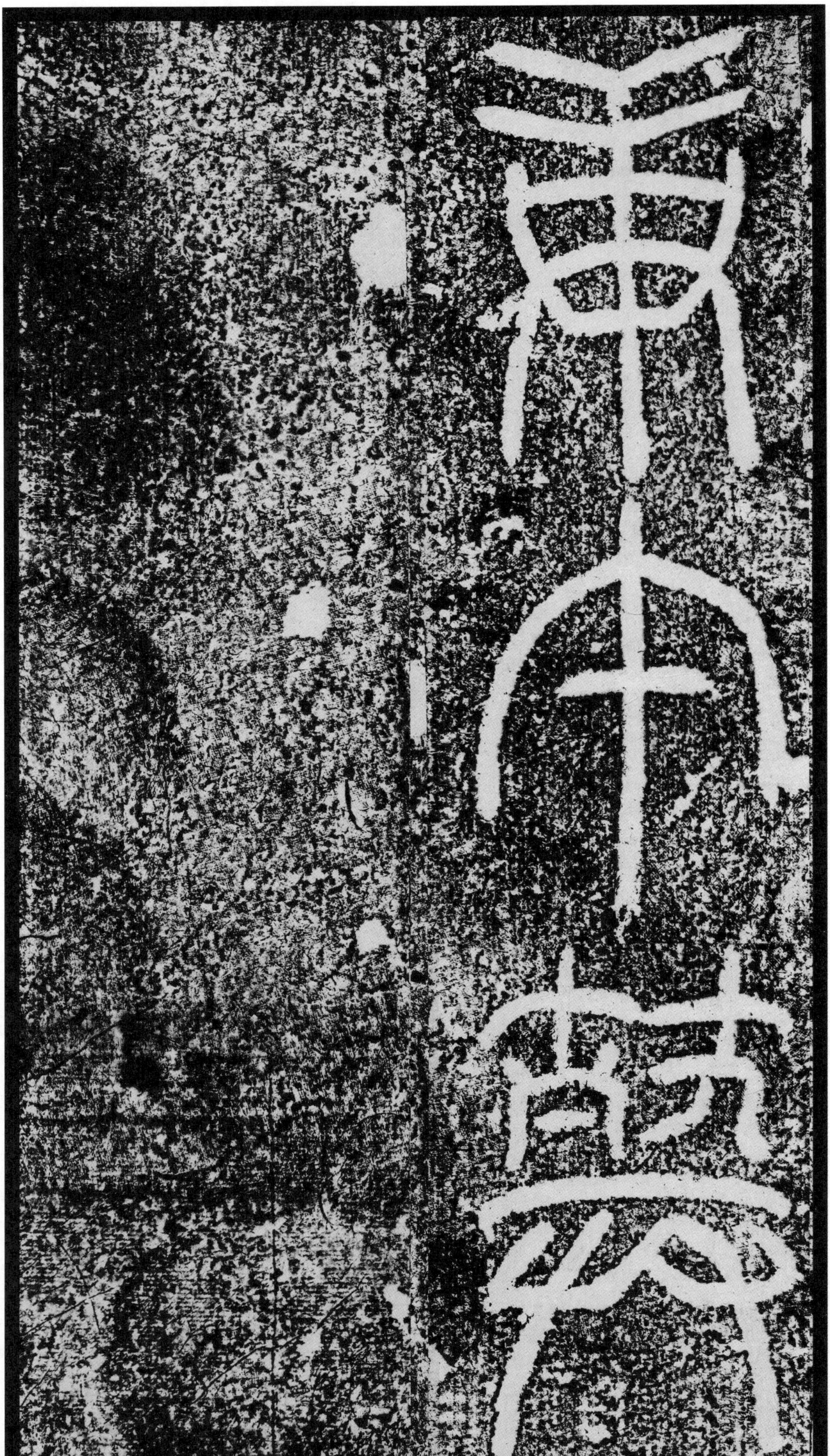

庚午葬

汉祀三公山碑

祀三公山碑

字在篆隶之间。又名《大三公山碑》，东汉元初四年（二七）常山相冯君所立。清乾隆三十九年（一七七四）元氏县令王治岐于元氏县城外访得。此碑书体以篆书为主，然转笔处多用方折，下垂笔常用尖笔出锋，此后的《吴天发神谶碑》是它的一脉。书风纯古遒厚，颇有特色。清代书法篆刻家邓石如与近代吴昌硕于此碑都曾下过工夫。

元初四年 常山相隴

條別神 廻在領

西吏民 禱祀興

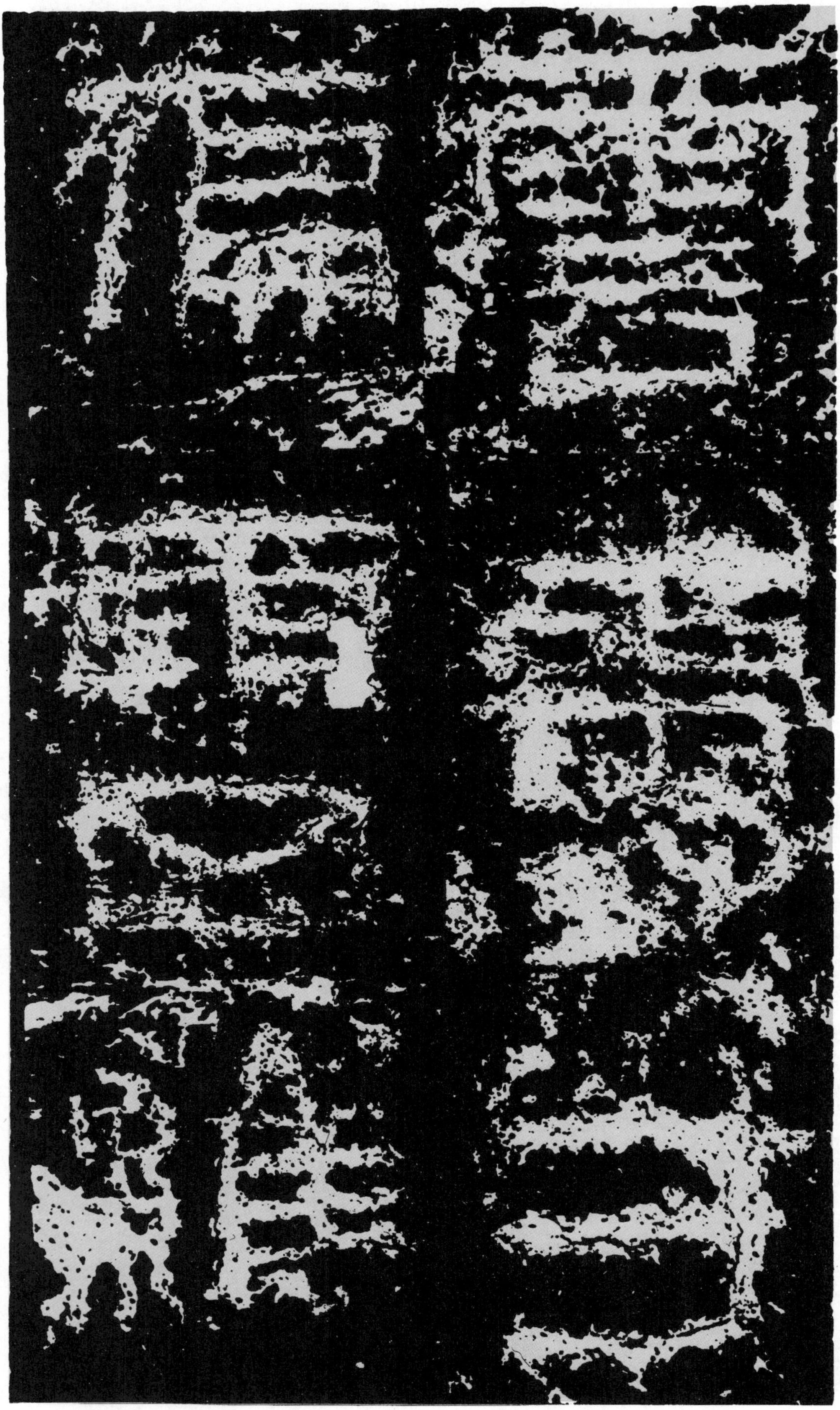

雲膚寸 偏雨四維

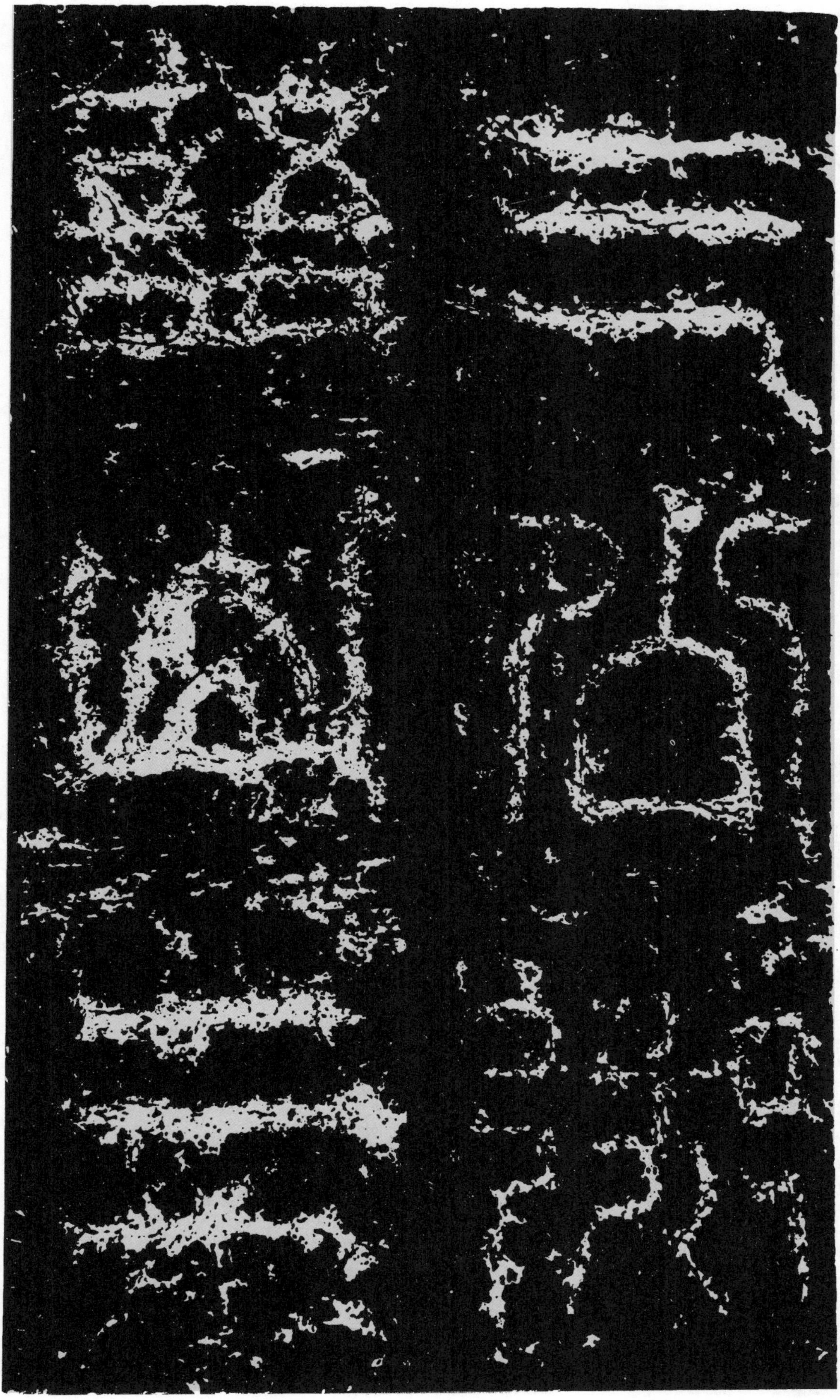

三公御 語山三

西馮君到官承

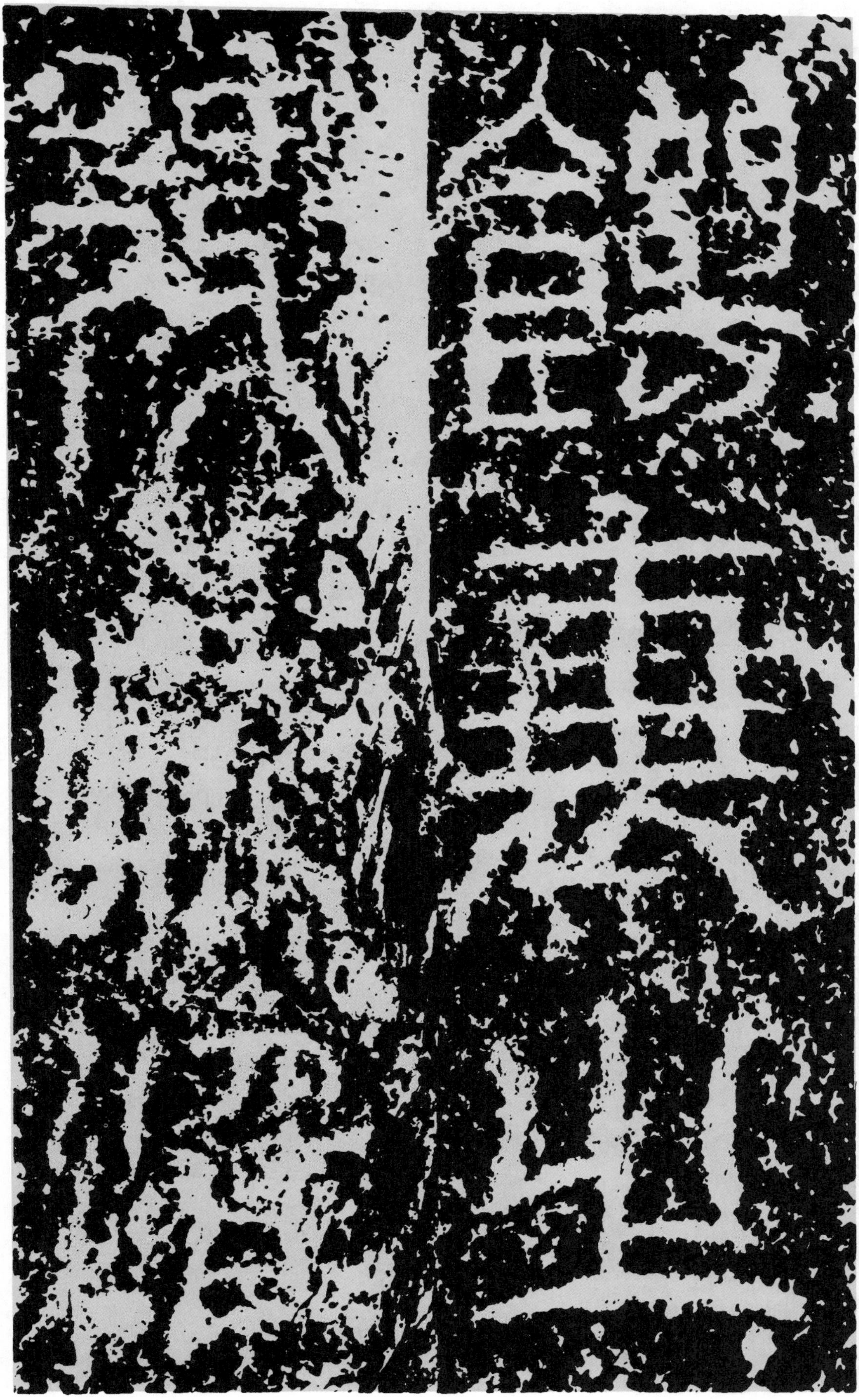

饑衰之 後口惟

遭離羌寇 蝗旱鬲并

民流道荒　醮祠希罕

敬奠不行　由是之來

和氣不臻 乃來道躬

本視其原　以三公

悳廣其 靈尤神處

幽道艱存　之者難

卜擇吉土　治東就

衡山起 堂立壇

雙闕夾門薦牲

納禮以 寧其神

神熹　其位甘雨

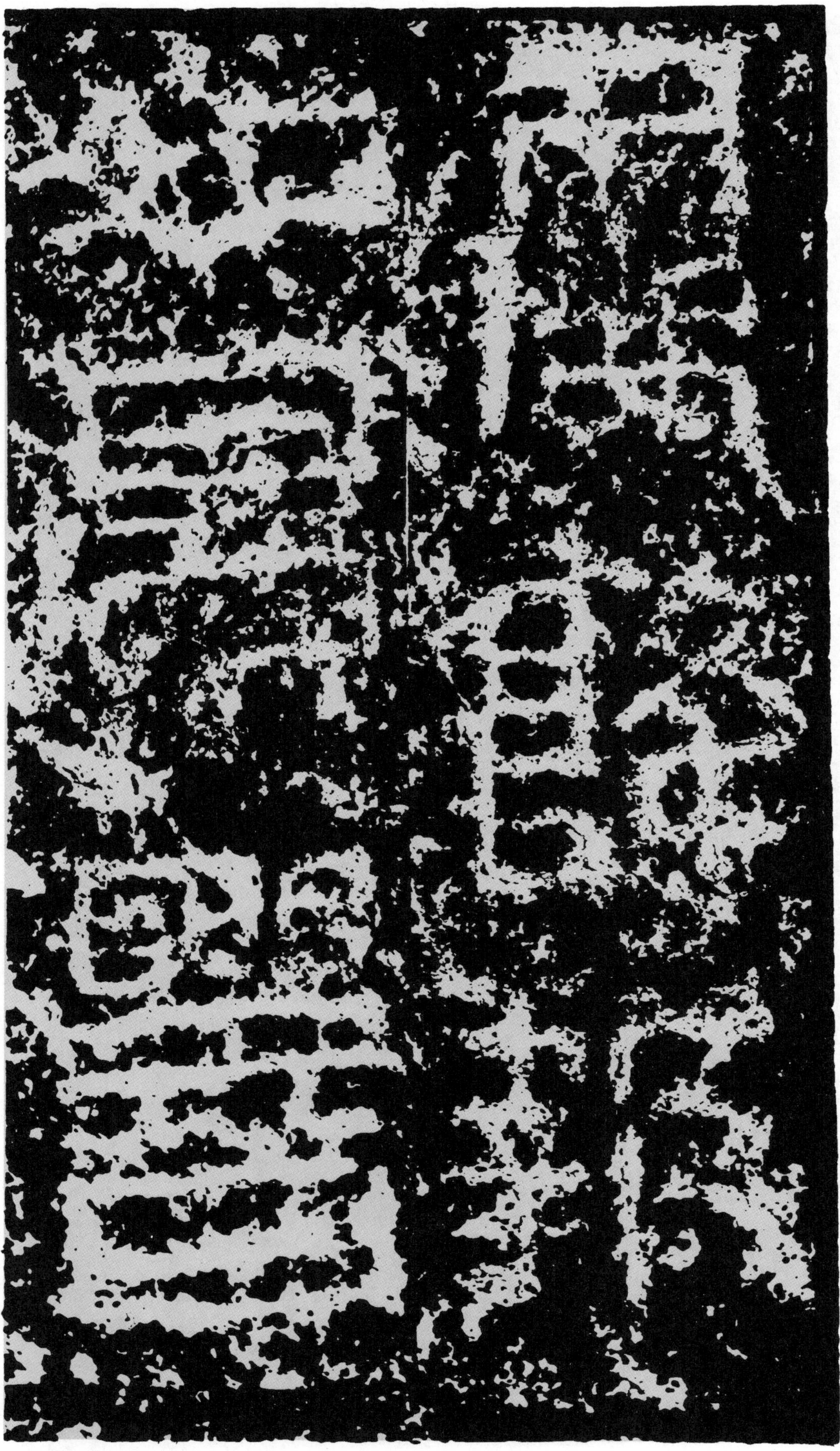

屢降報 如景響

國界大 豐穀斗

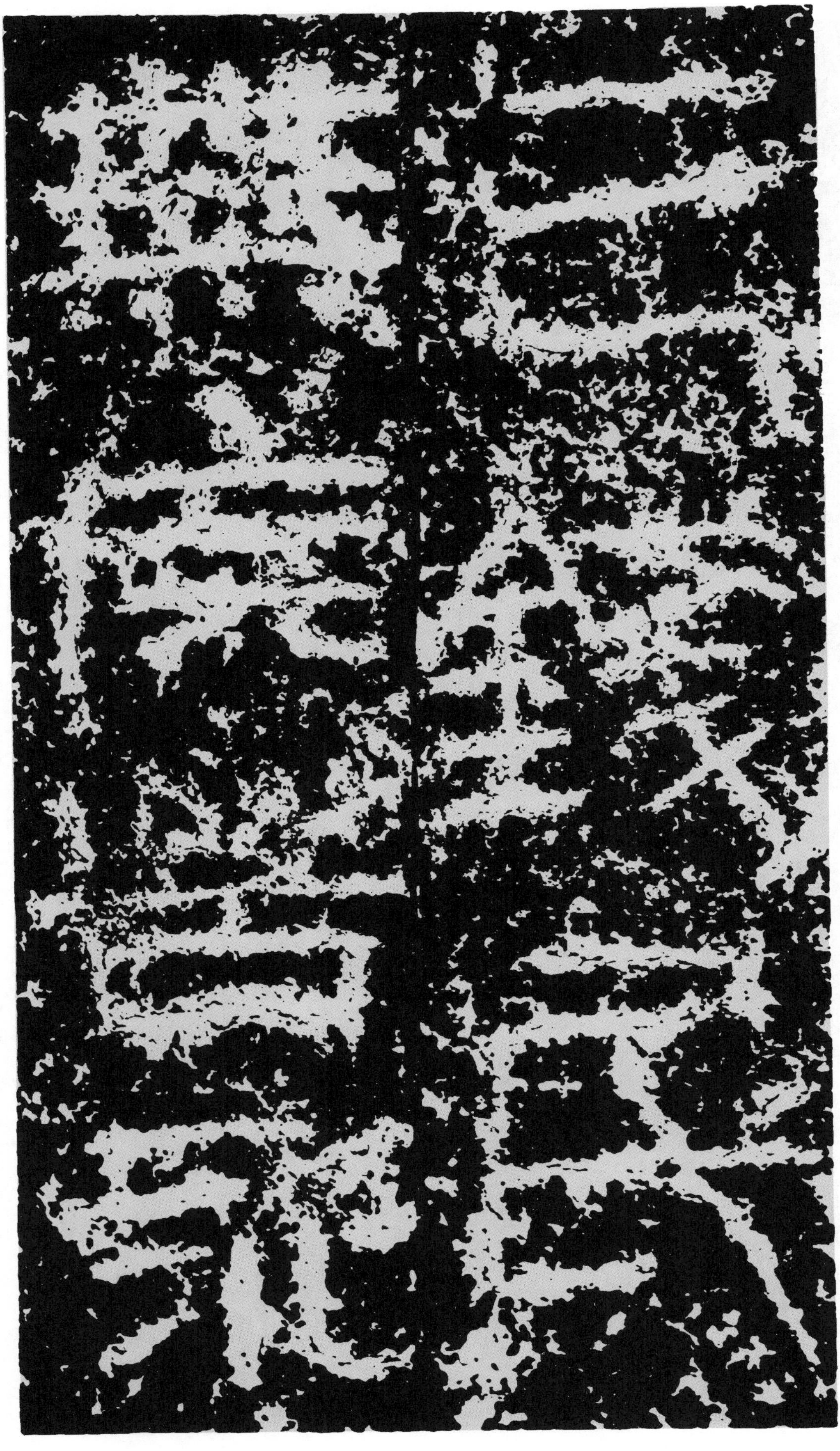

三錢民 無疾苦永

保其年 長史魯

國顏浮 五官掾

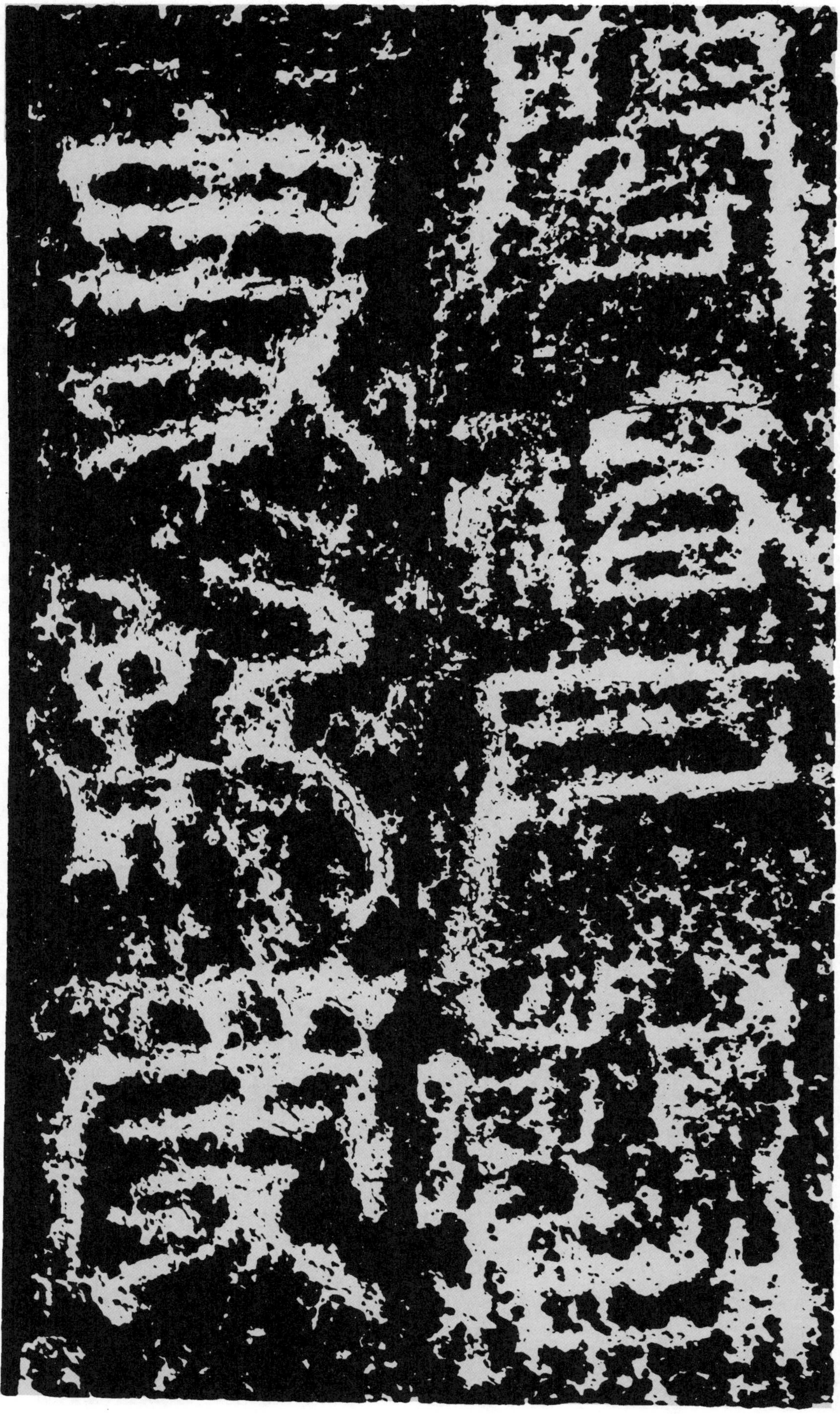

閻祐户曹 史紀受

将作掾王　口元氏

令第匡　丞吴音

廷掾 郭洪户

曹史翟 福工宋高

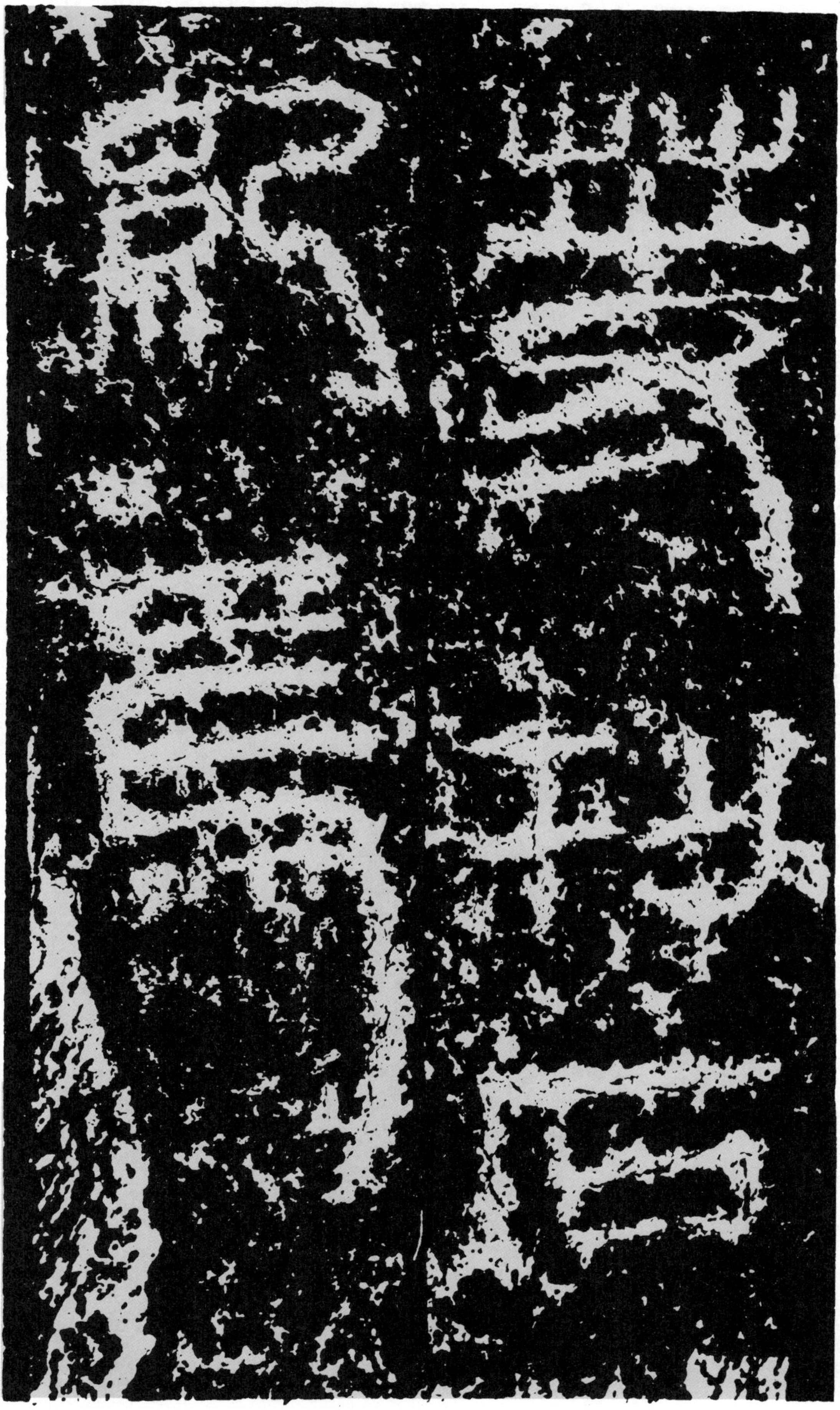

等刊石　紀焉

汉少室石阙铭

少室石阙铭

阙在河南登封县嵩山之麓，额题《少室神道之阙》。东汉延光二年（一二三）刻，为汉嵩山三阙之一（余二阙为『太室石阙』『启（或开）母庙石阙』。铭为篆书，每行四字，用笔浑厚，结体宽博平正，是汉篆中的精品。

於蕺林　芝緜日

月丙三　月三日

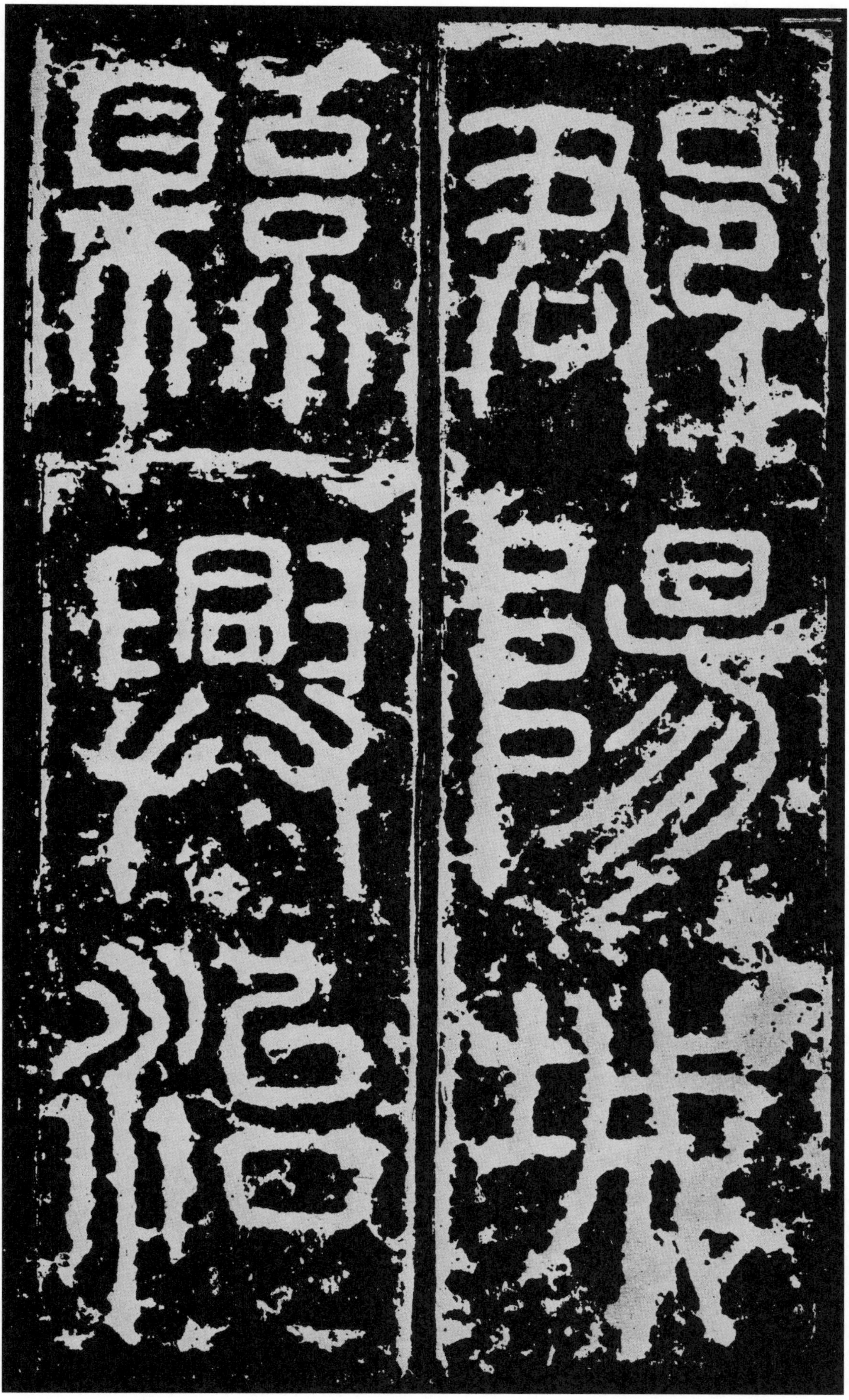

郡陽城 縣興治

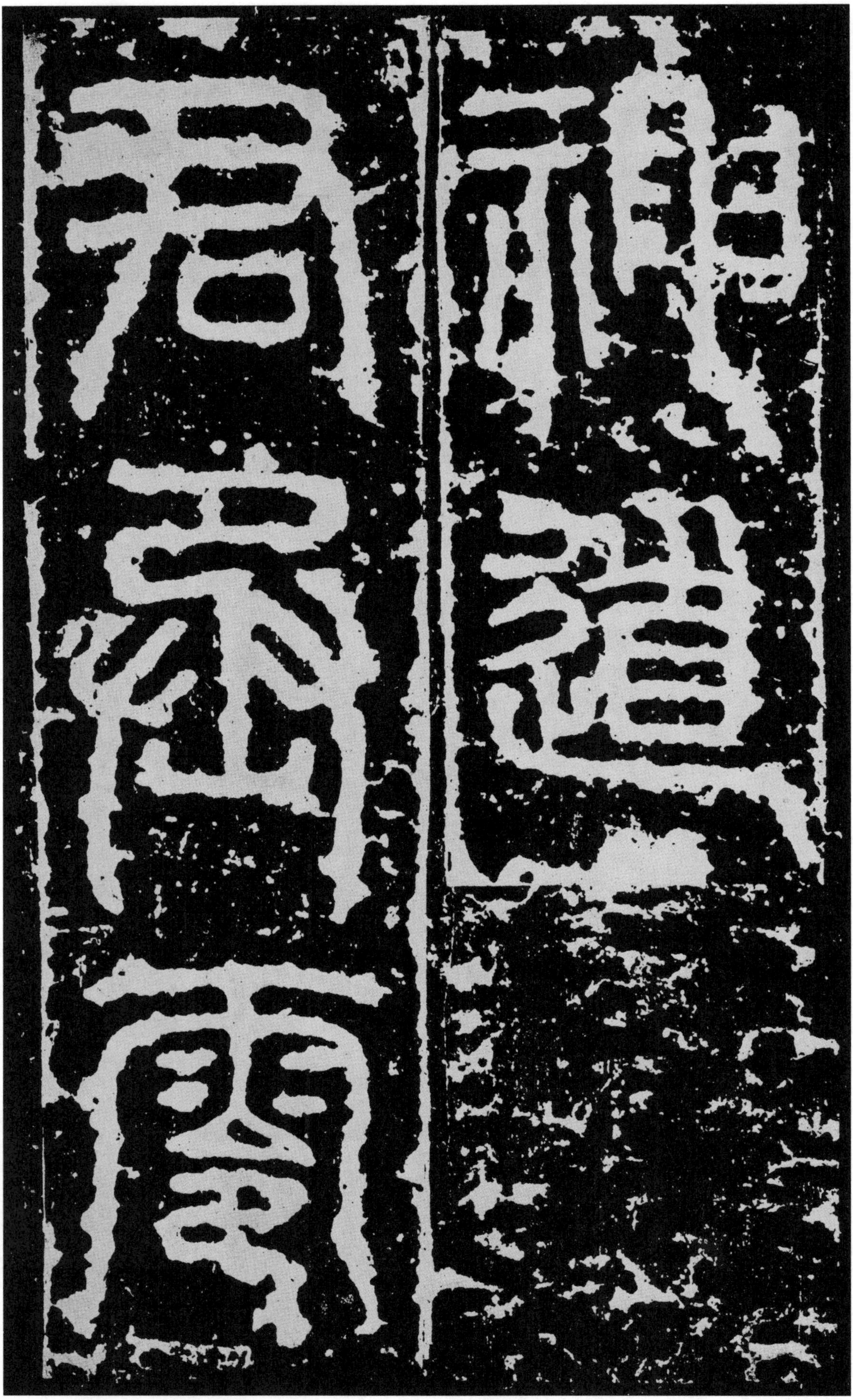

神道 君丞零

陵泉陵 薛政五

官掾陰　林户曹

史夏效 監廟掾

辛述長 西河圜

陽馮寶 丞漢陽

冀祕俊 廷掾趙

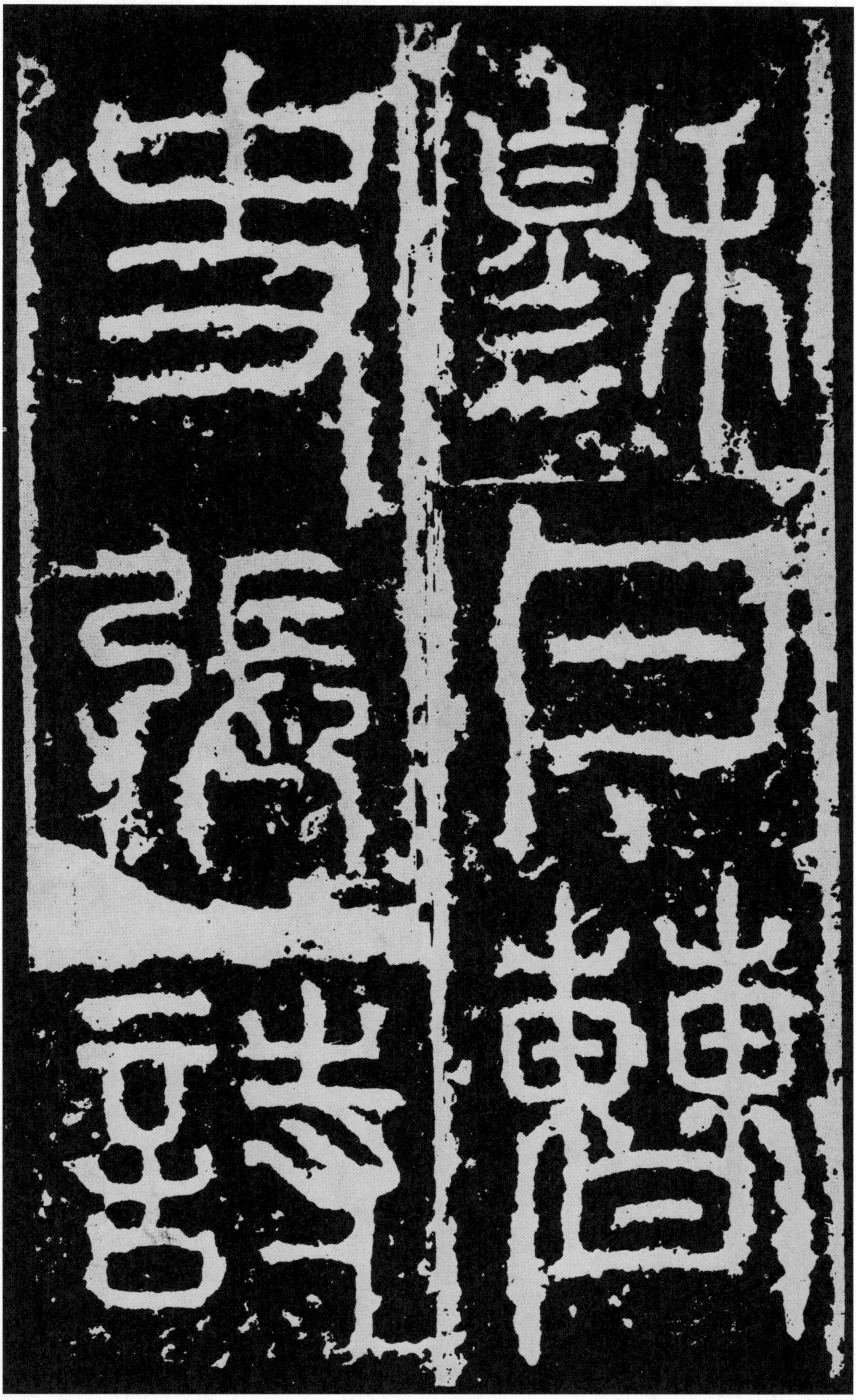

穆户曹 史張詩

將作掾 嚴壽廟

佐向猛　趙始

汉石门颂

石门颂

隶书。额题《故司隶校尉楗为杨君颂》，东汉建和二年（一四八）摩崖刻石，王升撰文，未署书人姓名。内容是记司隶校尉杨孟文主持修复褒斜栈道事。因在陕西褒城县东北褒斜谷石门崖壁上，故名。

此碑用笔圆劲纵放，飘逸多姿，结体洒落自然，素有『隶中草书』之称。临写时要用逆锋起笔，中间行笔遒缓，收笔时复以回锋；要写得圆浑挺劲，切忌浮薄。

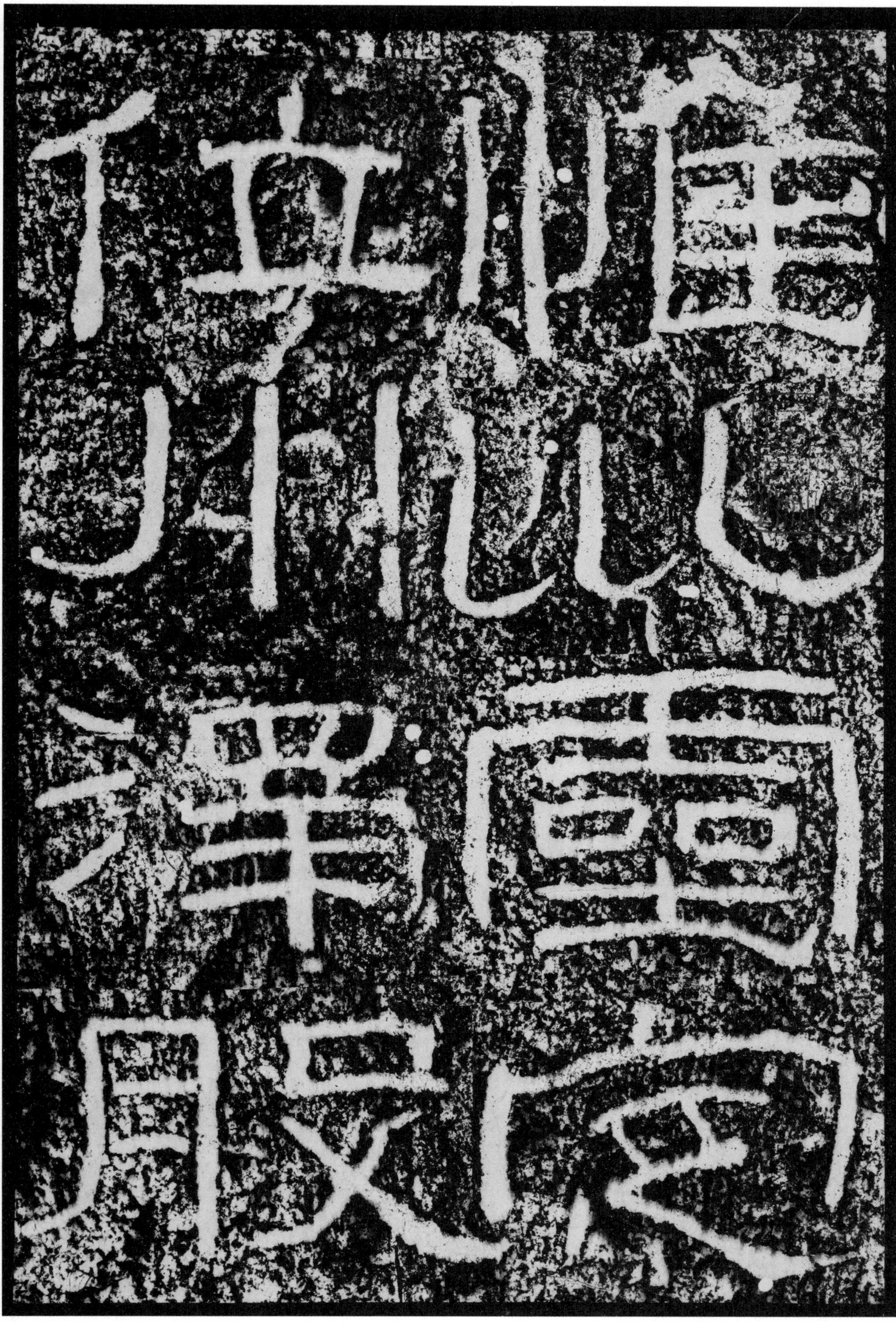

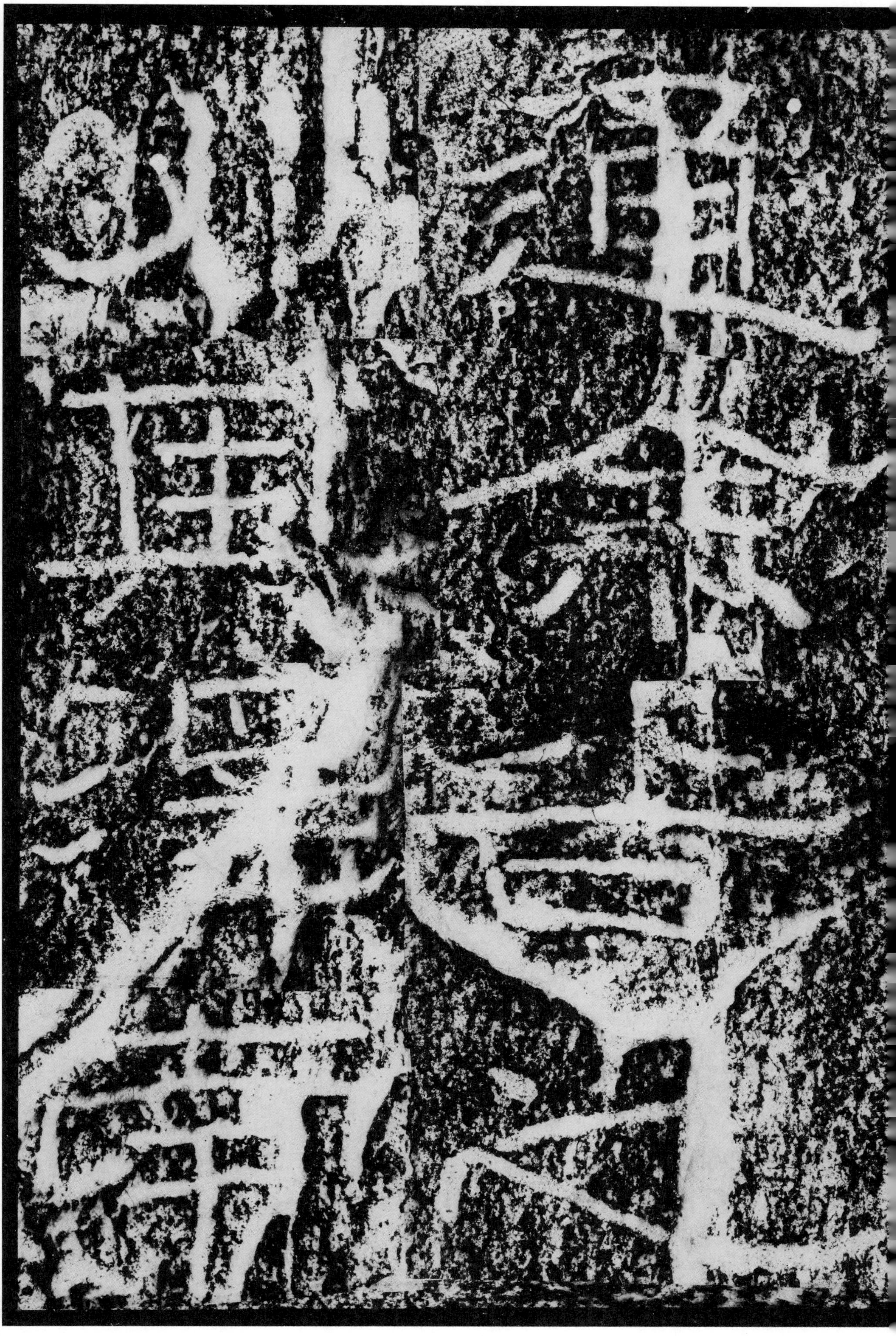

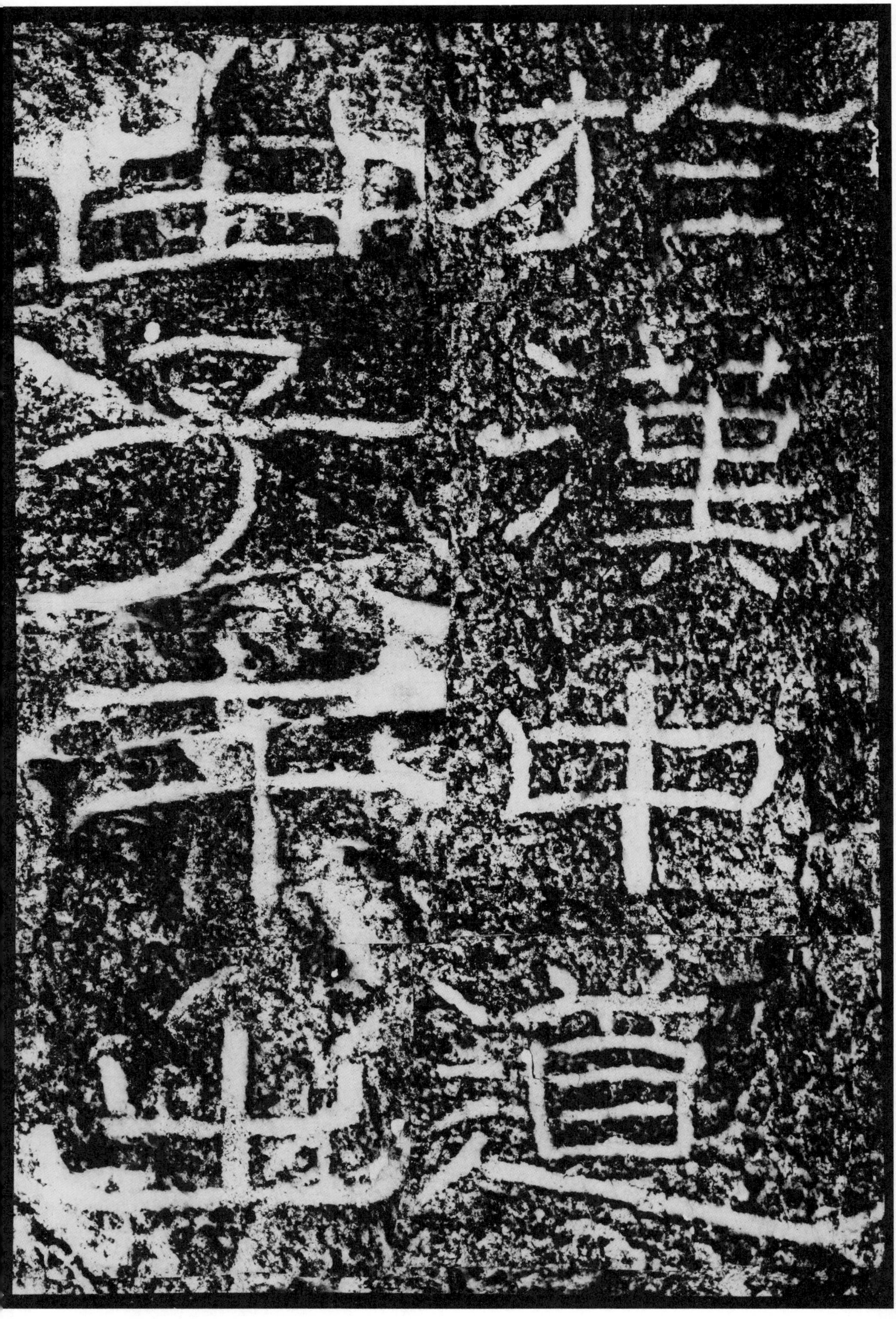

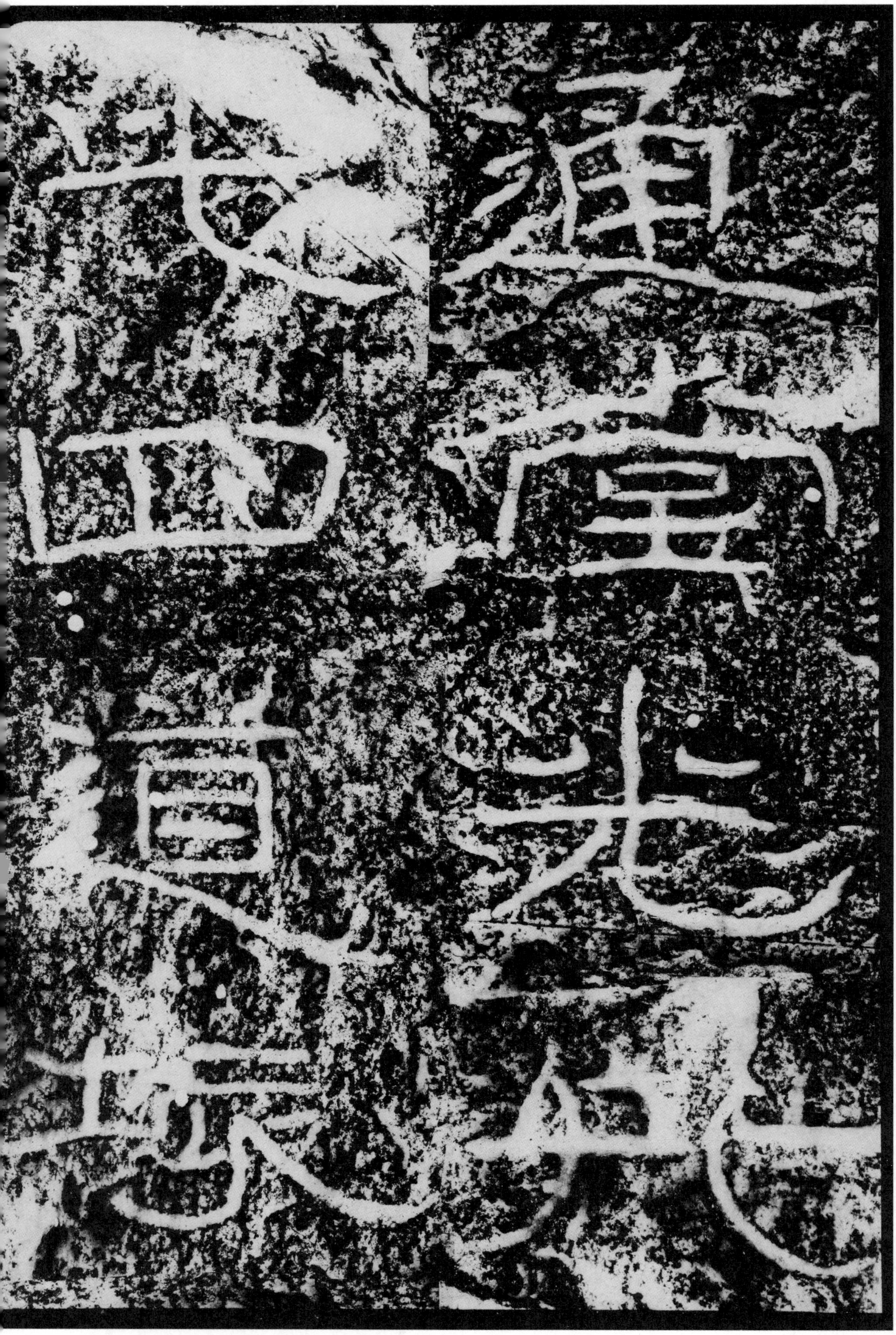

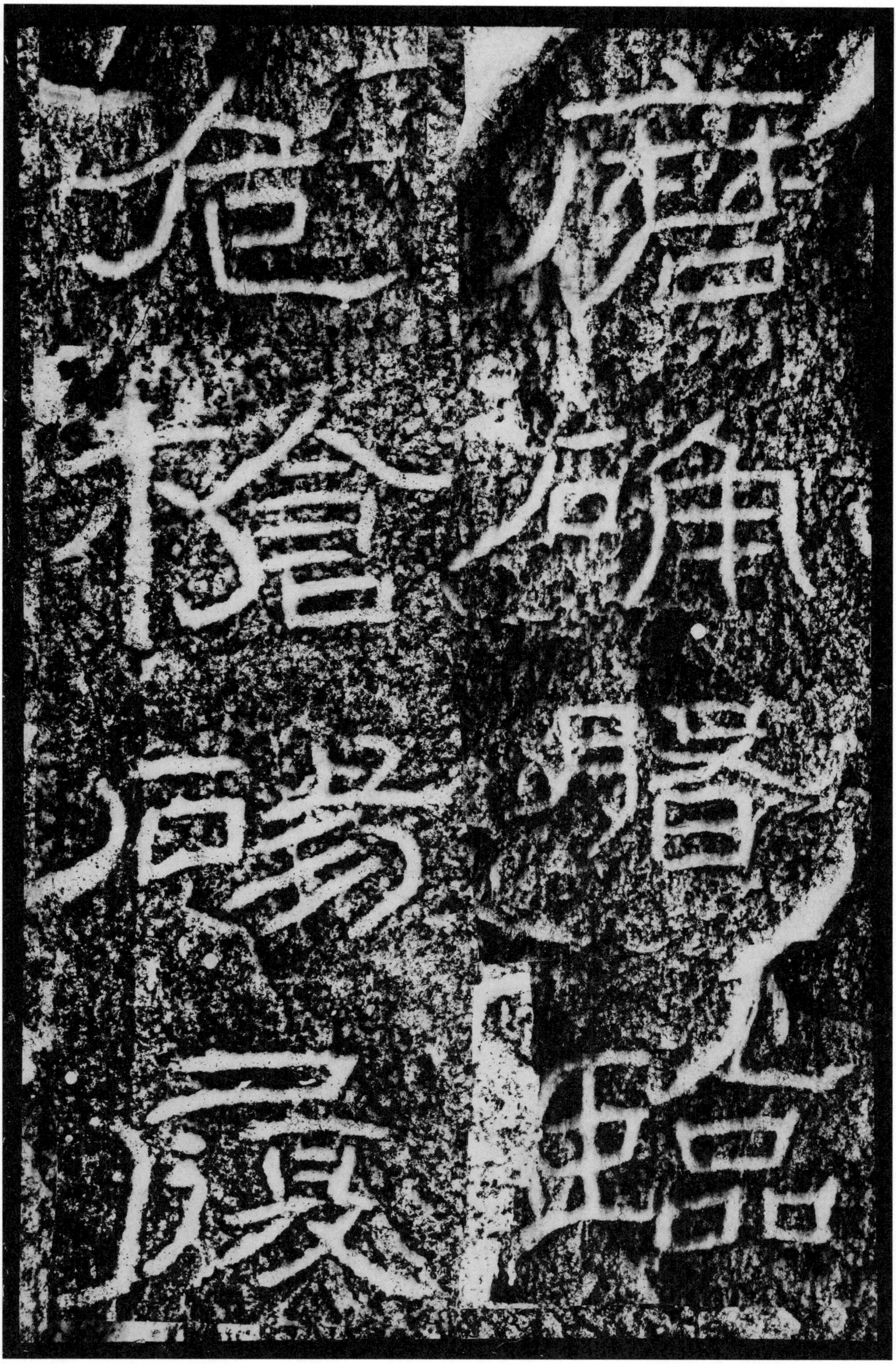

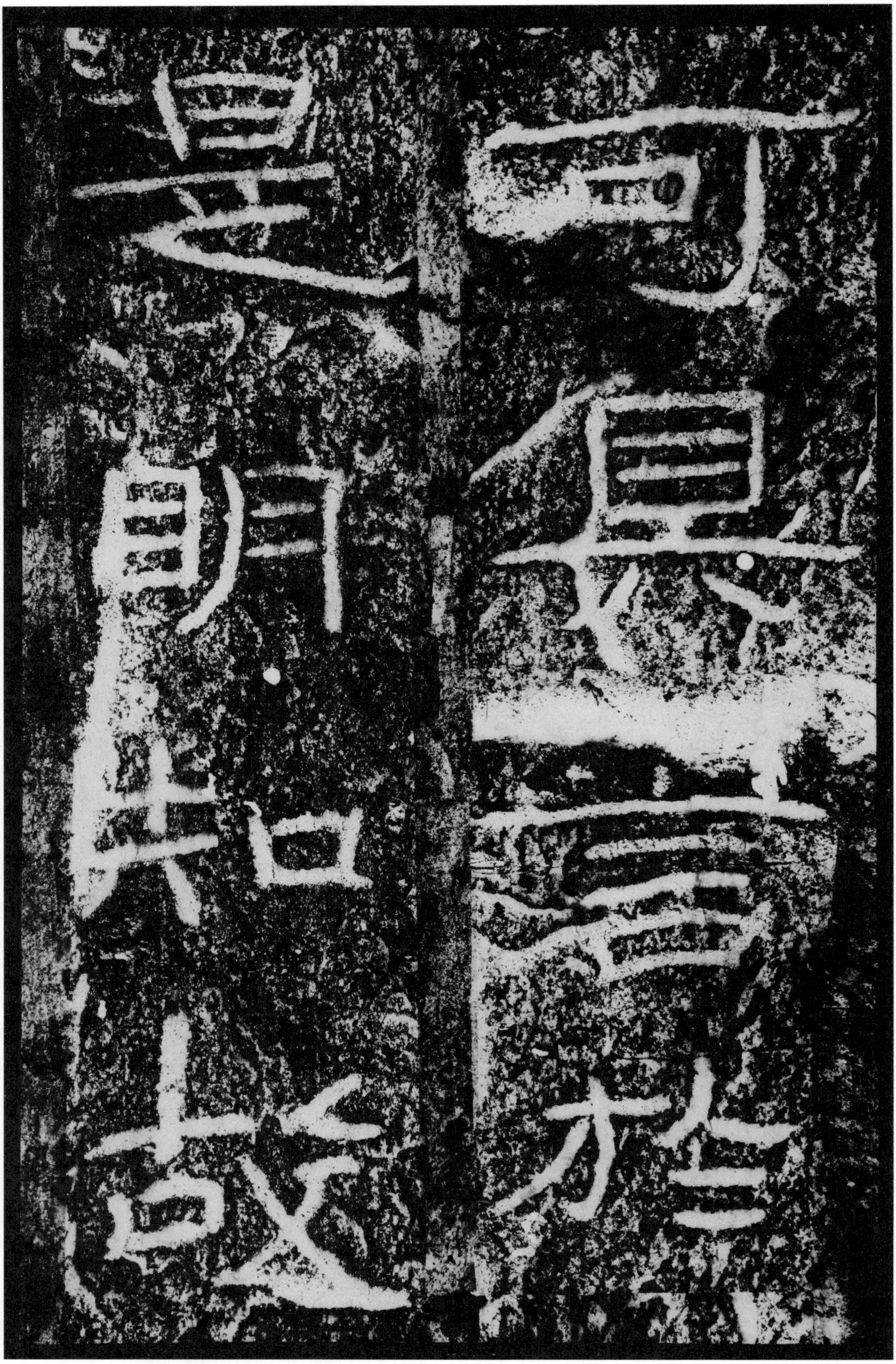
可夏
於
是則知故

司隸校尉
楗為武陽

楊君厥字
孟文深執

奏請有司

載陵帝用
皇聽愛子

事斯得其

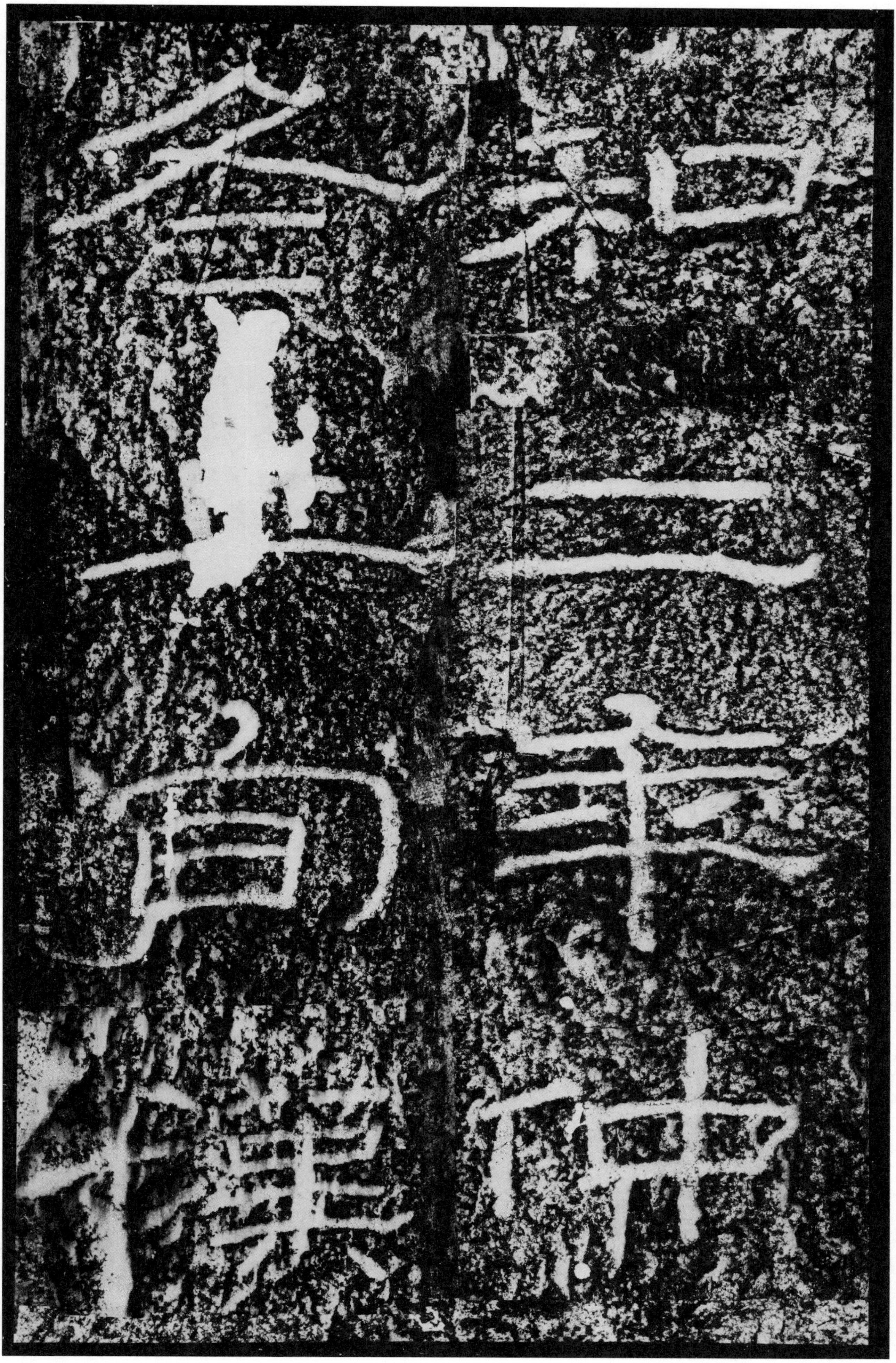

中大南建
爲養陽王

道德深
原壽朗

寧靜烝庶
政與乾通

輔主匡君
循禮有常

言以忠義
臣以將軍

睪羨國安
有勳負榮

上順斗極
下荅巛皇

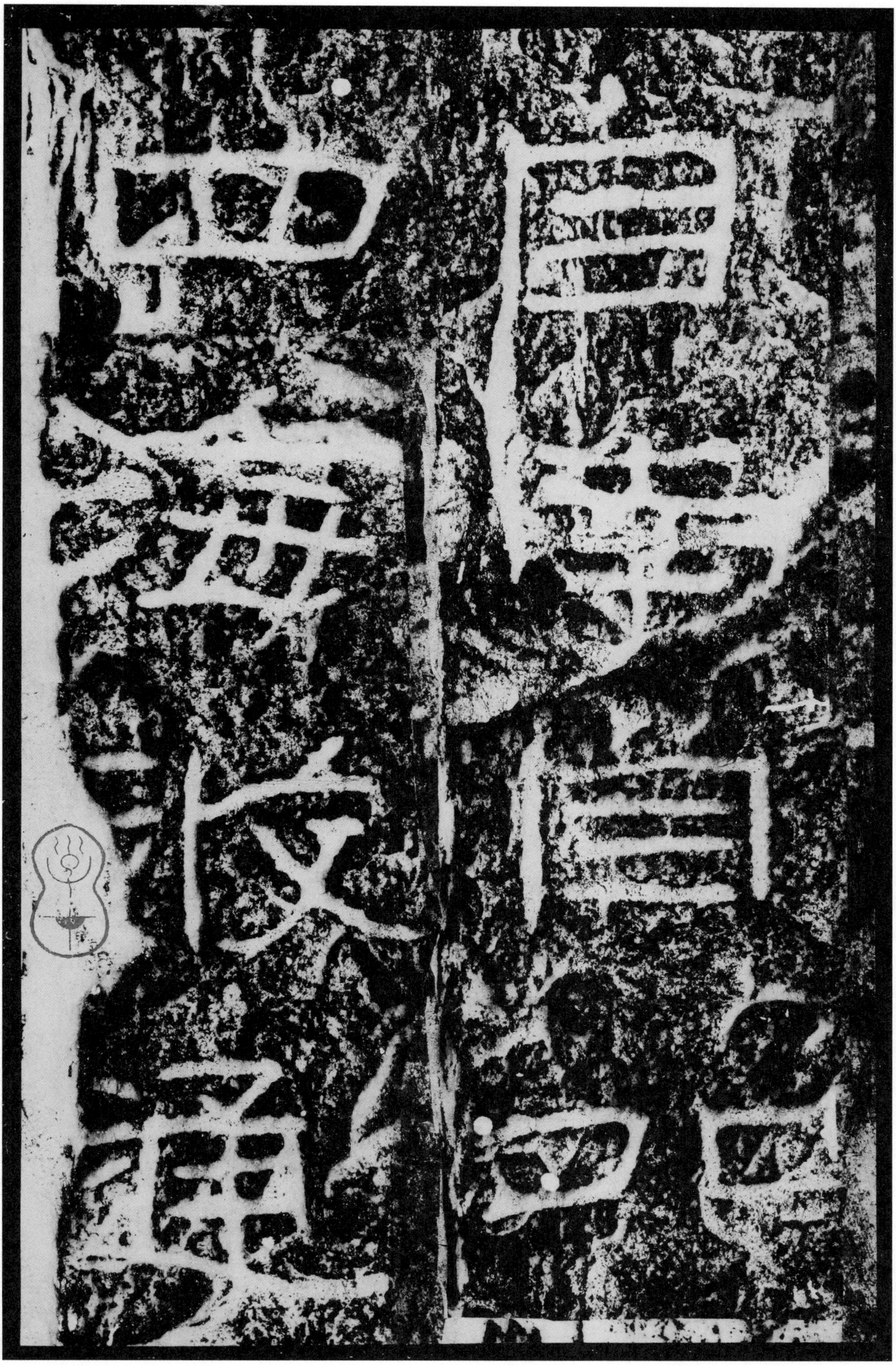

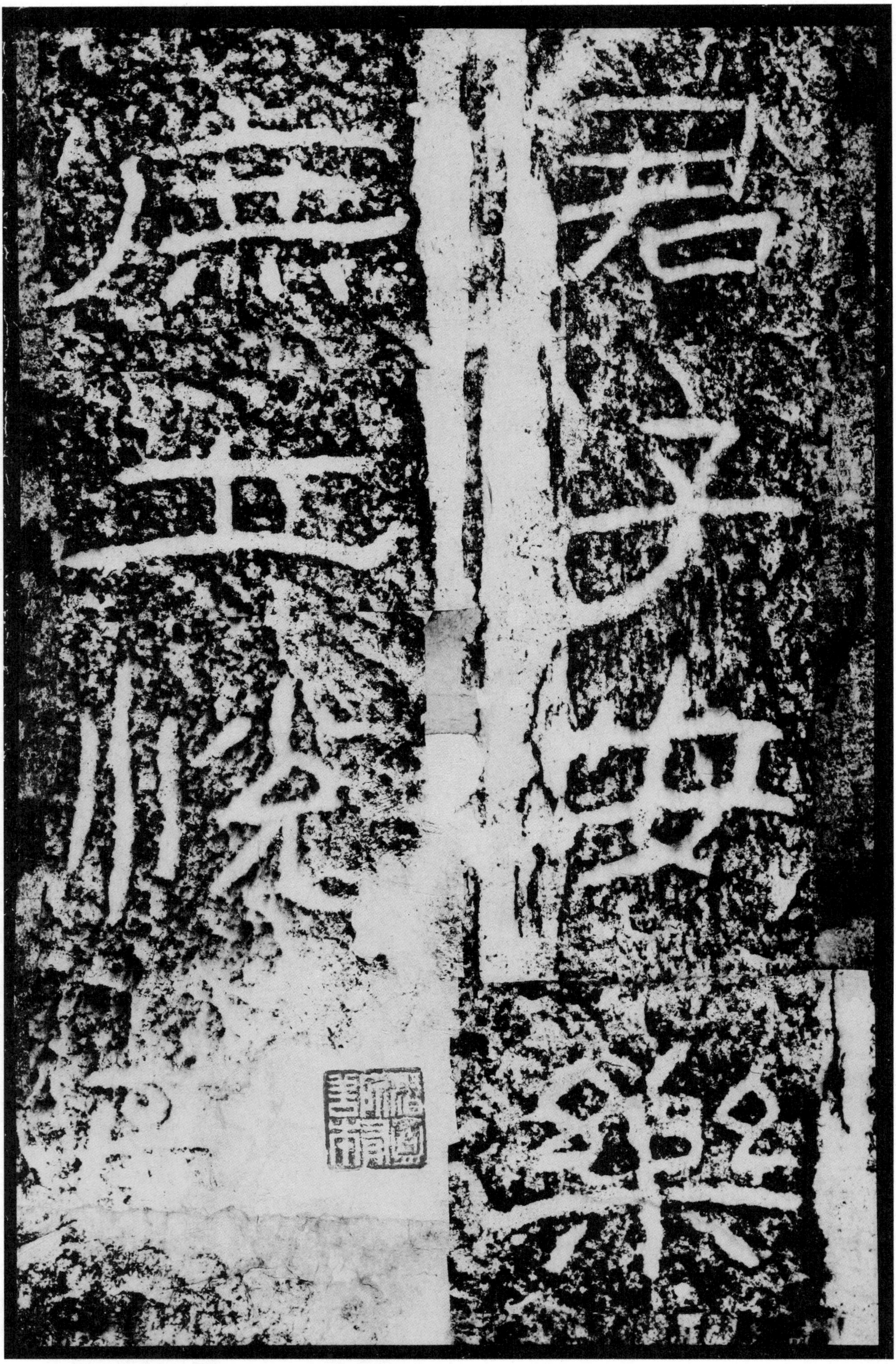

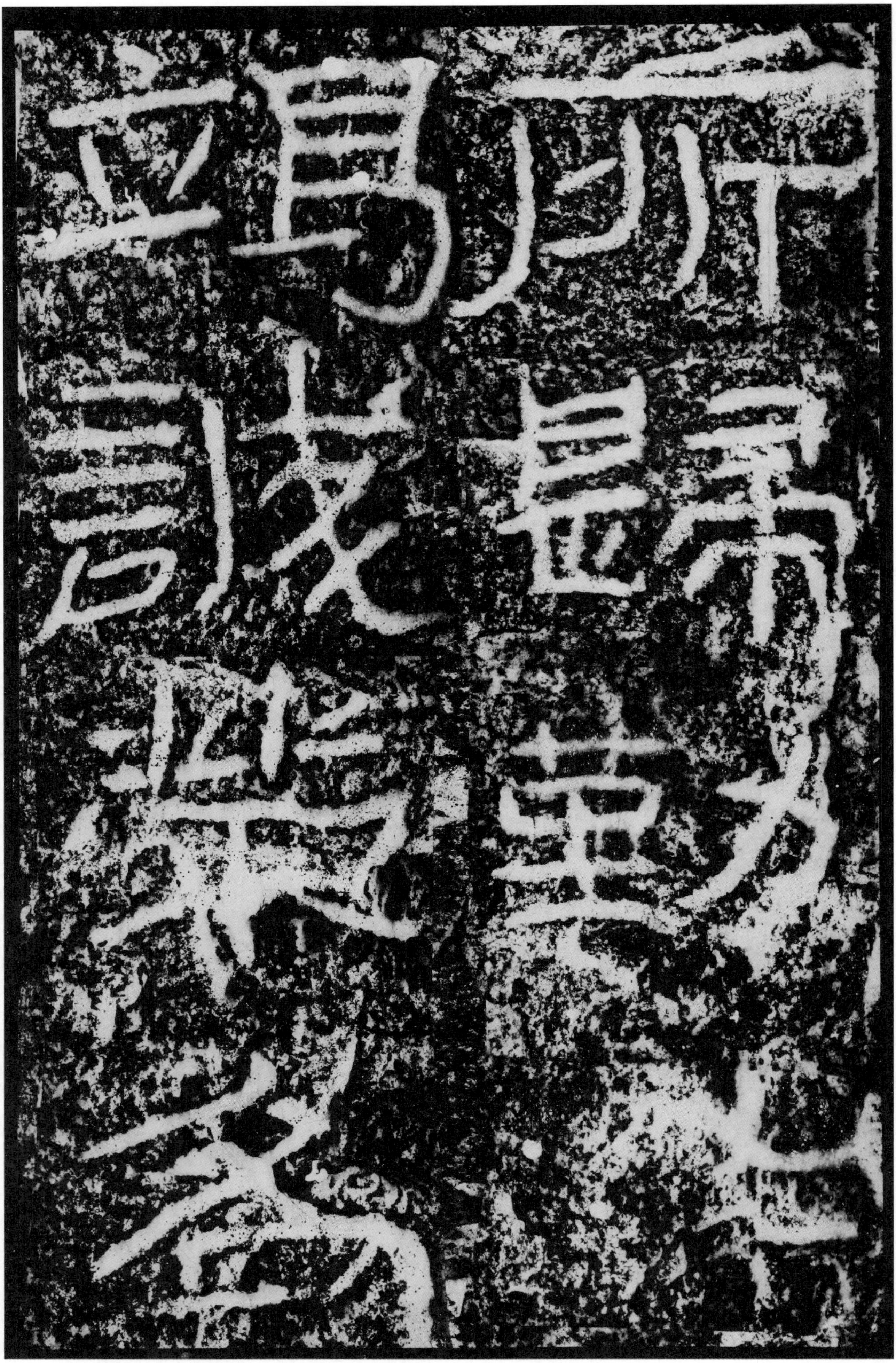

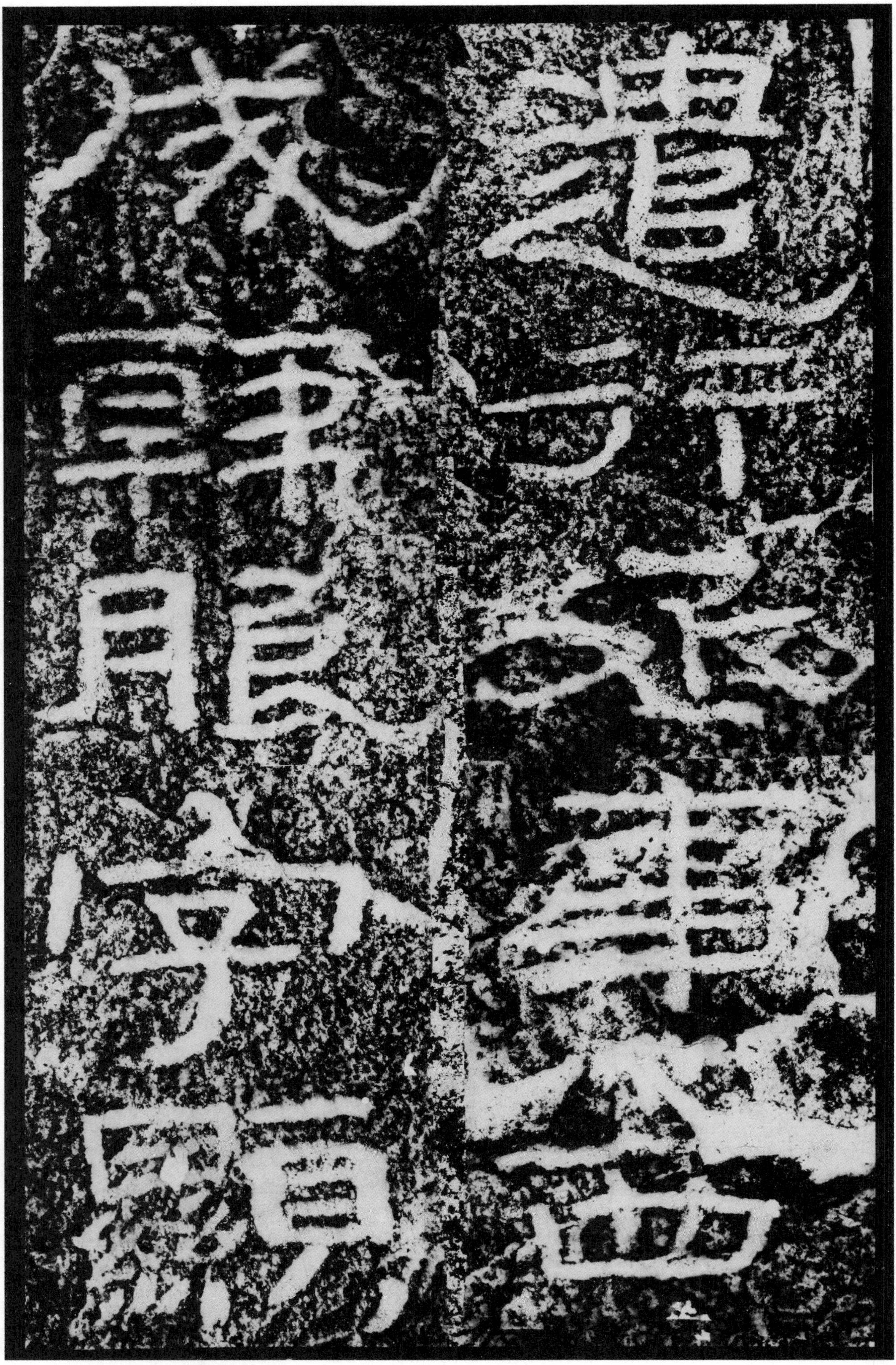

佑都督掾南

鄭魏整字伯

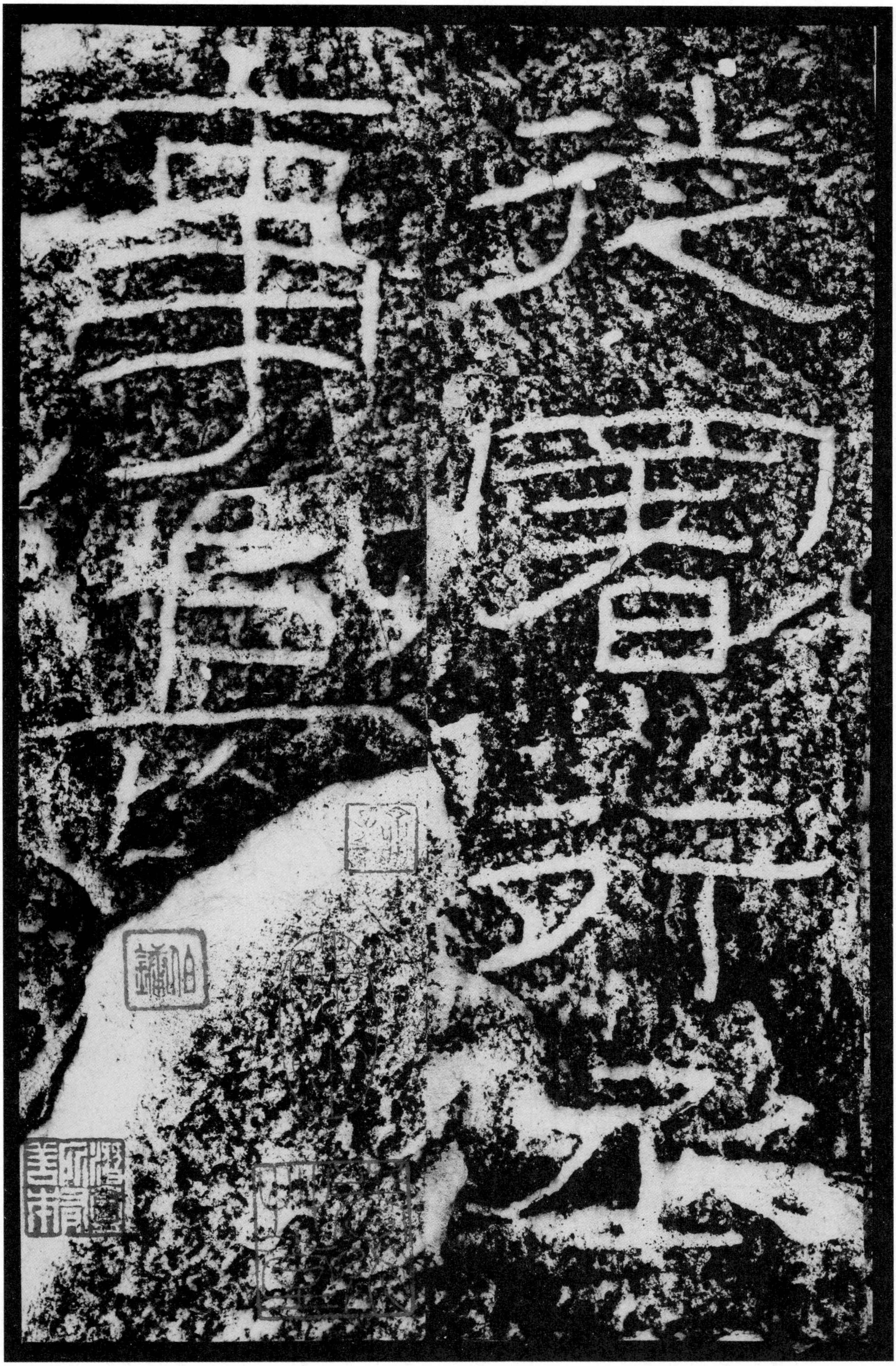

图书在版编目(CIP)数据

篆书.上/上海书画出版社编.—上海：上海书画出版社，1986.6

（书法自学丛帖）

ISBN 978-7-80512-063-8

Ⅰ.正… Ⅱ.上… Ⅲ.篆书—法帖—中国Ⅳ.J292.31

中国版本图书馆CIP数据核字(2004)第135908号

书法自学丛帖——篆隶（上册）

本社 编

责任编辑　孙稼阜　罗　宁

审　　读　陈家红

封面设计　王　峥

技术编辑　顾　杰

出版发行　上海世纪出版集团

上海书画出版社

地址　上海市延安西路593号　200050

网址　www.ewen.co

www.shshuhua.com

E-mail　shcpph@163.com

制版　上海文高文化发展有限公司

印刷　上海盛隆印务有限公司

经销　各地新华书店

开本　787×1092　1/12

印张　$32\frac{1}{3}$

版次　1986年6月第1版　2020年3月第19次印刷

书号　**ISBN** 978-7-80512-063-8

定价　**70.00元**